SRTA. AUSTEN

GILL HORNBY

SRTA. AUSTEN

Tradução de
Elizabeth Ramos

1ª edição

EDITORA RECORD
RIO DE JANEIRO • SÃO PAULO
2023

CIP-BRASIL. CATALOGAÇÃO NA PUBLICAÇÃO
SINDICATO NACIONAL DOS EDITORES DE LIVROS, RJ

H788s   Hornby, Gill
           Srta. Austen / Gill Hornby ; tradução Elizabeth Ramos. – 1. ed. – Rio de Janeiro : Record, 2023.

           Tradução de: Miss Austen
           ISBN: 978-65-5587-704-5

           1. Romance inglês. I. Ramos, Elizabeth. II. Título.

23-82158   CDD: 823
                          CDU: 82-31(410.1)

Meri Gleice Rodrigues de Souza - Bibliotecária - CRB-7/6439

TÍTULO ORIGINAL:
MISS AUSTEN

Copyright © Gill Hornby 2020
Mapa © Darren Bennett at DKB Creative Ltd (www.dkbcreative.com)

Texto revisado segundo o Acordo Ortográfico da Língua Portuguesa de 1990.

Todos os direitos reservados. Proibida a reprodução, no todo ou em parte, através de quaisquer meios. Os direitos morais da autora foram assegurados.

Direitos exclusivos de publicação em língua portuguesa somente para o Brasil adquiridos pela
EDITORA RECORD LTDA.
Rua Argentina, 171 – Rio de Janeiro, RJ – 20921-380 – Tel.: (21) 2585-2000, que se reserva a propriedade literária desta tradução.

Impresso no Brasil

ISBN 978-65-5587-704-5

Seja um leitor preferencial Record.
Cadastre-se no site www.record.com.br e receba informações sobre nossos lançamentos e nossas promoções.

Atendimento e venda direta ao leitor:
sac@record.com.br

Para Holly e Matilda

Os homens tiveram todos os benefícios ao contar a própria história. A caneta sempre esteve nas mãos deles.

Jane Austen, *Persuasão*

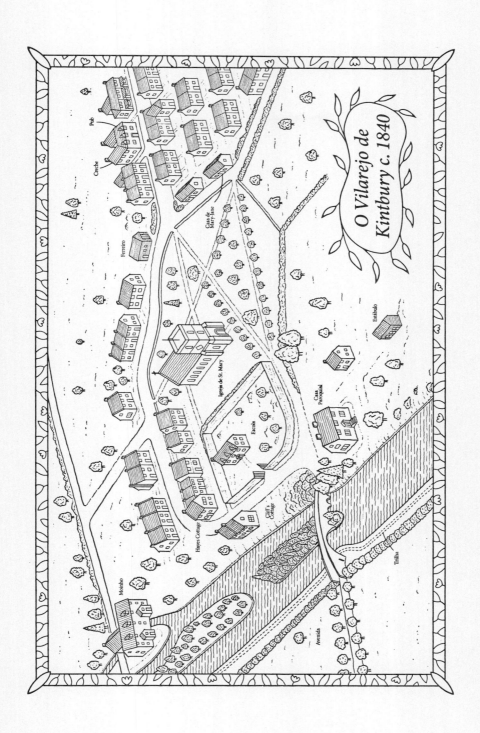

AS FAMÍLIAS

Os Austen

O REVERENDO GEORGE AUSTEN, Reitor de Steventon, e sua esposa, a SRA. (CASSANDRA) AUSTEN: o casal teve oito filhos, um deles, George, mesmo nome do pai, era portador de paralisia e morava afastado da família. A respeito dos demais:

JAMES sucedeu o pai como Reitor de Steventon. Depois da morte da primeira esposa, casou-se com MARY LLOYD. Tiveram três filhos: ANNA, JAMES-EDWARD e CAROLINE.

EDWARD foi adotado, na juventude, por amigos ricos e viveu uma vida de nobre. Casou-se com ELIZABETH e o casal teve onze filhos. Sua filha mais velha, FANNY, era a sobrinha favorita de suas irmãs, Cassandra e Jane.

HENRY foi soldado, depois banqueiro e, finalmente, pároco. O mais inteligente e cosmopolita dos irmãos, ajudou Jane a encontrar um editor e atuou como seu agente.

CASSANDRA foi noiva de Tom Fowle; mais tarde, tornou-se executora testamentária do patrimônio literário da irmã.

FRANCIS, conhecido como Frank, ingressou na marinha, chegou à posição de almirante e por fim foi sagrado cavaleiro. Depois da morte da primeira esposa, que o deixou com onze filhos, casou-se com MARTHA LLOYD.

JANE escreveu seis romances, dois dos quais foram publicados postumamente. Morreu em julho de 1817.

CHARLES também era marinheiro.

Os Fowle

O REVERENDO THOMAS FOWLE, Pároco de Kintbury, e sua esposa a SRA. (JANE) FOWLE tiveram quatro filhos:

FULWAR CRAVEN sucedeu o pai como Pároco de Kintbury e casou-se com ELIZA LLOYD. Tiveram três filhos e três filhas, MARY-JANE, ELIZABETH e ISABELLA.

TOM foi noivo de Cassandra.

WILLIAM tornou-se médico militar e CHARLES, advogado. Ambos morreram jovens.

Os Lloyd

ELIZA era a esposa de Fulwar Craven Fowle.

MARTHA era grande amiga de Cassandra e Jane Austen. Casou-se com Frank Austen na fase mais madura da vida.

MARY era esposa de James Austen.

— Vamos por ali.

Fechou o portão do jardim, depois que ela passou, e apontou para a Elm Walk. Ela ajeitou o xale e inspirou o ar novo e verde. O ano era 1795, e o dia que se anunciava era o primeiro da primavera. Pássaros, no alto do carvalho, cantavam seu alívio; vida nova brilhava nos galhos. Juntos, passaram pela brecha na cerca viva, subiram a colina nos fundos da Reitoria e ali — longe dos olhos da família dela — ele parou e segurou a mão da moça.

— Meu amor — começou Tom. Cassy sorriu: finalmente. Havia esperado tanto tempo por esse momento. — Oh. — Ele parou, de repente tímido. — Acho que sabe o que vou dizer.

— Sei? — Levantou os olhos para ele, animada. — Bem, eu gostaria muito de ouvir você dizer, seja o que for. Por favor. Prossiga.

E então ele prosseguiu. Não foi uma declaração refinada, considerando-se o tempo que levou desde o planejamento. Foi um pouco hesitante, entrecortada — ele a amava desde, bem, não se lembrava com precisão... ela era a única mulher com quem já havia considerado compartilhar —, e por aí foi, mas ela se encantou da mesma forma. O discurso tinha o seu jeito delicado, lindo e trivial, como devem ser esses momentos. Quando parecia que todas as palavras, mesmo as inadequadas, começavam a faltar, ela aceitou poupá-lo da luta. Beijaram-se e seu corpo todo foi consumido por uma explosão de — do que foi mesmo? — sim: prazer. Este era o seu destino. Sua vida estava definida.

Caminharam um pouco, de braços dados, e discutiram os termos do noivado. Na realidade, havia apenas uma cláusula que dizia respeito a eles:

teria longa duração. E aquelas palavras pavorosas "duzentos e cinquenta libras" e "anuais" tinham que ser mencionadas — como eles dois as abominavam! Mas precisavam ser mencionadas. Ele lhe pediu paciência; ela prometeu sem pensar. Cassy tinha apenas vinte e dois anos; ainda tinham, pela frente, muitos anos para se deleitarem. E a paciência era uma de suas notórias virtudes. Voltaram para casa a fim de anunciarem as boas-novas.

Foram recebidos com toda a exuberante satisfação que poderiam desejar, embora sem nenhuma falsa surpresa. Pois este noivado — entre a Srta. Cassandra Austen de Steventon e o jovem Reverendo Tom Fowle de Kintbury — tinha sido definido como fato público muito tempo antes de o casal, privadamente, tomar a decisão. Afinal, formavam o par perfeito, do tipo que traria imenso prazer a muita gente. Assim, este seria seu futuro, seu final feliz.

O universo havia conspirado a seu favor, muitos anos antes.

CAPÍTULO I

Kintbury, março de 1840

— Srta. Austen. — A voz vinha de trás. — Perdoe-me. — Ela se virou. — Não sabia que estava aí.

Cassandra esboçou um sorriso, mas ficou onde estava, na porta da casa paroquial. Gostaria de ser mais efusiva — no íntimo, sentia ternura pelos laços familiares —, mas simplesmente estava muito cansada para se mexer. Os velhos ossos tinham sido sacudidos durante a viagem de carruagem desde sua casa em Chawton, e a friagem que vinha do rio perfurava-lhe as juntas. Parada junto à bagagem, observava a chegada de Isabella.

— Tive que ir até à sacristia — gritou Isabella enquanto descia pelo pátio da igreja. Ela sempre teve um físico miúdo, sem cor, e agora, naturalmente, coitadinha, toda vestida de preto. — Ainda temos providências... — Tendo por trás a margem verde do rio coberta de flores amarelas, movia-se como uma sombra. — Tantas providências a tomar. — A única coisa que sobressaía na sua pessoa era o cachorro a seus pés. E se, por um lado, a voz tinha tom de desculpas, seu passo era impressionantemente lento. Até Pyramus, agora avançando pelo cascalho, manifestava relutância exemplar, freando as patas.

Cassandra suspeitava que não era bem-vinda e, caso isso fosse verdade, podia apenas culpar a si própria. Uma mulher solteira deveria viver apenas enquanto fosse útil. Nunca além disso. Chegara sem ser convidada; Isabella passava por dificuldades; tudo era embaraçoso, mas bastante compreensível. Mesmo assim, esperava algum entusiasmo por parte de um cachorro.

— Minha querida, quanta delicadeza sua em me hospedar. — Abraçou Isabella, que foi de uma polidez fria, e paparicou Pyramus, embora preferisse gatos.

— Mas ninguém veio recebê-la? Você tocou o sino?

Claro que sim, Cassandra havia tocado. Chegou sob grande comoção e agitação numa carruagem dos correios, para que qualquer pessoa pudesse vê-la. O cocheiro anunciara com o sino, mais de uma vez. Avistara gente, muita gente: um tráfego intenso de trabalhadores equilibrados em carroças, voltando do campo, e um grupo de meninos, molhados até os joelhos, com uma salamandra dentro de um balde. Teve vontade de falar com eles — gostava de salamandras e mais ainda de meninos naquela febre de paixão inocente —, mas parece que não a viram. E a casa estava silenciosa, mas aquela criada difícil — como era seu nome? A memória de Cassandra, sempre tão prodigiosa, estava começando a falhar — devia saber perfeitamente que ela estava ali.

— Cheguei numa hora difícil. Ah, Isabella. — Cassandra segurou seus braços e olhou-a de frente. — Como você está?

— Tem sido difícil, Cassandra. — Os olhos de Isabella ficaram vermelhos. — Realmente, muito difícil. — Baqueou, porém, se recompôs em seguida. — Mas como o velho lugar lhe parece, hoje? Já andou por aí?

— Exatamente como sempre foi. Querido, querido Kintbury...

A casa paroquial tinha sido um marco — familiar, muitas vezes triste, sempre amado — na vida de Cassandra, durante quarenta e cinco anos. Um prédio branco, de três andares, com uma simpática fachada virada para leste, para o antigo vilarejo; o jardim descendo numa das laterais até a margem do Kennet, subindo na outra até a sólida igreja normanda. Era testemunha de tudo que ela valorizava: família e trabalho, a vida simples, a boa vida honesta. Avaliava este feliz exemplar da arquitetura doméstica inglesa como superior a qualquer outra coisa mais grandiosa — Godmersham, Stoneleigh, até mesmo Pemberley. Dito isso, gostaria muito de entrar — ficar junto à lareira, numa cadeira, esquentando-se.

— Vamos...?

— Claro. Onde estão todos? Deixe-me pegar isso aí. — Isabella quis tirar a pequena valise preta da mão de Cassandra.

— Obrigada. Estou bem. — Cassandra segurou-a com firmeza. — Mas meu baú...

— Baú? Ah. — Embora o rosto de Isabella continuasse lívido e sem expressão, seus penetrantes olhos azuis se acenderam inteligentes. — Tenho certeza de que é culpa minha. Com tanta coisa na cabeça. — Ergueu uma sobrancelha. — E sua carta chegou somente ontem, não é estranho?

Nada estranho; na verdade, tudo foi totalmente proposital. Cassandra jamais havia sido tão descortês, chegando sem avisar com antecedência, mas, nesta ocasião, simplesmente não teve escolha. Assim, abriu um vago sorriso.

Na impossibilidade de qualquer explicação, Isabella prosseguiu:

— Não entendi muito bem *quanto tempo* irá ficar. Pretende passar uma *temporada* conosco?

Agora, o desprazer de Isabella com sua chegada estava perfeitamente claro. Sob aquela aparência agradável e calma havia talvez um caráter mais forte do que o testemunhado anteriormente. Entretanto, Cassandra ficaria aqui o tempo necessário. Estava determinada a não partir até que seu trabalho estivesse concluído. Murmurou sobre a possibilidade de viajar mais longe, visitar um sobrinho, fingindo indecisão atípica resultante da idade avançada.

— Fred vai trazer o baú. Por favor. — Isabella apontou para a porta, que foi aberta, imediatamente, por alguém. — Ah, aí está você, Dinah.

Isso. Dinah. Precisa se lembrar. Pode precisar de Dinah.

— A Srta. Austen chegou.

Dinah apertava entre os dedos um objeto insignificante qualquer.

— Vamos entrar?

Cassandra atravessou esta soleira pela primeira vez quando jovem. Era alta, então, e magra; muitos foram bastante gentis e a achavam bonita. Estaria o tempo armando seus truques ou ela teria usado o azul que lhe caía melhor? Um punhado de pessoas da família juntara-se para saudá-la: os criados — entusiasmados, encantados — apertavam-se atrás. Ela ficara imóvel e animada diante da cena — do poder de sua posição! A força daquele momento!

Ah, ela ainda se olhava no espelho quando precisava. Sabia que não seria chamada de magra agora, mas cheinha. A coluna vertebral, que já tinha sido perpendicular, estava curvada e encurtada; o rosto tão abatido que o nariz, que já fora orgulhoso — o nariz de Leigh, marca de uma aristocracia distante —, mais parecia o bico de uma gralha. E as pessoas que a amavam haviam partido — como ela própria já estava quase. As que a recepcionavam hoje — a pobre Isabella, a difícil Dinah, Fred, que agora passava pelo vestíbulo resmungando e arrastando o baú — sabiam dos fatos de sua história, mas não tinham obrigação para com a *verdade*. Pois, quem seria capaz de olhar uma senhora idosa e ver a heroína jovem que ela havia sido um dia?

Seguiram pelo amplo saguão revestido de madeira. Cassandra acompanhou-as humildemente, mas, uma vez lá dentro, teve um sobressalto. Foi em direção à lareira de pedra, apoiou-se nela e olhou apavorada o cenário ao redor.

Conseguiu escutar Dinah murmurando:

— Deus do céu, nos proteja. Ela chegou e ficou doida. Como se a gente já não tivesse muita loucura por aqui.

E Isabella sussurrando:

— Talvez esteja afetada pela tristeza ou pelo sentimentalismo. Afinal, esta será sua última visita.

Cassandra sabia muito bem que não deveria dar atenção a elas. Era dessas conversas que o melhor a fazer é fingir que não se escuta, como quase sempre fazem os jovens para suportarem ficar junto dos mais velhos. Mas como se *ela* pudesse ser tomada pela tristeza ou pelo sentimentalismo, quando durante décadas estes tinham sido seus companheiros constantes. Não. Não era o fato de que esta seria sua última visita — suspirou, as mãos tremeram — era o medo de que fosse *tarde demais*. A casa já estava um caos de mudanças.

— Minha querida, tem certeza de que está bem? — Isabella, acalmando-se, segurou o cotovelo, permitindo que ela se apoiasse.

Um retrato do benfeitor dos Fowle, Lorde Craven, sempre estivera pendurado sobre a lareira. Agora, havia sumido da parede.

— Aquela carruagem foi demais para você. — Isabella falava alto, como se estivesse se dirigindo a uma imbecil, enquanto folgava a fita em volta do pescoço de Cassandra. — A viagem toda nesse tempo frio. — Tiraram o chapéu. De onde estava, Cassandra conseguia ver o gabinete, onde as prateleiras haviam sido esvaziadas. Que livros sumiram? Tinham a obra completa de Jane. Com quem estaria agora?

— E ela veio sozinha, já percebi. — Dinah estava atrás, tirando a capa. Os móveis, ainda no lugar, pareciam abjetos, humilhados.

— Será que a criada foi embora?

— E quem ficaria cuidando dela, se é que posso perguntar? — Dinah jogou a capa e o chapéu no braço. — Eu e o exército de quem?

Uma casa paroquial sem um pároco é sempre triste de se ver. Cassandra havia constatado isso com mais frequência do que a maior parte das pessoas, mas, nem por isso, se sentia menos afetada. Os Fowle viveram nesta casa por três gerações. Havia passado de pai para filho — todos bons párocos, todos abençoados com excelentes esposas —, mas a corrente agora estava partida. O pai de Isabella havia morrido e seus irmãos se recusaram a assumir a tarefa. Sem dúvida tinham suas razões para desperdiçar todo aquele patrimônio familiar, e Cassandra esperava de coração que fossem boas razões.

A tradição da Igreja dava dois meses para que as relíquias da família fossem retiradas antes da chegada do novo titular. E, embora não estivesse escrito em lugar nenhum, de alguma maneira, a tradição da Igreja parecia sempre contar com as *mulheres* da casa paroquial na condução do processo. Pobre Isabella. A tarefa que tinha diante de si era sombria, penosa, árdua: apenas dois meses para esvaziar o lugar que tinha sido a casa da família durante noventa e nove anos! Naturalmente, tinha que começar o trabalho logo. Mas era preciso considerar que o Reverendo Fulwar Craven Fowle havia morrido há poucas semanas. Cassandra viera assim que pôde. Estava chocada em ver que o trabalho já estava bem avançado.

Pensar que aquela viagem — tão cansativa, tão desconfortável, tão vergonhosamente cara — podia não ter valido a pena! Pensar que a razão de ter vindo pudesse não significar nada!

Cassandra sentiu-se nauseada e tonta. Delicadamente, Isabella alisou seus cabelos — devia estar bem descabelada — e guiou-a pela casa.

A sala de estar tinha um quê de beleza simples: um cubo perfeito com paredes amarelas que absorviam o sol poente. Cada uma das janelas, nos dois lados, dava para a água: era possível observar os pescadores no rio ou as barcaças deslizando ao longo do canal, de leste para oeste. Normalmente, eram os lugares preferidos de Cassandra. Preenchiam sua alma. Mas, naquele dia, sentia certa trepidação nervosa, consumida pelo medo daquilo que poderia encontrar.

Não precisava ter se preocupado. Mesmo enquanto entrava, antes de pôr os pés no tapete, sentiu-se segura. A atmosfera era de calma e repouso. O ar, imperturbável. E toda a mobília estava aqui, como sempre estivera. Portanto, não havia chegado tarde demais! Os joelhos quase se curvaram de alívio. Voltou-se para Isabella, a voz e a autoridade recuperadas de imediato.

— Agora, talvez eu possa me recompor antes do jantar.

～

Cassandra sempre observou, sem dizer nada, que, quando o homem da casa morria, um jantar refinado morria com ele. Era uma tese que o jantar daquela noite comprovava. A carne de carneiro era só isso: carne de carneiro, sem molho, batatas ou purê, sendo o repolho, que levou muito tempo para ser colhido, a única guarnição. Sorriu ao comparar com as refeições que costumava fazer ali. O pai de Isabella sempre foi um homem de elevados padrões e reações excessivas. Caso Dinah se atrevesse a servir algo desse tipo, ele demonstraria sua insatisfação.

Mas eram duas mulheres educadas, de forma que, polidamente, agradeceram ao Senhor, com algum esforço cortaram a carne de carneiro e a morderam com determinação canina. O único outro ruído era o bater do relógio. O silêncio daquele jantar, em particular, era mais uma inovação nos gestos de expressão da visita indesejada, gesto esse que Cassandra achou mais duro do que a carne.

— Vejo, pelas etiquetas, que você já está bem avançada no processo de divisão dos pertences. — Cassandra viu o decantador, que pela primeira vez na sua história estava vazio. Inclinou a cabeça e leu que o Sr. Charles Fowle já havia expressado interesse na posse. O decantador com certeza teria um futuro movimentado com *ele*.

— O testamento foi lido na semana passada, e meus irmãos puderam tomar suas decisões. — Isabella não transpareceu emoção ao fazer essa afirmação. Rosto baixo, olhos iluminados estudando o prato.

Cassandra, no entanto, não conseguiu fazer outra coisa a não ser demonstrar objetividade.

— E seus irmãos terão direito a *todos* os bens e móveis? — Conseguia ouvir a agudeza de sua própria voz que, imediatamente, virou lamento: sabia muito bem que era excessivamente explícita para alguns gostos e que não sabia morder a língua. Mas o fato é que esse assunto era demasiadamente irritante. Os Fowle eram muito parecidos com os Austen de várias maneiras: ambas eram famílias grandes, abençoadas com filhos e filhas e muita sorte com a linhagem masculina.

— Meu pai deixou alguns romances para minha irmã Elizabeth. — Isabella gesticulou para a estante, que exibia uma prateleira vazia e empoeirada. — Em particular, os favoritos que liam juntos.

Cassandra iluminou-se.

— Ah! — Finalmente, tocaram em seu assunto favorito. Perguntou irônica: — E são da autoria de quem, se posso perguntar?

— De *quem*? — De repente, Isabella parecia perplexa com a pergunta, como se livros fossem apenas livros, não importando seus autores. — Ora, Sir Walter Scott, acredito.

Cassandra segurou o garfo com mais força e fingiu costume. Sir Walter Scott. *Sir Walter Scott*! Por que sempre tem que ser *ele*? Como ela gostaria de, só por uma vez, conseguir manifestar uma reação. Em vez disso, sentou-se em silêncio, pensativa — sobre as injustiças da fama; os trabalhos dos verdadeiros gênios; o desfecho — e isso aconteceu muito espontaneamente

— sobre o fato de que ela nunca tinha sido muito próxima de Elizabeth, irmã de Isabella. E seus pensamentos, de repente, foram interrompidos. O que foi isso? Isabella finalmente encontrou alguma coisa para dizer.

— Minha opinião é que seus livros são muito... — Houve uma pausa, enquanto ela olhava em volta, buscando a palavra certa. — ...muito... muito... — E, então, como que por milagre, encontrou: — ...*longos*. — Respirou fundo para continuar. Tendo então abordado o improvável território da discussão literária, de alguma forma sentia-se animada para se embrenhar no assunto. — Existem muitas, muitas palavras neles — ela prosseguiu, com certa amargura. — Parecem tomar muito o tempo de todos.

Cassandra estava habituada a um nível mais elevado de discurso, mas, mesmo assim, limitava-se a concordar. Na companhia de outras pessoas, talvez argumentaria que ele era um bom poeta e faria uma brincadeira a respeito de que seu trabalho como resenhista era incomparável, mas sentia que aqui não era propriamente o lugar.

— E você, Isabella? Gosta de romances? Quais são os seus preferidos?

— Romances? Eu? — Isabella mais uma vez ficava perplexa. — Preferidos? Não. Nenhum.

Fim da conversa. Cassandra rendeu-se. Dinah entrou esbaforida e colocou sobre a mesa uma compota, que comeram em silêncio, quebrado apenas pelo contínuo bater do relógio.

∽

— Por favor, sente-se no lugar de mamãe — disse Isabella, quando o jantar terminou. Cassandra aceitou, uma vez que a poltrona era a mais próxima da lareira.

A noite na sala de estar bocejou antes delas, o último desafio de um dia desafiante. Pyramus ajeitou-se e se estirou sobre o tapete: esta casa sempre havia sido daquelas em que os cachorros gozam de liberdade. Cassandra não ligava muito para este cão em particular, mas não aprovava a prática de maneira geral. Baixou o rosto, abriu a valise e tirou seu trabalho. Como era conveniente saber costurar, brincar com uma agulha, atenta ao ponto. Era sempre seu escudo em situações difíceis, um desvio de foco da companhia. Sempre se perguntava como os homens conseguiam viver sem ter algo semelhante, embora parecessem menos afetados pela ausência de palavras.

Trouxe apenas seu *patchwork*. Os olhos não eram mais tão bons para coisas mais refinadas à luz das lamparinas.

— Você não faz trabalhos manuais, Isabella querida? — Abriu o papel por trás do desenho do broto de algodão e começou a dar pontos em volta. — Nada com o que se ocupar?

Com os olhos fixos na lareira, Isabella sacudiu a cabeça.

— Nunca fui muito boa nesse tipo de coisa.

Cassandra, que conseguia fazer *patchwork* de olhos fechados, levantou os olhos com alguma surpresa. Que criatura estranha era Isabella. Cassandra a conhecia desde o seu nascimento — como os anos passaram depressa —, e, mesmo assim, concluía que não a conhecia de jeito nenhum. Estudava a mulher ali sentada: bem-arrumada, embora o luto a prejudicasse; seus traços poderiam ser descritos como delicados se a tristeza não lhe tivesse roubado a beleza. Isabella não tinha nem a beleza da mãe, nem o intelecto do pai — embora aqueles olhos azuis arrebatadores fossem certamente dele. E mesmo depois de quarenta anos de ligação, qualquer avaliação de caráter ou personalidade ainda permanecia duvidosa. Dificilmente Cassandra conseguiria ficar na casa paroquial sem estabelecer alguma espécie de relação, mas era como se estivesse no escuro, buscando uma porta secreta numa parede maciça e plana. Difícil encontrar uma saída.

E então a luz da inspiração se acendeu:

— Espero que a morte tenha sido generosa com seu pai, quando veio ao encontro final.

Pois sobre o que mais os recém-enlutados querem falar, a não ser *O Fim*? Isabella suspirou.

— Estava claro, cerca de dez dias antes, que estava chegando a hora. Teve uma convulsão depois do jantar e, quando Dinah chegou na manhã seguinte, ele estava muito fraco para se levantar...

A tranca tinha se rompido. A porta para conversarem estava aberta.

— A dor que o afligiu, e com a qual viveu tão bravamente, enfim...

Cassandra continuou a trabalhar, escutando as histórias de banhos gelados e cataplasmas, e, de repente, sentiu-se mais à vontade.

— No quinto dia, seu espírito já estava tão frágil que conseguimos aceitar um médico...

— O médico não tinha sido consultado *antes*? — Isso cheirava a negligência! Isabella suspirou.

— O Dr. Lidderdale é um bom médico e tivemos sorte de tê-lo conosco. É querido por todos... Todos, isto é, exceto papai. Meu pai tinha dúvidas sobre a necessidade de termos um médico no vilarejo. Ele se preocupava com a possibilidade de que isso estimulasse a doença naqueles que não tinham condições financeiras de ficar doentes. Mas, quando percebeu que ele próprio não podia mais objetar...

Cassandra imaginou que morrer deve ter sido de fato um tormento para o bom Reverendo: ter que ficar ali deitado mudo e ter suas exigências irascíveis ignoradas.

— ... e eu, naturalmente, agradeci por ter o Dr. Lidderdale ali comigo. Ah! Que alívio foi não estar mais sozinha...

— Mas suas irmãs, Isabella? — Cassandra interrompeu. — Com certeza, elas se revezaram.

— Bem, Elizabeth anda muito ocupada com o trabalho com os bebês do vilarejo. E, naturalmente, as criaturinhas não podem ser abandonadas. Não a vemos muito por aqui.

Elizabeth! Francamente, Cassandra não esperava nada melhor.

— Mas e Mary-Jane? Ela mora do outro lado do pátio da igreja.

— Mary-Jane, claro, tem suas preocupações.

Ah, a tirania sobre a mulher casada, pensou Cassandra — mesmo que seja viúva e não tenha filhos.

— Então, têm que agradecer a você por suportar o fardo sozinha.

— Não me incomodei. — Isabella deu de ombros. — E não me incomodei mesmo, porque tinha o médico comigo. É um período tão estranho, quando alguém está morrendo, e você não sabe quando vai de fato acontecer. O Dr. Lidderdale diz que as mortes são como nascimentos nesse sentido.

Cassandra tinha muita experiência com ambos e conhecia bem as provações. A linha acabou e ela pegou a valise, buscando mais uma meada.

— ... e então, pouco antes do fim, ele disse que estava com fome e eu me lembrei de que a gente tinha uma bela torta de carne de porco. Ele gosta de torta de porco. E esta tinha um ovo no meio. Ele tem uma queda especial por ovos...

— Fulwar queria comer torta de porco mesmo em seu leito de morte? — Cassandra enfiou a linha na agulha e sacudiu a cabeça: realmente era um ponto fora da curva.

— Meu pai, não! O Dr. Lidderdale. O Dr. Lidderdale está sempre com fome, até mais do que papai. Não é um homem alto, mas tem os ombros largos e trabalha muito. — Por um segundo, seus olhos captaram a dança da luz do fogo. — Onde eu estava? Então, sim, aqui estávamos, sentados um de cada lado. Ele não conseguia decidir se preferia cerveja ou chá. Estávamos falando disso. As refeições ficam tão confusas, quando alguém passa a noite em claro. E, de repente, ele pegou a mão de meu pai e disse: "Ah, Isabella!" Essas foram suas palavras. "Ah, Isabella." E eu sabia o que era. Acabou. Nunca mais eu me sentaria ao seu lado.

Cassandra já tinha ouvido relatos sobre o sofrimento de Isabella com a morte de Fulwar. De acordo com a família, ela foi corajosa durante a doença, mas ficou muito abalada no fim. Mesmo depois do enterro, tinha que ser colocada na cama. A evidência ainda estava ali — as lágrimas nos olhos — mas Cassandra ainda ficou um pouco surpresa. É claro que a morte de todos os pais deve ser *sentida*: este é o dever de todo filho. Mas será que todos deixam a mesma *saudade*?

Começou a guardar o bordado. A loquacidade recém-descoberta de Isabella fez a noite passar rápido. Finalmente chegava a hora em que podiam, respeitosamente, se recolher.

Isabella foi a primeira a subir a escada de madeira, segurando a lamparina para Cassandra, que galgava os degraus devagar, um de cada vez. Na metade, precisou parar para descansar e pegar fôlego, e aproveitou a corrente de ar que passava pela cortina da janela ao lado da escada. Que provação era ficar numa casa maior e mais alta, quando estava acostumada à sua casa em Chawton. Tomara que seu trabalho avance rápido, para que não tenha que ficar por muito tempo.

Passaram pelo corredor. A porta do quarto da mãe de Isabella estava aberta, e Cassandra espreitou para se certificar de que também não tinha sido esvaziado: bastante promissor. Passaram pelo que ela achava que ainda fosse o quarto de Tom — que alívio não ficar ali! — e então chegaram ao fim. Cassandra conhecia este quarto. Durante muitos anos, a família havia abrigado a pobre Srta. Murden, aquele fardo capcioso e sem amigos. "Tudo aqui deve ir para a oficina", dizia o aviso pregado na porta. Qualquer esperança que Cassandra tivesse de maior conforto foi imediatamente revista.

Isabella acompanhou sua entrada, acendeu a lamparina junto à cama e deu boa-noite. O significado de ter sido colocada aqui não foi ignorado por Cassandra. O cômodo era frio e abafado, a mobília, básica. Havia água na bacia, mas também era fria. Passou a mão na coberta da cama; não havia tijolo ou garrafa ali para aquecer, e ela pensou: aqui estamos. Agora, sou eu o fardo sem amigos.

O baú continuava fechado, mas não iria esvaziá-lo por enquanto. Ainda havia uma centelha de vida nela: nada como o tempo presente. Daria início à busca pelas cartas. Cassandra voltou à porta, esperou que os passos sossegassem e a casa ficasse em silêncio, abriu-a para voltar ao térreo. Pelas sombras, rastejou em direção ao quarto da mãe de Isabella: estava quase chegando à soleira, quando uma voz veio por trás.

— Posso ajudar, Srta. Austen? — Dinah, iluminada embaixo por uma lamparina fraca, estava na base da escada que levava ao sótão. — Perdida, madame?

— Ah, Dinah. Peço desculpa. — Cassandra fez de conta que estava confusa. — Que estranho. Não consigo me lembrar da razão de ter vindo parar aqui.

— É o cansaço, com certeza. Melhor ir para a cama, dona. Por ali. — Dinah observou-a, sem sorrisos. — Isso mesmo. Boa noite, então, Srta. Austen. — E ali ficou, até Cassandra entrar no quarto.

CAPÍTULO II

KINTBURY, MARÇO DE 1840

Um céu acinzentado passava pelas janelas; os galhos pelados da faia acenavam no alto ao vento. As duas senhoras observavam tudo sentadas à mesa, onde Cassandra desfrutava do café da manhã. Esta era a refeição com que uma hóspede podia sempre contar; era difícil errar até mesmo na pior das cozinhas. E ela precisava de toda a força que conseguisse reunir para enfrentar o dia que se anunciava.

— Esta geleia foi feita por minha mãe. — Isabella tirava com a colher uma camada muito fina. — Ela foi bastante ativa até o fim. Ainda estamos, veja só, apreciando sua comida.

Cassandra comeu mais um pouco e Eliza foi lembrada. Conseguia sentir seu sabor na fruta, vê-la colhendo, mexendo o tacho, rindo, derramando e pensou: são essas coisas que nos fazem ser lembrados, esses pequeninos atos de amor, a única evidência de que um dia vivemos na Terra. As geleias na despensa, a marca no genuflexório. *A marca da pena na página.*

— Diga, minha querida. Quais são seus planos para hoje? — Cassandra colocou o bolinho no prato. Sanado o apetite. — Seria possível ver sua tia Mary pela manhã? Sei que está morando perto e que vem aqui com frequência.

Isabella, que até aquele momento parecia relaxada e quase alegre, retomou o ar angustiado.

— Sim, muito frequentemente. E tenho certeza de que as visitas serão ainda mais frequentes, se ela souber que *você* está aqui.

— Na verdade... — Cassandra pegou a xícara e, de maneira fortuita, bastante fortuita, como se não houvesse nada de especial, disse: — Não sei o que acontece comigo. Estou ficando imprestável e esquecida. Acho que não escrevi contando a ela que viria.

Os olhos azuis de Isabella encontraram os seus.

— E eu também não tive a chance de mencionar. Sua carta chegou tão tarde que não tive tempo.

— Então ela ainda não sabe da minha chegada. — Cassandra voltou-se para a janela, para examinar o tempo. — Que pena.

— E não dá para esperar que minha tia venha visitar hoje. — Isabella estendeu a mão para o pote de geleia e se serviu de um bom bocado. — Às terças-feiras, tia Mary costuma tomar chá com a Sra. Bunbury.

Sorriram. Certa afinidade brotou entre elas. Na improvável imagem de Mary Austen — mulher não necessariamente associada à promoção de harmonia social —, encontraram algo em comum.

— Ah! — Cassandra sentiu renovada energia. — Então não podemos esperar ter esse prazer antes de amanhã, no mais tardar. — Ficar em paz era tudo que ela desejava. — Enquanto estiver com você, gostaria muito de ficar à sua disposição. Já passei por isso e sei que há muito a ser feito. Por favor. Deixe-me ajudar.

Existem mulheres que se oferecem para ajudar, fazem o que lhes é pedido e fazem tudo perfeito. Historicamente, Cassandra era uma delas. Mas também existem mulheres — e ela as conhecia muito bem — que aparentam querer fazer tudo para todos, colocam-se no centro de todas as atividades, mas suas excelentes intenções são afetadas por algum tipo de impedimento que é apenas delas. São geralmente vistas no sofá, sem fazer nada, enquanto o restante da casa se alvoroça. E, pelo menos naquele dia, embora pudesse dispensar cada gota da maquiagem, dados os propósitos de sua missão, a Srta. Austen estava determinada a ser uma delas.

— Temos tanta coisa a fazer, que não sei por onde começar — suspirou Isabella. — Organizar... arrumar... separar. Não são coisas que combinam com meus atributos.

Que eram quais, exatamente?, Cassandra perguntava-se. Atributos, portanto, bastante misteriosos. Mas ela tinha uma inabalável crença nos desígnios de Deus para com a humanidade: todos servimos para alguma coisa. Esperava ansiosamente a revelação da serventia de Isabella.

— Talvez fosse bom você ajudar Dinah a fazer o levantamento das roupas de minha mãe — prosseguiu Isabella. — Confesso que não consegui tocar em nenhum dos seus pertences, nem meu pai, desde que ela morreu.

Dinah, que estava junto ao aparador de costas para as senhoras, deu um suspiro alto repleto de significado.

— Claro! — Cassandra ajeitou-se na cadeira, o retrato do entusiasmo. — Embora — como se o pensamento tivesse acabado de lhe ocorrer — eu não consiga ficar em pé por muito tempo. Isso demandaria longas horas sem poder me sentar. — Estendeu o braço e, em seguida, o retraiu. Uma encenação e tanto. Dinah virou-se e olhou com aprovação. — Vamos pensar. O que mais posso fazer?

E o café da manhã continuou. Isabella servindo sugestões; todas rebatidas — os joelhos não dobrariam, as mãos não teriam firmeza, a própria menção à poeira a fez espirrar várias vezes — até que os guardanapos foram dobrados, a mesa foi limpa e a manhã consolidou-se.

∽

Quando o sino da igreja bateu dez horas, Cassandra estava descansando na sala de estar amarela. Enterrada com a valise no canto do sofá, o trabalho no colo, a agulha na mão. Tudo transcorria de forma bastante satisfatória, a não ser por um detalhe: ela ainda não havia desfrutado da privacidade que desejava. É certo que a casa estava alvoroçada: infelizmente, parecia que o alvoroço era apenas ao seu redor.

Primeiro, foi Fred quem chegou para acender a lareira, tarefa para a qual trazia muito ressentimento e nenhum graveto. Cassandra observou-o fazer com que alguns pedaços de lenha começassem a soltar fumaça, agradeceu efusivamente e esperou que saísse. Será que agora podia descansar a agulha? Será que se atreveria a levantar e iniciar suas investigações? A escrivaninha no canto teria que ser o primeiro objeto de sua atenção. Era onde Eliza, mãe de Isabella e sua grande amiga, se sentava para escrever cartas, todas as manhãs. Com certeza, qualquer coisa de maior importância estaria ali... Passou para o canto do sofá. E, então, Dinah entrou.

— Sente-se confortável, então, Srta. Austen? — Tendo sido poupada do destino de passar a manhã no closet e deixada à sorte de seus próprios dispositivos de relaxamento, Dinah demonstrou simpatia. Pano na mão, dava petelecos na poeira aqui e ali, dos candelabros ao relógio e ao vaso ornamental, e tagarelava. — Muito silencioso aqui. — Pegou a almofada sobre a qual o cotovelo de Cassandra descansava e bateu. — Ninguém para aborrecer a senhorita e tomar seu tempo. — Virando-se para o espelho sobre a lareira, acrescentou um borrão à sua notável coleção. — O silêncio está por toda parte nesta casa, desde que o Sr. Fowle partiu, que Deus dê descanso à sua alma.

Cassandra balbuciou alguma solidariedade e pegou o dedal. Definitivamente, não seria possível ficar sozinha nem por um minuto.

— E agora também não vem visita. Nenhum paroquiano com problema. Nenhum homem chegando com as botas sujas de lama de alguma caça com cães.

Dinah foi para junto da escrivaninha e passou um pano de leve. Será que agora iria abri-la e revelar seu conteúdo? Cassandra sentou-se em atitude de expectativa.

— Ah, sim. Muito silêncio agora. O Reverendo enchia a casa com sua presença. E aqueles rompantes dele! Dava para ouvir no vilarejo. — Sacudiu a cabeça, sorrindo afetuosa e pôs-se a lustrar o móvel, embora sem usar cera de abelha. Cassandra teve que segurar o ímpeto de levantar-se e procurar alguma coisa. — Dava uns gritos com a Srta. Isabella. Gritos! — Com uma risadinha, Dinah concentrou a atenção no batente da janela. — Jogava a bengala na cabeça dela e foi assim que teve aquele ataque. Foi de tanto fazer força, dizem. — Ela parou e olhou o resultado de seu trabalho. — Ah, sim, uma perda terrível, Srta. Austen. Uma perda terrível para todos nós.

Com o trabalho concluído e o padrão de qualidade atingido, Dinah saiu. Mas, antes que Cassandra pudesse começar a refletir sobre os horrores que havia escutado — que um homem que gostava tanto de seus cachorros pudesse dispensar tal tratamento à filha! —, a própria Isabella desabou junto dela com um suspiro. Ah, Isabella! O que a pobre criatura passou?

— Você está bem, minha querida? — Cassandra pôs a mão sobre o joelho da mulher mais nova.

— Acho que sim. — Isabella brincava com um fiapo na almofada. — É só que não sei para onde me virar. Eu estava embrulhando a louça de porcelana, que tem que ir para o meu irmão, mas aí fiquei pensando se não haveria alguma outra coisa que eu deveria fazer.... — Olhou em volta, indefesa.

— Mas, com certeza — disse Cassandra —, suas irmãs ajudam você.

— Bem, Elizabeth fica tão ocupada na creche...

Cassandra levantou a mão.

— Sim, compreendo. — Era sempre assim. Não importava o tamanho da família, o fardo da cuidadora-organizadora-ajudante recai sempre sobre uma pessoa. — É como se a natureza só pudesse produzir uma pessoa capaz de cuidar de cada geração. Na minha família, essa pessoa sempre fui eu.

Isabella era o retrato da tristeza.

— Então somos iguais no nosso infortúnio.

— De jeito algum! — exclamou Cassandra. — É uma sorte termos famílias que precisam de nós. É nosso dever, nosso prazer. Nosso valor!

— Ah, Cassandra. Acho que você sempre foi mais prestativa que eu.

Cassandra ainda não tinha passado muito tempo na casa paroquial, mas o tempo já era suficiente para avaliar as qualidades domésticas de sua anfitriã. Portanto, era difícil argumentar e quase impossível controlar seu desejo de promover eficácia e ordem, combater essa ineficiência deprimente. Com termos generosos e animadores, ela despachou Isabella de volta ao armário da louça de porcelana, para terminar o que havia começado, e Isabella, suspirando muito, fez o que lhe foi mandado.

Cassandra ficou sentada, imóvel, atenta às pisadas e à porta se fechando nos gabinetes. Aproveitando o momento, enfiou a agulha no tecido, fez um esforço para se levantar do sofá e foi ao canto da sala.

A Srta. Austen não estava acostumada a se intrometer na privacidade dos outros. O coração batia forte dentro das costelas. O desconforto familiar da culpa bastava para que interrompesse o passo. Por um instante, ficou apenas olhando fixamente para a escrivaninha. Esta peça delicada de nogueira, com uma tampa que se abria numa mesa, com três gavetas embaixo, tinha sido o único canto particular de Eliza nesses cômodos amplos e movimentados. Fulwar, naturalmente, tinha seu agradável gabinete, onde ninguém ousava entrar sem permissão. Guardava segredos ali? Os seus próprios, talvez, mas dificilmente seria escolhido como guardião dos segredos dos outros. Eliza, entretanto — a excelente Eliza —, era uma mulher que provocava afinidade sem limite. Todos sabiam que podiam confiar a ela qualquer tipo de segredo.

Quantos conselhos foram escritos e enviados daquela escrivaninha? Quantos assuntos pessoais foram lidos ali? Era impossível, agora ao analisar aquela pequena peça de mobiliário, imaginar que poderia guardar tudo que Eliza sabia... Começou a duvidar do curso de suas próprias ações; naquele momento, quase desistiu, tentando buscar uma abordagem mais glamorosa para o problema, algo que pudesse assumir de cabeça erguida. Mas, em seguida, ela se compôs. Esse era um assunto que dizia respeito a uma Austen. A família sempre foi criativa.

Ela e Jane escreveram muitas cartas íntimas para esta casa paroquial. Podiam ainda estar aqui. Cassandra era executora testamentária do patrimônio literário da irmã, a guardiã de sua chama, a protetora do seu legado. No tempo que ainda lhe restava, estava determinada a encontrar e destruir qualquer evidência que pudesse comprometer a reputação de Jane. Era imperativo que aquelas cartas não caíssem em mãos erradas.

Encorajada, deu um passo adiante e abriu a tampa. Tudo que viu foi tinta, papel e uma pena. Fechou-a e abriu a primeira gaveta: cachos de cabelo de bebê, primeiros dentes, um monte de desenhos infantis. Passos aproximaram-se. Abriu a gaveta seguinte: um rol de lavanderia, cardápios, detalhes de associações a bibliotecas. Alguém atravessava o corredor. Os lançamentos das últimas doações e obras de caridade do vilarejo. Tudo classificado, muito bem-arrumado, mas nada que Cassandra tivesse esperado encontrar. Fechou a gaveta assim que Fred cruzou a soleira.

— Só estava esticando minhas pobres pernas.

Fred assentiu, sem interesse. Não veio para vê-la, mas para verificar seu próprio trabalho. O fogo, que começara de forma tão decepcionante, assim permanecia. Ele avaliou com algum grau de satisfação, como se a própria decepção fosse a verdadeira ambição, e, com uma reverência capenga, deixou Cassandra sozinha no frio.

Voltou ao sofá, recolhendo seu trabalho e recuperando o juízo. Não podia se desesperar. Afinal, o que Isabella havia dito durante o café da manhã? Que não haviam conseguido tocar em qualquer pertence de Eliza desde o dia de sua morte. Tudo poderia estar aqui, em algum lugar: ela só precisava de mais informações antes de continuar a busca.

A espera não durou muito. Em poucos minutos, Isabella estava de volta.

— Acabei. Acabei a maior parte da louça de porcelana. Bem... — torceu as mãos no colo — uma parte da louça de porcelana. Empacotei *todas* as molheiras. Cada uma delas.

Cassandra passara toda a vida com o clero ou próxima dele. Sabia muito bem quantas molheiras em média uma casa paroquial esperava acumular, e a resposta era: poucas.

— Ah. Bem, isso com certeza já é alguma coisa. — Era como lidar com as crianças da creche em Godmersham. — Então sobram apenas os pratos rasos, os de sobremesa, os pratos fundos, todas as travessas...?

— E os aparelhos de chá e café e tudo mais — acrescentou Isabella, os ombros afundando. — São tantas coisas que achei que podiam esperar. — Interrompeu a fala, como se Cassandra, imagine, pudesse endossar esse tipo de procrastinação. Então, confessou. — A verdade é que acho que agora cheguei ao momento em que a separação me dói. — Lágrimas brotam. — Usei esse aparelho todos os dias da minha vida. De repente, parecia tão — fungou — significativo. E sei que você deve me achar patética, eu me vejo como patética, quase não aguento pensar que não vou vê-lo novamente.

Cassandra estendeu a mão e segurou a de Isabella. Ah, o poder das pequenas coisas, quando as maiores — a casa ou a família — se mostravam frágeis! Lembrou-se da Srta. Murden lustrando sua pequenina pastora e Jane segurando o estojo de lápis, sem querer separar-se dele.

— Eu bem sei, Isabella. Deixe isso para o fim e agora sente-se e converse um pouco. Tenho me sentido tão culpada por ficar o tempo todo sentada aqui, enquanto você *trabalha*. Não há nada que eu possa fazer que me permita ficar sentada, fazer menos movimento? Alguma coisa no gabinete de seu pai, por exemplo? — Embora não quisesse ficar no gabinete de forma alguma.

— Até onde sei, está tudo em ordem por lá. Neste último ano, papai fazia sua arrumação e, naturalmente, tinha um cura para ajudar. Um jovem rapaz tão consciencioso, tão dedicado ao trabalho. — Parecia pensativa. — É muito bom ter um cura, Cassandra, não é? Na verdade, acho que nunca vivi sem um cura por perto. — A palidez voltou. — Acho que, agora, vou ter que me acostumar a não ter.

Mais uma vez, Cassandra era a imagem da solidariedade. Para a família — e mais especialmente para suas mulheres solteiras — deixar a casa paroquial era o mesmo que ser expulsa do Éden. Lá fora havia apenas provações e privações.

— E, naturalmente, papai foi avisado com antecedência. Sabia que o fim estava chegando. Pobre mamãe, tinha acabado de nos deixar. Era a dificuldade da ocasião.

— Tão triste. — Cassandra pegou a costura. — E seus papéis? Eu poderia ajudar com eles? Não seria uma intromissão. Éramos tão amigas e por tantos anos.

— Obrigada, mas não precisa. Tia Mary pediu expressamente para fazer essa tarefa. Seu filho, James-Edward, vem desenvolvendo profundo interesse sobre a história da família, acho eu. Chega até a falar em escrever um livro sobre o assunto! — Levantou os olhos para o teto diante de semelhante bobagem. — Como se o mundo já não tivesse muitos livros. — Sorriu, certa de que encontraria total concordância. — E como se alguém fosse querer saber sobre os *Austen*, imagine.

— Minha querida, estou totalmente de acordo. Como você sabe, eu não poderia ter sido mais devotada à minha família e suas memórias, mas até mesmo eu devo admitir que formamos um conjunto esplendidamente sem graça de pessoas, que não viveram nada de interessante. — Era isso que ela temia. Imperativo que Mary não pusesse as mãos naquelas cartas.

Isabella continuou:

— Minha tia tem certeza de que cabe a ela fazer o levantamento dos papéis da família e decidir o que deve ser guardado, sua responsabilidade exclusiva. Ela ainda sente muito a morte de minha mãe. Diz que é infinitamente mais doloroso perder uma irmã do que o pai ou a mãe, mas isso eu não saberia dizer.

Cassandra mergulhou na costura, para aliviar a irritação. Não importa de quem é o corpo deitado no caixão, Mary Austen sempre se intitularia a enlutada de plantão.

— E ela já começou?

— Não. Ainda não. Com certeza tem planos de começar, mas está, evidentemente, muitíssimo ocupada. De alguma forma, ela tem mais afazeres que o restante de nós. Alguma coisa sempre parece interferir.

Com energia renovada, Cassandra sugeriu que Isabella fosse para o vilarejo: uma recompensa pelo seu árduo trabalho da manhã. Houve uma tentativa muito breve de resistência — Dinah está sempre fora fazendo coisas, seria tão grosseiro deixar sua hóspede sozinha —, mas facilmente superada. Isabella logo, logo ocupou-se em procurar a capa e o chapéu. E, finalmente, parecia que Cassandra ficaria sozinha em casa.

Juntou suas coisas, pegou a valise e saiu da sala. Estava tudo em silêncio. Na metade da subida da escada, parou para olhar pela janela. Não havia ninguém no jardim, nem à beira do rio. Subindo mais, apurou o ouvido — haveria alguma diarista que não tivesse ainda se mostrado? Alguém trabalhando nos quartos de cima? Cassandra não sentia uma presença a mais, embora houvesse muito por fazer. Atravessou e se dirigiu ao antigo quarto dos bebês; depois, espreitou pela janela dos fundos. Lá estava Fred, abrigado no canto daquilo que um dia foi um glorioso aviário. Pássaros esqueléticos bicando a poeira enquanto ele mascava fumo e esculpia um pedaço de pau.

Cassandra sempre admirou esta casa paroquial como modelo de eficiência doméstica. Era administrada exatamente como ela própria a administraria, se sua vida tivesse tomado esse rumo. Portanto, ficava chocada com a preguiça e a indiferença geral de todos, a facilidade com que a casa toda tinha, simplesmente, desmantelado. Não se continha de vontade de assumir o controle de tudo: em nome da reputação de Eliza, a casa não poderia passar para o próximo incumbente neste estado deplorável. E assim faria — porém, mais tarde. Por ora, o caos adequava-se ao seu objetivo. Com o passo mais decidido, dirigiu-se ao quarto da dona da casa.

A porta estava aberta, como se Eliza tivesse acabado de sair. A cama coberta com a colcha de retalhos, a touca de dormir esperando por ela ao lado da lamparina sobre a cômoda. Escovas e pentes em cima da penteadeira, junto à janela; fitas pendentes do pedestal do espelho; uma camisola pendurada no encosto da cadeira. Cassandra sentou-se no banco de carvalho entalhado, encostado na parede, bastante impressionada com a cena em volta: a vida paralisada; um momento congelado e suspenso no tempo.

Observou, nas paredes, os quadrinhos que Eliza havia escolhido para ler todas as manhãs: pequenas orações e mensagens bordadas por mãos infantis. "O melhor lugar do mundo é a nossa casa", leu e sacudiu a cabeça: tão banal e, de fato, mal costurado. Que estranho Eliza emoldurar e mantê-los ali. Mas essas eram as indignidades que a maternidade envolvia: mulheres de bom gosto forçadas a valorizar aquilo que não merece ser tolerado. Uma das muitas bênçãos da solteirice era que, pelo menos, as paredes eram suas. O pensamento deu-lhe ânimo. Levantou-se e continuou a busca.

Não havia nada debaixo da cama, a não ser bolas de poeira. Nada no guarda-roupa, a não ser traças e roupas. Embora a otomana fosse uma promessa de possibilidades, guardava apenas roupa de cama. Observou em volta e o olho foi fisgado pelo banco de braços e encosto alto. Que peça feia e velha! Com certeza, foi trazida para a casa pela primeira geração dos Fowle, um banco grande e pesado feito de madeira tão bruta e escura que ficava deslocado nos aposentos de uma senhora moderna e culta... e, num piscar de olhos, Cassandra compreendeu rapidamente a razão de ele estar ali.

Atravessou o quarto, tirou a almofada do assento, colocou-a no chão e, com certa dificuldade e falta de jeito, ajoelhou-se. O esforço para levantar a tampa foi quase excessivo para ela. Precisou fazer força, mais do que acreditava que fosse capaz. O coração batia. De repente, então, o esforço foi recompensado. Com um rangido alto, a tampa rendeu-se e revelou para Cassandra seu conteúdo. A busca estava concluída. Agarrou a madeira e baixou os olhos.

Dispostas diante dela estavam as cartas de toda uma vida.

~

Foi difícil identificar o que era o jantar naquela noite — uniformemente pálido e de forma alguma agradável. Cassandra suspeitou ter testemunhado os últimos minutos de vida do animal no chiqueiro do quintal de Kintbury, mas, a não ser por isso, pouco se interessou pelo que estava comendo. Tinha apenas uma preocupação naquela noite e esta era ir para seu quarto o mais depressa possível, trancar-se dentro dele e retomar as cartas.

— Não entendo por que estou tão cansada. — Baixou os talheres sobre o prato, que deixou o mais vazio que conseguiu. — Fiz pouca coisa hoje, comparada com você, Isabella. Mas acho que vou ter que me recolher cedo.

Não antecipava objeções. Afinal, silêncio e ausência passavam por deferência no caso de hóspedes que não eram bem-vindos e do ônus de não se ter amigos. Pobre Srta. Murden, que passou a vida fingindo ser feliz sozinha naquele quarto. Por isso, surpreendeu-se com a reação de Isabella.

— Ah, por favor, ainda não, Cassandra! Ainda vou ficar acordada algumas horas e não gostaria de ficar só! — Isabella havia voltado de seu passeio ao vilarejo corada e contente, e seu novo ânimo se estendia até aquele momento. Agora estava mergulhada uma vez mais na tristeza. — Fico muito mal quando estou sozinha, sem nada para fazer.

— Perdão, querida. Que falta de sensibilidade da minha parte. É claro que vou me sentar com você, se é o que deseja. — Cassandra daria um jeito, de alguma forma. A velhice não impõe a necessidade de muito sono; passaria noites a fio lendo, se fosse preciso. O que mais a preocupava era essa nova evidência da dependência de Isabella. Fica muito mal sozinha? Era uma mulher solteira! A solidão era parte inescapável dessa condição.

Saíram da mesa e foram para o chá na sala de estar.

— Tenho pensado em perguntar a você, minha querida Isabella. O que tem pensado com relação ao seu futuro?

— Ainda não está muito bem decidido o que será de mim. — Isabella serviu o chá e passou a xícara e o pires.

— Mas irá, naturalmente, morar com uma de suas irmãs. — Cassandra se irritava com essa autopiedade abjeta. Nem todas as solteiras são abençoadas com uma família em que se apoiar. — Só me pergunto com quem e onde?

— Ah, elas vão me receber, suponho, se eu assim decidir. Vou me apertar na casa de Mary-Jane ou, junto com Elizabeth, poderia arranjar no vilarejo uma casa pequena que irei cuidar, pois ela nunca está em casa. Esse foi o último desejo de meu pai, o mais explícito. Seus sentimentos eram profundos sobre esse assunto. Seus sentimentos eram, como você sabe, profundos de maneira geral, e jamais, na minha história de vida, fiz qualquer coisa que pudesse aborrecê-lo. Mas, nesse particular, eu, bem… eu, pelo menos uma vez, tenho meus próprios sentimentos para levar em consideração.

Cassandra ficou perplexa. Negar um pedido do pai feito no leito de morte? E com que finalidade? Afinal, essas mulheres eram *irmãs*. Não havia vínculo mais estreito nesta Terra.

— Qualquer uma das opções me parece uma solução esplêndida, e você deve ser muito grata por isso.

— *Grata!*

— De fato. E se você puder acrescentar ao seu próprio conforto a certeza de que está ali cumprindo o desejo de seu querido pai, então o resultado só poderá ser feliz, para todos os envolvidos.

— Sim, eis a questão: o desejo de meu pai. Não tenho escolha, a não ser cumprir. Mas confesso que não é um futuro que eu almeje com entusiasmo. Que cena lamentável encenaremos.

Cassandra tomou um gole do chá, em busca de palavras. Não era a primeira vez que ouvia essa hipótese: de que a bênção divina da presença de um homem pudesse tornar a vida em família mais agradável, superior. Mas, vindas da boca de uma mulher que havia sofrido, ficariam essas palavras gravadas na cabeça? Aquela era, sem dúvida, uma novidade! Isabella não havia entendido a verdade sobre sua situação: suas irmãs *eram* o seu futuro; as solteiras têm *apenas* umas às outras. Para muitas, o apoio mútuo era seu único meio de sobrevivência financeira, mas para muitas representava outras riquezas: conforto, companhia e alegria. Isabella precisava aprender isso; Cassandra precisava ensinar a ela. Outra coisa que precisava fazer, antes de ir embora.

— Tudo vai entrar nos eixos, tenho certeza. — Cassandra falava leve, mas firme. — Agora vamos ler juntas para aliviar o espírito. Não estou convencida de que essas longas noites silenciosas de ócio estejam lhe fazendo bem. Não existe mau humor que não se renda a um bom romance.

— Um romance? — Isabella descansou o pires com um ruído. — Acho que já disse: não aprecio romances.

— Não estou propondo que nos arrastemos com a leitura de *Peveril of the Peak*, de Sir Walter Scott. Isso não é remédio para nada. Pensei em um dos romances de minha irmã. Você já os conhece, com certeza.

Isabella sacudiu a cabeça e não demonstrou qualquer entusiasmo.

— Acho que minha mãe leu e gostou deles. Mas papai não permitia que fossem lidos em voz alta... não que eu me lembre. Ouviu dizer que não eram muito interessantes. — Ela pensou e acrescentou: — Mas, de qualquer forma, nunca tive muito interesse em Sir Walter Scott.

— Minha querida Isabella. — Cassandra curvou-se, abriu a valise e tirou o único livro que nunca saía de perto dela. — Agora que seu pai não está mais aqui para nos orientar e demonstrar erudição sobre os muitos assuntos que conhecia *muito* bem, penso que chegou a hora de você embarcar na construção dos seus gostos pessoais. — Abriu o livro no início. — Naturalmente, sou parcial, mas acredito que você pode gostar deste.

Não importava, nesse momento, que seus olhos estivessem velhos e que a lamparina fosse fraca. Cassandra sabia cada palavra de cor.

— *Sir Walter Elliot, do Solar Kellynch, em Somersetshire, era um homem...*

Isabella, sentada, estudava as chamas na lareira, ouvindo, sem qualquer sinal de prazer. Os baronetes claramente a entediavam. Impacientava-se, suspirando alto de vez em quando.

Decidida, Cassandra seguiu em frente.

— *Três meninas, as mais velhas com dezesseis e quatorze anos, eram um grande legado para uma mãe transmitir a outra pessoa, sobretudo à autoridade e à orientação de um pai tolo...*

Pyramus exibia a barriga virada para o fogo e roncava. Mas sua ouvinte humana, Cassandra percebeu com certa satisfação, continuava quieta.

— *... ela era apenas Anne...*

Era possível perceber que os olhos de Isabella estavam atentos.

— *... sua exuberância havia desaparecido precocemente...*

Poderia ser delírio da imaginação, mas Cassandra estava quase certa de que sua relutante e pequena plateia estava sob controle. Entretanto, o ato de performance tornava-se cansativo e ainda havia muito a fazer antes de poder descansar. Depois de quatro capítulos, baixou o volume de *Persuasão* e levantou os olhos: a inimiga de romances não parecia mais tão feroz e hostil.

— Vamos parar aí? Ah! Bem, obrigada, Cassandra. Para minha surpresa, gostei muito. Anne é um tipo muito agradável de pessoa, sensata, o tipo de heroína que tenho em mente. Não há tanto drama com relação a ela quanto nos outros livros. Não gosto de muito drama e acho difícil compreender a razão de sempre se escrever sobre isso. Afinal, na vida existem tão poucos dramas, não é mesmo? Por favor, antes de subir, me garanta uma coisa: vai acabar tudo bem para ela? O final é feliz?

— Minha irmã não escrevia romances fortuitos, Isabella, este era apenas um dos aspectos da sua genialidade. — Cassandra colocou o livro de volta na valise. — Mas o que seria um final feliz, do seu ponto de vista?

— Bem, o casamento, claro! — Isabella retorquiu. — Que outro tipo pode haver?

Cassandra levantou os olhos, ergueu uma sobrancelha e fez uma pausa. Agora podia protestar e abrir o verbo: Olhe para mim, Isabella! Conheci a felicidade. Sem homem ou casamento, encontrei a felicidade, verdadeira e sublime! Mas quem acreditaria nela? Hoje, era uma velha e esse tipo de fala não era propriamente o seu estilo.

— Ah. — Em vez disso, falou moderadamente, usando um braço da cadeira para se levantar. — Então, que tragédia haver tantas mulheres

solteiras no mundo, e não existir caminho da felicidade aberto para elas.
— Segurou a mão que Isabella estendeu e juntas foram até o pé da escada.
— Boa noite, minha querida. Vamos continuar a história de Anne amanhã à noite. E prometo que tudo será revelado antes da minha partida.

~

Na cama — de banho tomado, roupa trocada, o longo cabelo grisalho trançado —, Cassandra recostou aliviada na cabeceira dura e passou um minuto apreciando o luxo da privacidade no seu quarto simples. Estava cansada, depois do longo dia, além de exaurida por Isabella. Mas dormiria pouco naquela noite. Tinha trabalho a fazer.

Ao revirar o banco de encosto alto, Cassandra ficara aliviada, percebendo que a querida Eliza havia feito a maior parte do trabalho por ela: toda a correspondência arrumada, separada e amarrada em maços com fita azul-clara. Em cima estavam todas as cartas dos muitos filhos de Eliza. Cassandra fuçou mais embaixo. Deparou-se com a correspondência de sua mãe, mas tinha certeza de que ali não havia nada que a pudesse interessar. Conhecia os detalhes, mesmo sem olhar: anotações especializadas sobre zootecnia, dicas de confinamento, detalhes drásticos sobre seus muitos pequenos achaques. Debruçara-se para o fundo, mergulhando mais as mãos. Um pacote enorme de Martha — a querida Martha! — bloqueou seu avanço. Retirou-o e colocou-o ao lado, o que trouxe à tona a caligrafia que lhe era tanto familiar quanto difícil de identificar. Demorou algum tempo para que a força da verdade a iluminasse: estava cara a cara com a evidência do seu próprio eu interior infantil e feliz. Tremeu um pouco e suspirou. Em algum momento, precisam ser examinadas, mas este não era seu maior objetivo. Retirou-as e, embaixo — um intenso ímpeto de amor tomou conta dela —, ali estava a letra de Jane.

Alisou o maço e suspirou. Sua irmã havia morrido tantos anos atrás; fazia muito tempo, em Chawton, todos os seus pertences já tinham sido retirados. Houve uma época — o luto ainda fresco e pungente — em que a ferida, que fechava lentamente, se abria quando Cassandra tropeçava em algum rastro. Depois, durante horas, não conseguia fazer mais nada a não ser se recolher e chorar. Mas tudo aquilo havia passado. A dor diminuíra, e, aqui, seu interesse era de ordem prática.

 Cassandra raciocinou, juntou tudo que lhe interessava e traçou um plano de ação. Voltou ao quarto e escondeu tudo embaixo do colchão. Sua própria correspondência poderia ficar ali até que tivesse tempo de lê-la com atenção. Primeiro, e assim que possível, lidaria com as cartas de Jane.

 Mas agora que o momento se apresentava, sentia sua decisão arrefecer. Cassandra alcançou o forro e pegou o maço de cartas. Certamente seria uma alegria passar horas deleitando-se na companhia da irmã. Mas cedeu diante da possibilidade. Recostou-se na cabeceira dura. Como seria mais fácil passar os últimos anos de sua vida no presente, em vez de se confrontar com uma vida inteira de lembranças. Ah, poder definhar em Chawton, sem se preocupar com nada a não ser as rosas, as galinhas e a igreja.

 Infelizmente, não havia esta opção. Este seu último dever era o custo do privilégio. Cassandra muniu-se de força, preparou a mente para se deixar levar pela névoa do olvido, em direção ao mundo que um dia havia sido delas.

 Desdobrou o papel e começou a ler.

CAPÍTULO III

Reitoria de Steventon
1º de maio de 1795

Minha querida Eliza,
    Espero que encontre em seu coração algum espaço para perdoar minha demora em responder à sua carta. A verdade é que nossa Reitoria, que costumava ser sossegada, foi tomada por uma torrente tão intensa de comemorações que fica impossível achar um lugar tranquilo onde se possa escrever. Acabo de me esconder no canto do quarto de vestir, que — pelo menos por ora — está misericordiosamente livre dos membros da minha família que se abraçam barulhentos, chorando lágrimas de pura felicidade. E fechei a porta com firmeza, na vã esperança de manter os agitadores afastados. Isso mesmo, Eliza: há tanta alegria e prazer em volta que chego a me sentir má e perversa.
    Não consigo me lembrar ao certo como era a vida <u>antes</u> do noivado de minha irmã. Mas parece que, daqui em diante, não preciso fazer mais nada além de parabenizar os outros, até onde meu pobre fôlego me permitir — minha mãe e meu pai pela perfeição do casal; Cassy pela perfeição do futuro marido; Tom Fowle pela perfeição da noiva. Depois, quando termino, ao que parece, tenho que

começar tudo de novo... E me ocorre que, antes que eu morra de exaustão por tudo isso, eu deveria parabenizar você também, minha querida Eliza.

Afinal, depois que esse enlace muito importante tiver acontecido, Cassy será uma Fowle, e você compartilhará comigo a honra de chamá-la de irmã. E você não pode imaginar o prazer que há nisso! Ela é a melhor, a mais inteligente, a mais generosa e cuidadosa irmã nesta Terra. E se você, em algum momento, tiver vontade de dizer algo espirituoso, garanto que ela vai rolar de rir.

Certamente, nosso casal insuportavelmente feliz terá que suportar um longo noivado. Um cura precisa ser paciente; a noiva de um cura precisa ser mais ainda. A economia, mais que nunca, está em guerra com o romance. Mas, um dia, a sorte de Tom irá mudar e eles irão se casar. Ficarei tão feliz por eles — mas com um pouco de pena de mim. Pois existe uma falha neste arranjo perfeito — e eu não me atreveria a mencionar semelhante possibilidade diante da minha família triunfante —, que é eu ter que, de certa forma, viver sem ela. Portanto, minhas felicitações a você, Eliza, e a toda a família Fowle. Vocês são os vitoriosos. Sim, temos o conforto de saber que Cass será sempre feliz. Mas <u>vocês</u> a terão — e ela representa a melhor parte de nós! — junto de vocês, sempre.

Cuide bem dela. Cass é preciosa para mim.

Com carinho,
J. Austen.

~

Era uma tarde trivial de quarta-feira na Reitoria de Steventon. Cassy estava mergulhada em seu bordado, Jane nas cartas sobre a mesa junto à janela, a Sra. Austen cochilando sobre uma meia ainda não cerzida, quando Tom Fowle entrou no salão sem ser anunciado.

— Meu amor, trago novidades — anunciou sem fôlego à noiva estupefata. — Grande notícia! E vim para lhe contar pessoalmente. — Tom segurou a mão de Cassy, cumprimentou a família, pediu para ficarem a sós e levou-a ao jardim.

Era setembro e o dia estava vivo e fresco.

Cassy teve que correr para acompanhar seu passo.

— Bem, então, sou toda ouvidos — disse encantada e sorridente. — Meu querido? Qual é a grande revelação?

Na verdade, ela não esperava que lhe fosse comunicado algum grande avanço, mas estava animada. Sabia que o seu Tom era mais tartaruga que lebre, não muito conhecido por suas revelações bombásticas e surpresas — ou, pelo menos, não até agora.

— Espere um pouco. — Tom levou-a para mais adiante na Elm Walk. — Espere até chegarmos à nossa árvore.

Seis meses haviam transcorrido desde que ele a pedira em casamento ali: meses que Cassy havia passado no auge do contentamento. Tinha descoberto a gentileza na família e a fama que um noivado propiciava na vizinhança, e se deleitava. Sabia que precisava de paciência e a demonstrava sem esforço. Não havia grande imperativo em correr para o próximo estágio, na sua opinião.

Mas Tom pensava diferente. A perspectiva de um casamento havia engendrado nele os primeiros estímulos de ambição. E isso demonstrava que ele não compartilhava o apetite de Cassy pela espera. De repente, queria progredir, apossar-se da vida para a qual gostaria de levar sua jovem noiva.

Chegaram ao lugar. Tom parou e ficou de frente para Cassy.

— Semana passada, fiz uma entrevista com Lorde Craven — Tom pareceu inflar enquanto falava —, na qual ele concordou, ah, meu amor!, ele concordou em ser meu patrono!

Sua família não tinha nada a lhe oferecer. Tom havia, no início da vida, cometido o pecado capital de não ter nascido o mais velho e, por isso, queria expiá-lo.

— Tom! Que excelente notícia!

Cassy havia ouvido falar, muitas vezes, em Lorde Craven, vizinho dos Fowle, com quem tinham certo parentesco. Era jovem, rico, tinha terras e uma personalidade forte, ou, pelo menos, era o que se dizia. Naturalmente, ela não havia tido o privilégio de vê-lo em pessoa. Mas uma coisa sabia, pois tinha lido muitos romances: essas augustas criaturas, nascidas com tantos direitos, nem sempre eram confiáveis.

— E ele lhe fez alguma oferta?

— Sim! Fez uma oferta.

O coração de Cassy deu um pulo.

— Um salário? — Já! Tão cedo! — Teremos nossa própria casa paroquial?

Tom sorriu para ela.

— Sim, meu amor. — Fez, então, uma pausa para escolher as palavras. — No devido tempo. Primeiro ele me pediu, e eu aceitei, que o acompanhasse na próxima expedição.

— Expedição? — Sua imaginação evocou algumas semanas de perseguição na Escócia, ou navegação, talvez, em Solente.

— Sua Senhoria irá liderar, em breve, um contingente do seu regimento às Ilhas de Barlavento. Não entendi bem qual é o negócio dele por lá. Na ocasião, como você pode imaginar, eu estava bastante perplexo com a situação como um todo. Nunca estive sozinho com um homem de tanto...

— As Ilhas... Mas, Tom — o medo tomou conta dela —, elas ficam nas Índias Ocidentais.

— Assim me dizem. Não vou ficar ausente por mais que um ano.

— Ausente por mais que um ano... — Cassy repetiu, a voz arrastada.

— Vão me pagar muito bem, muito acima de qualquer coisa que eu possa ganhar se ficar aqui. E ele me prometeu uma posição excelente quando voltarmos. Ficaremos com a vida feita! Em apenas um ano! Cassy, sem isso, teremos que esperar muito mais.

— Sim, verdade. Tínhamos concordado que estávamos preparados para... Seria difícil, mas pelo menos esperaríamos em segurança. Com certeza haveria riscos envolvidos nesse projeto?

Será que ele assumiu isso sem pensar? Simplesmente porque *Lorde Craven* pediu?

— Estou indo como seu capelão pessoal. Não é uma tarefa muito onerosa, você irá concordar comigo, com certeza!

Cassy estava chocada. Tom não tinha espírito aventureiro. Aceitara ser um cura. Para além disso, estava *feliz* em ser um cura. Quem era esse herói romântico navegador?

Ele beijou sua mão.

— Minha Cassy. Veja isso como meu investimento na nossa segurança futura. O navio parte de Portsmouth dentro de quinze dias. Vim apresentar minhas despedidas.

~

A família Austen foi sensível à situação dos jovens namorados e, quando possível, permitiu-lhes a merecida privacidade. Na última manhã de Tom, Cassy viu-se dentro de uma casa já frenética. Sabia de suas tarefas do dia. Foi diretamente ao salão, onde a irmã costurava. O irmão, Frank, agora na marinha, precisava de camisas novas. As duas moças davam o melhor de si costurando os pontos mais finos e rápidos. Cassy ia sentar-se na poltrona de sempre, mas Jane, rindo, a enxotou.

Passou então pelos gabinetes e pela sua próxima tarefa urgente: engarrafar o vinho de laranja. Se não fosse feito logo, não teriam nada para o Natal. Isso era urgente, com certeza. A mãe já estava lá — de avental, rosto vermelho, o cabelo escapulindo da touca. E a amiga de Cassy, Martha, estava com ela!

— Você não é necessária aqui, Cass. — A Sra. Austen pegou um pedaço de musselina. — Tenho uma boa ajudante que veio de Ibthorpe justamente para isso. — Espiou pela janela da área de serviço. — A manhã está linda lá fora. Você e Tom deveriam aproveitar.

A querida Martha — que sempre ficava feliz com a felicidade dos outros, que nunca teve o prazer de um passeio com um rapaz numa fria manhã de inverno — primeiro abraçou-a e, em seguida, levou-a para fora.

O dia estava realmente um pouco inquieto, mas terminaram fazendo conforme lhes haviam pedido. O jardim estava encharcado, os campos intransitáveis, mas, apesar da lama, ainda era possível andar na Church Walk. Cassy equilibrava-se nos tamancos. Uma vez fora do alcance da Reitoria, Tom ofereceu-lhe o braço.

Era um passeio emocionante para os dois. Tom Fowle viera morar com a família aos dezesseis anos, para ser educado pelo Sr. Austen. Aqui ele aprendeu, cresceu e se tornou querido por todos na Reitoria. No entanto, desde o começo, a companhia por quem ele nutria especial simpatia era Cassy. Há anos andavam juntos por esses caminhos, desde que ela era ainda uma menina e ele se tornava um rapaz. Quando cresceram, a beleza de Cassy floresceu a ponto de ela se tornar a mais bonita; sua altura era quase a dele: para qualquer observador, formavam o jovem casal perfeito. Tom já era aceito como parte da família. Steventon era sua casa, quase como era dela.

— Vou sentir saudade deste lugar — disse soturno.

— Ah, Tom. Vou... nós... eu vou sentir saudade de você.

E, então, conversaram — como sempre conversavam quando estavam sozinhos, sem ninguém para caçoar — sobre seus projetos de vida em comum, com riqueza de detalhes. O assunto favorito de Cassy eram os filhos. Como ansiava por acalentar nos braços os seus bebês. Havia nascido para isso, sabia: ficar cercada de bebês; amamentá-los; cuidar deles. Visitaram os nomes — a primeira filha seria Jane, em homenagem à irmã, o que ela achava perfeitamente razoável; o primeiro filho seria Fulwar, em homenagem ao irmão dele, o que não era do seu agrado — e prosseguiram até o lugar que seria a morada desses filhos. E, aqui, a conversa tomou um rumo estranho.

— A não ser que estejamos em Shropshire, naturalmente — Tom disse casualmente.

— Shropshire! — Cassy não conseguiu conter o espanto. O céu havia ficado cinza, a chuva começara a cair. Abrigaram-se sob um carvalho em frente à casa dos Digweed. Das poucas folhas que sobravam na árvore, a água pingava em volta deles.

— Sim. Lorde Craven disse isso. — Tom inflou mais uma vez. — Não há limites para a sua influência. Não lhe basta ter a metade de Berkshire, ele tem uma propriedade lá também!

Desde o momento em que ficaram noivos, Cassy havia planejado seu futuro em Berkshire. Em sua imaginação — naqueles desenhos caprichosos que uma mulher romântica faz nos seus poucos momentos de ócio à tarde —, havia casas de campo de tijolo e pedra, suaves ondulações, uma residência paroquial sólida e bem-cuidada. E, nos fundos, em algum lugar fora dos limites da página, os Fowle por perto e — isso era importante —

os Austen não *muito* longe. Não era esse era o acordo, decerto? Sentiu-se, portanto, bastante insegura.

— Os campos são bonitos por lá — explicou Tom, mas imediatamente questionou a afirmação. — Não são? Sim, tenho certeza que alguém já me disse isso... Quem foi? — Cassy sabia que Tom jamais havia desenvolvido particular interesse por detalhes. — *Acho* que acredito *ter ouvido* falar isso.

— Sim. Acho que também ouvi. — Na realidade, ninguém próximo de Cassy teria testemunhado sobre a beleza ou qualidade dos campos de *Shropshire*, nem uma só vez na vida. Tinha certeza. — É só que... claro... a coisa fantástica que você está fazendo ao integrar a expedição... o prêmio seria... Bem, ficaríamos um pouco distantes do que imaginei, é só...

— Ah! — Ele se iluminou. — Sim. — Estava triunfante. De repente, ocorreu-lhe um fato. — Sei que fica perto de Ludlow.

Perto de Ludlow. Cassy pensou um pouco e tentou achar consolo nisso. Ela sempre foi afável, jamais uma pessoa difícil, mas, mesmo assim, não conseguia achar consolação em *Ludlow*.

— Bem, razoavelmente acessível, ao menos. — O olhar de Tom tornou-se de novo vago; a confiança em seu grande fato rapidamente se diluía. — Só não estou certo do quão acessível exatamente.

Cassy havia morado a vida toda em Hampshire: para ela, era a terra de Deus. Tinha sido compreensiva com relação a Berkshire, aceitando seu destino. É claro que precisava se casar, Tom Fowle seria seu marido — era seu destino; na verdade, sua sorte —, mas então que fosse Berkshire. Já era suficientemente exótico para Cassy. O limite do seu espírito aventureiro. Mas Shropshire! Era realmente terra estrangeira. Ela suspirou.

— Eu estava só pensando na minha família, nas nossas famílias, e nas nossas possibilidades de fazer visitas.

— Ah, claro. Sim. Nossas famílias... — Tom ponderou, enquanto Cassy se admirava com o fato de ele não ter pensado nisso antes. — Bem, com as bênçãos de Deus, brevemente teremos nossa própria família. Qualquer que seja o lugar, será o nosso lar, não será?

— Mas, mesmo assim, nós os amamos! Mesmo que tenhamos um ao outro, e, se Deus permitir, tenhamos nossos filhos. Não posso imaginar como conseguiremos ver nossas famílias regularmente, pois estaremos a vários, muitos, dias de distância.

A cabeça de Cassy, como sempre, assumiu o lado prático. Seu talento era encontrar soluções, mas, nesse caso, só conseguia ver dificuldades, ou, pior, realidades duras e insuperáveis. Como sua irmã viria visitá-la? Qual irmão abriria mão do seu tempo para a acompanhar na longa viagem? Enfrentariam anos de separação! Como iriam suportar? O que Jane *faria*?

Tom estendeu a palma da mão para ver se a chuva já havia diminuído.

— É possível que não seja assim — disse ele. — Não vamos falar mais nisso. Afinal, ainda tenho que ir para as Ilhas Barlavento e voltar delas.

Imediatamente ela se sentiu envergonhada, horrorizada, tomada pela força de seu egoísmo. Como ela ousava se acovardar diante de reveses hipotéticos na Inglaterra, quando ele iria se defrontar com perigos reais sabe-se lá onde?

Ele a levou de volta para o caminho.

— Não devemos nos furtar ao nosso contentamento sem nem o termos alcançado. E sei que estarei feliz em qualquer lugar com você ao meu lado.

Cassy resolveu, novamente, não pensar mais no assunto, nem mencioná-lo a Jane. Faria mal aos nervos da irmã, ela cairia em desânimo. Por que preocupá-la com suposições, antes de se tornarem fatos? Deram-se os braços, caminharam e retomaram a conversa original: gostariam de ter uma vaca em casa, um pônei para as crianças; uma vez casado e com salário, Tom não iria mais caçar, pois isso implicaria muito tempo afastado do trabalho — e da *esposa*. Ela corou e se derreteu: querido, *mais que querido*, Tom. Ele ainda gostaria de pescar, se ela não se incomodasse. Ela lhe deu sua bênção; ele agradeceu. Pois se sentia especialmente em paz à beira do rio com uma vara de pescar na mão.

∼

Foi um grupo alegre que se reuniu à noite. Os Austen eram sempre alegres, diante de qualquer coisa que a vida lhes apresentasse. Alegria e bom humor eram a marca dos Austen.

— Você tem um par de pernas de marinheiro, Tom Fowle, portanto, não precisa se inquietar. — A Sra. Austen, que mais cedo havia devorado um prato inteiro de torta de carne de vitela e bolinhos, estava agora confortavelmente empachada na cadeira junto à lareira. — Só de bater os olhos num homem já sei se é marinheiro ou não. Tenho esse talento, e nunca me falhou. E você não terá problema. Aposto minha reputação. Você, meu rapaz, é marinheiro. Vejo imediatamente.

— Ah, eu lhe asseguro que isso não me preocupa. — Tom também se sentia satisfeito e grato pelo banquete que haviam preparado para ele. Cassy olhou-o com firmeza. Desde que se alistara, havia assumido uma certa arrogância masculina, esperada na maioria dos homens, mas que não se adequava a ele. — Afinal, vivi toda a minha vida *perto* da água.

Sentiu-se mortificada. A irmã, a seu lado, sufocava o riso. E os irmãos gargalhavam.

— Você mora perto do *bom e velho rio Kennet*! — gritou Henry, dando um tapa na coxa.

— Não é conhecido pelas altas marés e ondas — acrescentou James.

— Mas não se esqueça, meu irmão, do dia que saímos de chalana. — Henry, quando aparecia a oportunidade para uma piada, sempre relutava em deixar passar. — Aqueles lírios sobre a água eram o próprio diabo!

— Bem, meninos, deixem de galhofa — interrompeu a mãe, repreendendo-os. — Uma vez, embarquei em uma chalana no Cherwell e tive medo de não sobreviver. E acho que Tom vai navegar até lá e vai voltar, sem dificuldades — continuava ela, determinada a deixar a conversa mais amena e feliz. — E antes do que a gente imagina, esse jovem casal amado estará casado e terá a sua própria casa. — Ela se movimentou desconfortável na cadeira. Cassy preocupou-se com a digestão da mãe mais tarde. — Eu sempre achei que você não seria um cura para sempre, querido Tom. O destino nunca interrompe o caminho da felicidade. Grave minhas palavras: o Senhor provê.

— Se não for *o* Senhor, um senhor, como meu estimado patrono — respondeu Tom orgulhoso. — E, de fato — olhou sorridente para Cassy —, nós nos estabeleceremos, seja em Berkshire ou em Shropshire, não vai demorar muito.

— Shropshire? — A voz de Jane saiu num tom estranhamente alto. Parecia alarmada, depois constrangida, e então encolheu os ombros como quem não se importa. — Mas... Ah, por favor, leve Cassy para o mais longe que quiser, Tom. Por que morar em Shropshire? Com certeza, há lugares ainda mais remotos e desagradáveis. Vá mais para o norte! Pode levá-la para a Irlanda, no que me diz respeito.

— Ah, não! — Tom deu um salto, imediatamente, parecendo preocupado. — Irlanda, não! Não vou gostar das cobras por lá. Realmente, tenho muito medo...

Nesse momento, até as moças explodiram em gargalhadas e — porque a mãe preferia que não rissem muito alto diante de visitas — encostaram-se umas nas outras para sufocar o barulho.

— Querido Tom. — Henry bateu em seu ombro. — Você nunca nos decepciona. Deixe-me ser o primeiro a lhe contar: dizem que não há cobras na Irlanda! Não é uma excelente notícia?

James, que também é pároco, com um apetite saudável, embora tedioso, para pregações, pigarreou e começou em tom lúgubre:

— Reza a lenda que São Patrício...

Henry logo interrompeu.

— Obrigado, James. Conhecemos bem os santos e seus milagres. Rá! Todos nós, exceto um... Quem nesta sala assume a responsabilidade pela formação de Tom Fowle?

O Sr. Austen, na sua cadeira junto à janela, tirou os olhos do livro.

— Fiz o melhor que pude — disse brandamente. — Mandamos você para Oxford, Tom, não foi? Felizmente, os professores se importavam menos com a geografia de répteis e mais com o seu latim.

Tom sorriu para Cassy de novo.

— E você me ajudou muito com isso.

Cassy corou, olhando para ele. Costumavam praticar durante horas juntos, depois que Tom passava a manhã na sala de estudos do sótão. Ele tinha dificuldade com o gerúndio, enquanto ela o compreendia na mesma hora. Mas que delicadeza a dele mencionar isso e dar os créditos a ela. Nem todos os rapazes eram tão generosos. Este era o velho Tom que ela conhecia.

A Sra. Austen tomou mais um gole de vinho e o rosado de seu rosto ficou mais acentuado.

— Tudo funcionou esplendidamente — proclamou com satisfação. — Não poderíamos estar mais felizes com vocês dois. Gostamos tanto de você e também de sua querida família, Tom, você sabe. E, lembre-se, quando estiver atravessando os Sete Mares, nunca irá achar uma beldade melhor que a nossa Cassy. Ela é uma maravilha, sem dúvida. Uma jovem tão talentosa como a minha filha *mais velha* sempre será uma riqueza para qualquer rapaz.

— Lá vem — disse Jane a Cassy baixinho.

Cassy sussurrou de volta, com uma fisionomia tragicômica, imitando a mãe:

— Mas coitada da Jane...

— Mas coitada da Jane — começou a Sra. Austen com um suspiro. As filhas não couberam em si. A voz da mãe teve que aumentar de volume: — Não temos tanta certeza sobre o que vai ser dela.

— Mamãe — disse Cassy, com delicadeza, em meio ao riso. — Jane está aqui conosco. Aqui. Neste cômodo.

— Estou apenas dizendo que, quando uma jovem é excepcionalmente competente...

— Ah, mamãe — protestou Jane. — Pode-se ter excesso de competência.

— Exatamente, Jane, exatamente. *Caso* consiga se casar com um homem com dez mil ao ano. Se não conseguir encontrar nada semelhante, *você* vai acabar como Cassy e eu, casando-se com um homem da Igreja, com uma grande família e recursos limitados, e não terá o luxo de dispensar essas qualidades. Seu pai vai lhe dizer quantas vezes eu, através do meu trabalho e da minha dedicação, mantive o lobo longe da porta.

O Sr. Austen, agora fechando o livro e se pondo de pé, não tinha a intenção de fazer tal coisa.

— Somos abençoados com duas filhas brilhantes, Sra. Austen; é que talvez esse brilhantismo se manifeste de forma diferente em cada uma. E tendo a pensar que qualquer homem se sentiria sortudo em ter uma delas.

— Obrigada, papai, por esse brilhante testemunho. — Jane assentiu olhando para o pai.

Tom deu um largo sorriso.

— Eu, com certeza, me sinto sortudo.

— E agora — proclamou o Reverendo George Austen, como se estivesse no púlpito —, temos apenas algumas horas com o nosso futuro genro. Acredito que precisamos de música, concordam?

Jane saltou para o piano; os homens passaram para o sofá. E Tom e Cassy dançaram sua última dança por algum tempo.

~

Ainda estava escuro quando a carruagem chegou na manhã seguinte. George Austen apertou rapidamente a mão de Tom junto à porta, desejou boa viagem — sempre o professor —, encorajou-o a manter um diário de todas as maravilhas do mundo que ele iria ter a sorte de ver. Havia inveja naqueles olhos mais velhos? Cassy achava que sim. A um certo ponto, o pai tivera uma queda pela aventura que a vida não escolhera satisfazer. Como ela desejava, para o seu bem, que Tom Fowle fosse feito do mesmo estofo! Será que havia algum homem que combinasse menos com a vida no mar, com a campanha por ilhas estranhas e distantes, do que seu cura amado, jovem e cauteloso? Que virada cruel de destino que ele — dentre todos — fosse o escolhido para isso.

O pai afastou-se, e Cassy saiu no frio para a despedida final, ajeitando o xale em volta de si. Foi suave e pungente: um momento horrível que cada um jurou lembrar para sempre. Fechou os olhos quando ele beijou sua mão pela última vez. E, numa fração de segundo, ele estava na carruagem, a porta foi fechada e os cavalos trotaram. Cassy acompanhou com o olhar até que tudo desaparecesse. Sim, ela estava emocionada. Era uma jovem que se despedia do noivo. Naturalmente, tinha um nó na garganta e lágrimas nos olhos. E, mesmo assim — para seu alívio —, sentia uma emoção particular que não havia previsto. Cassy já era uma mulher de instintos fortes e firmes. E sentiu, então, em algum lugar no fundo da medula, no sangue que agora aquecia seu rosto, que ele voltaria para ela. *Sabia* que um dia o veria novamente.

O vento aumentou logo depois que ele partiu. Os Austen assistiram à tempestade da janela da Reitoria e pensaram naquele homem no mar, num tempo tão cruel para um marinheiro de primeira viagem. Lorde Craven e seus fiéis seguidores partiram como acordado, mas as condições eram terríveis: enfrentaram dificuldades. Após noites em claro, que Cassy passou ouvindo as galés rugindo à sua volta, duvidando e praguejando sobre a garantia prévia — em particular da mãe —, chegou uma carta. Endereçada à Srta. Austen. Com a letra de Eliza Fowle.

Dedos tremendo, Cassy abriu.

CAPÍTULO IV

Casa Paroquial de Kintbury
24 de novembro de 1795

Minha querida Cassandra,

Sei que deve estar arrasada de preocupação, assim como nós — oh, que horror —, portanto, deixe-me dizer de uma vez: acabamos de ter notícias de Tom. Minha querida Cass, ele está bem! E, neste exato momento, em terra firme. A casa está banhada de alegria, orações de gratidão e alívio.

Ouvimos histórias terríveis — sobre o tufão que atingiu a frota no Canal da Mancha, navios espalhados, corpos levados para a praia — e já não tínhamos mais esperanças de que Tom nos fosse devolvido. Mas nós — e você e o nosso Tom, evidentemente — temos sorte. Os fiéis marinheiros, de alguma forma — não sabemos ainda como e por onde —, aportaram com dificuldade em Portsmouth. Todos os pobres homens estão bem — graças a Deus! —, embora o navio tenha sofrido. A viagem foi forçosamente interrompida, enquanto o barco passa por reparos para levantar velas, novamente, em janeiro.

Assim, somos duplamente abençoados! Tom estará em casa em Kintbury na próxima semana. Conversei com a Sra. Fowle e acertamos, caso sua família permita: ficaríamos felizes se você, Cassy, se juntasse a nós, aqui, para o período das Festas. Ter os dois, você e Tom, conosco... seria o nosso próprio milagre de Natal! Por favor, escreva e diga que sim.

*Sua amiga esperançosa,
E. Fowle.*

∽

A cabeça de Cassy girava. Em uma semana, estava em Steventon e na seguinte, em Kintbury, sem qualquer aviso prévio. Nunca imaginara que a vida pudesse se movimentar tão rapidamente. No instante da chegada, sentia-se quase fora de si. Será que isso era o que chamavam vertigem? Nunca, que soubesse, tinha sentido vertigem antes.

Haviam decidido que seu irmão James a acompanharia, e ele ficou satisfeito em fazer isso. Pois todos os meninos Fowle, não apenas Tom, haviam sido educados em Steventon e haviam brincado com os Austen, tal qual um bando de filhotes. Assim que a carruagem tocou o cascalho da entrada de Kintbury, os Fowle saíram todos da casa a fim de saudá-los. James abriu a porta e saltou antes de os cavalos pararem. Houve muita algazarra de boas-vindas, apertos de mão calorosos e brincadeiras. Cassy observava de dentro da carruagem, rindo: juntos, aqueles homens voltavam à infância.

Enquanto esperava, olhou os novos arredores e, para sua satisfação, achou-os simpáticos e idênticos ao que havia imaginado. Ao lado, havia casas de tijolo e pedra, atrás, leves ondulações no terreno e, diante dos seus olhos, uma casa paroquial sólida e elegante.

— Aqui está ela! — James virou-se. Cassy viu o indisfarçável orgulho nos olhos do irmão. Ele ofereceu a mão para que ela descesse. — Sr. e Sra. Fowle, eu gostaria de apresentar minha irmã, Srta. Austen, a futura noiva de Kintbury.

— Minha querida. — A Sra. Fowle, mais velha, adiantou-se e segurou as mãos de Cassy. Uma pequena mulher, bem-arrumada, que havia dado à luz quatro fortes rapazes, afetuosa e determinada a fazer amizade. Cassy já conhecia o Sr. Fowle muito bem, tinha sido grande amigo de seu pai nos tempos de Oxford, e aqui estava ele agora, sóbrio como nunca, elegante e educado. Cada um ficou de um lado de Cassy, acompanhando sua entrada.

A sala estava tão cheia que ela se sentiu sufocada. Assim como Tom — atrás, tímido —, Charles e William estavam em casa para as Festas. O filho mais velho, Fulwar, e sua esposa Eliza moravam ali permanentemente agora, com seus três filhos. Os dois meninos menores eram lindos e simpáticos: a pequena Mary-Jane, que se parecia com o pai — uma pena —, tinha a cara zangada e ficou agarrada às saias da mãe.

A família toda se reunira para ver Cassy: ela era o espetáculo principal. Alguém recolheu sua capa vermelha, e toda a sua recatada beleza revelou-se diante de todos. Em um ato de arrebatação romântica — não era totalmente adequado para a viagem e ela era muito prática —, sob a capa, usava sua roupa azul mais bonita. A aprovação era visível. Foi um momento magnífico.

E isso foi tudo: o ponto alto daquela quinzena. Pobre Cassy: esta era sua primeira visita solo — um grande rito de passagem para qualquer heroína. Mas havia chegado a uma casa dominada pela angústia e pelo medo.

Da última vez que vira Tom, ele estava embarcando para um ano no mar, tomado pelo espírito de jovial ignorância. Uma semana no Canal da Mancha, e agora estava abatido, os olhos fundos, assombrado pelos horrores que havia visto. Os pais, que sempre avaliaram com reservas o empreendimento como um todo, estavam consternados diante da perspectiva de sua partida novamente no mês seguinte. Até a esposa de Fulwar, Eliza, com quem Cassy contava como companhia, não estava em seu melhor momento. Estava exausta com as tarefas da jovem família e sofrendo com a criança que trazia na barriga.

O Natal em Kintbury foi mais sombrio que qualquer outro que Cassy já vivenciara. Depois da carne e da sobremesa — ela se perguntava se a sobremesa em casa, em Steventon, teria sido boa. E o vinho de laranja? —, reuniram-se na sala de estar, uma festinha desanimada. William e Charles juntaram as peças de xadrez; as senhoras, seus bordados. Tom sentou-se com os pais junto à lareira, em silêncio, estudando as chamas.

Apenas uma pessoa tinha disposição festiva.

Como a natureza — e havia algo dos elementos da natureza nele —, Fulwar detestava o vazio. Postou-se no meio do silêncio e o perfurou com um discurso alto e animado em torno do único assunto no mundo que não queriam ouvir.

— Invejo você, Tom. — Levantou um pouco a casaca para aquecer o assento, bloqueando o acesso ao calor aos demais presentes. — Ah, como invejo você! Lá fora, no meio das ondas com os homens. A velha camaradagem em um navio, algo sem comparação. Ou, pelo menos, é o que dizem. — Olhou adiante, com os olhos nublados, em direção ao horizonte da parede amarela. — O ar do mar! As cantigas dos marinheiros! Um companheiro de caça estava no *Victory*, sabe. Comentou que as pegadinhas são fantásticas. Colocam os jantares de abertura das temporada de caça no chinelo. — Riu dessa memória emprestada.

Que pena que Fulwar tenha decidido se abster das emoções do combate militar, refletiu Cassy. Que lástima que, em vez disso, *seu* destino tenha sido assumir esta igrejinha do interior, no lugar de seu pai.

O Sr. Fowle interrompeu a contemplação para protestar:

— Acho que Tom não apreciou muito as *pegadinhas* quando o navio estava quase naufragando, semanas atrás. Nem gostou muito das ondas batendo acima de sua cabeça.

— Ah, não foi tão ruim assim — retorquiu Fulwar, que havia expurgado o desastre conduzindo os paroquianos de Kintbury através dos desafios do Advento. — E o fato de terem abandonado o navio demonstra o quanto Lorde Craven leva a sério a segurança dos homens. Erra por excesso de cautela, eu às vezes penso.

Cassy olhou discretamente para o noivo e observou sua calma exterior. Por que Tom não se manifestava sobre tudo isso? É claro que ela sabia que ele era um rapaz de temperamento contido. Essa era uma das muitas razões para que combinassem tão bem. Mas jamais havia notado que seu equilíbrio não se deixava abalar, nem quando deveria.

Eliza inclinou-se para ela.

— Talvez você esteja achando que nós, a maioria de nós, somos um pouco quietos à noite se comparados com a sua família, não é?

— Não! — Cassy corou. Estaria deixando transparecer seus pensamentos? — De forma alguma. Está tudo muito agradável. Será que eu poderia pegar emprestado um alfinete?

Eliza sorriu e entregou sua bolsa de trabalho, perguntando gentilmente:

— O que estarão fazendo agora em Steventon? Minhas irmãs me contam que vocês gostam de se divertir com jogos.

— Sim. — Cassy sentia a angústia crescer. Escondeu-se no trabalho. — A essa altura, penso que estejam envolvidos com as mímicas. — Jane estaria, sem dúvida, bancando a esperta; o pai explodindo em gargalhadas sobre coisas que ela se atrevia a dizer. Era melhor nem pensar. — Vocês não fazem isso por aqui? Claro, entendo bem as dificuldades atuais, quero dizer, em tempos mais felizes?

— Preferimos não fazer — respondeu Eliza baixando a voz ainda mais. — Meu marido não gosta de perder. Embora alguns de nós gostemos de uma rodada de Paciência, quando encontramos tempo.

A Sra. Fowle falou em voz alta.

— Não é o mar que me preocupa, mas o clima e as febres. — Apertou o braço de Tom. — As pessoas contam sobre doenças exóticas que vêm de lá.

— Rá! Minha querida mãe, você sempre se preocupou. E olhe para nós! Olhe para os quatro indestrutíveis que você impôs a este mundo. — Na verdade, Fulwar era de estatura completamente diferente dos seus irmãos. Era baixo, atarracado e corado; os outros eram altos, sim, mas Tom ainda era delgado. — É mais fácil eu me preocupar com aqueles selvagens indomáveis de lá do que com o nosso Tom — prosseguiu Fulwar. — E eles não vão tirar um minuto do meu sono. Vou lhe dizer por quê.

Cassy muniu-se de nervos de aço, pois sabia o que estava por vir, e tentou se concentrar novamente na agulha.

— A insurreição que agora está sobre nós, nos quatro cantos do globo... — Gesticulou para os quatro cantos da sala de estar.

Ocorreu a Cassy que Fulwar era uma pessoa bastante diferente quando na própria casa. Certamente, não era dessa forma com os Austen. Sua família não tolerava a pompa e a arrogância. Teria sido silenciado assim que abrisse a boca.

— É vital que nossos homens peguem suas armas...

Charles e William, debruçados em silêncio sobre o tabuleiro de xadrez, também não eram propriamente os homens que ela pensava conhecer. Em Steventon, eram alegres e brincalhões; estavam sempre envolvidos nas brincadeiras; quanto mais barulho, melhor. Aqui, ficavam permanentemente calados.

— Os interesses de nossos proprietários de terra precisam ser protegidos...

E o seu Tom: não parecia alterado neste ambiente? Devia estar preocupado com a viagem. Era compreensível; todos estavam. E ele nunca foi sociável, o que claramente era uma coisa boa. Olhou para Fulwar. Quem escolheria um marido sociável? Pela primeira vez, no entanto, notava como Tom era quieto.

— Aqueles rebeldes devem ser impedidos de pôr os pés lá...

Cassy não se incomodava com o rumo que o discurso de Fulwar tomava. Ficou imaginando o que estaria acontecendo em casa. Talvez, neste momento, estivessem começando a dançar. Jane tocando o piano, a mobília arrastada para abrir espaço. Voltou-se para Eliza.

— Que tal um pouco de música? — Com certeza, música era tudo de que precisavam. — Você ainda canta?

Eliza olhou surpresa para ela, como se estivesse esquecida de que havia nascido com uma voz celestial.

— Ah, não! Quando chega a noite, estou tão cansada, agora que tenho filhos. De qualquer forma, não temos instrumentos aqui.

Sem música. Sem jogos. Sem leitura ou boas conversas! Esta era a primeira vez que Cassy ficava em um lugar sem a companhia de um membro da família. Sempre soube que os Austen eram fantásticos; agora, ocorria a ela que eram simplesmente únicos.

— A economia deste grande país e o reinado do nosso rei precisam ser defendidos, sim, até a morte, se for necessário. A morte é um preço pequeno a se pagar!

E concluiu que outras famílias devem ser um dos mistérios mais incomensuráveis da vida. Não fazia sentido ficar sentada como uma estranha, tentando compreendê-los. É impossível que se tenha ideia do que deve ser fazer parte daquele núcleo familiar. Compartilharia essa reflexão mais tarde, na carta para Jane.

~

O grupo de caça se reuniu na manhã seguinte e, quando Cassy saiu do quarto para descer para o café da manhã, a casa tinha ares de abandono, como se os homens, de repente, tivessem sido convocados para a guerra. Atravessando o térreo, ela viu a porta do quarto de Tom aberta e, no calor do momento, sem atentar para a propriedade de seus gestos, entrou.

A cama não estava feita, um pano de barbear sujo jazia junto ao lavatório; o sabão velho formava uma crosta dentro da bacia. O cheiro particular e não tão agradável de um homem ainda estava no ar. Olhou em volta para os seus pertences: uma Bíblia, gramáticas velhas de latim, nem um romance sequer. Nenhuma recordação dos tempos de escola, nem de Oxford; a ilustração de uma caçada era a única expressão de foro íntimo.

De pé, sozinha, olhando em volta, foi tomada por um sentimento de alteridade de Tom. Tratava-se de um homem que conhecia desde menino! Em Steventon, era parte da família; mas aqui, aqui estava ele... quem era este, exatamente? Cassy não tinha mais certeza de o conhecer.

Pela primeira vez, viu-se olhando para além do noivado — aquele par perfeito que faziam para a satisfação de todos — e contemplando a realidade do casamento. Pensou neles dois sozinhos em sua casa paroquial, perto de *Ludlow*. Longe de todos, mas principalmente longe de Jane. Cassy precisava abrir mão do único mundo que conhecia: o quarto que compartilhava com a irmã. Não haveria mais brincadeiras, sussurros, nem confidências intermináveis. Talvez dificilmente se encontraria pessoalmente com Jane — sua relação teria que ser por meio de cartas dali em diante. Cassy teria apenas Tom. E, no lugar de toda aquela beleza feminina, terá que olhar para um pano de barbear, a ilustração impessoal de uma caçada...

Seu coração apertou. Em casa, em Steventon, sempre havia conversa e alegria. E tantas piadas! Ela própria não fazia muitas, embora Cassy fosse uma das mais inteligentes entre os Austen — sua mãe, sempre muito gentil, dizia —, não era das mais espirituosas. Mas ria com elas. Ah! Como gostava de rir com elas. E Tom ria também. Claro que ria: quem conseguiria não o fazer? Mas apenas os dois, sozinhos? Ela tentou imaginar, porém a mente não conseguiu evocar as cenas. Sobre o que conversariam? Será que *eles* se engajariam em jogos, ouviriam música? Com quem ririam? E de quê?

Já sentia saudade de casa, e seu casamento ainda nem havia começado.

— Minha querida, você parece estar mergulhada em pensamentos.

Cassy virou-se e viu Eliza, olhar generoso, resplandecente na gravidez, uma criança em cada mão, e se tranquilizou um pouco. A amiga aparecera no momento certo, como numa visão, um anjo chegando para lhe dizer que aqui estava a essência da questão: a construção de uma família, a estruturação de uma vida juntos. Essa era a questão.

Segurou Mary-Jane, que se desvencilhou e reclamou, e, rindo juntas, as mulheres e as crianças desceram para o café da manhã.

∾

A visita passou voando, como devem ser as visitas. Em Kintbury, o jovem casal desfrutou de poucos momentos de intimidade; ninguém demonstrou consideração pela privacidade deles. A residência paroquial era agitada como deve ser uma residência paroquial, e era difícil encontrar um lugar sossegado. O clima, também, ficou contra eles: o tempo não permitia passeios. E a Sra. Fowle — pobre Sra. Fowle, só se podia ter pena dela — ficava cada dia mais angustiada com a aproximação da partida. Relutava em sair de perto do seu menino.

Mas, ao cair da luz na última tarde de Tom, finalmente o casal ficou a sós. Cassy tentava retratar Tom com suas cores. Não era tão fácil como já havia sido. Ela não queria incluir a expressão sombria de sua mandíbula, os círculos escuros em volta dos olhos ou o medo profundo dentro deles, mas mal conseguia se lembrar de sua aparência sem eles.

Um sonhador inveterado — embora, quem saberia sobre o que ele sonhava? —, Tom sempre se contentava em ficar sentado na cadeira, sem fazer nada, de modo que ela ficou surpresa quando, de repente, ele se mexeu.

— Pronto. Você já teve tempo suficiente para trabalhar em minha aparência indiferente. — Ele se pôs de pé e deu a volta para olhar. — Ah, sim. Tão perfeito. Chega a me intrigar, meu amor, como você consegue ser tão boa em tudo em que põe a mão. — O pensamento não parecia despertar alegria nele. — Fico me perguntando como uma jovem tão extraordinariamente bem-dotada e talentosa poderia sequer pensar em se casar com um homem tão inútil como eu.

— Ah, Tom! — Cassy começou a guardar seus pincéis. — Este não ficou tão perfeito assim. Não mesmo. — Virou a cabeça para o olhar de frente. Os olhos ficaram fixos por um longo instante. Sua resposta, pobre, mal ponderada, inadequada, parecia ecoar entre eles.

Com um sorriso soturno, ele pegou sua mão.

— Vamos caminhar. Já ficamos muito tempo sentados. Tenho um último assunto para tratar. Por gentileza. Venha comigo.

Eles se agasalharam — a Sra. Fowle movimentando-se em volta deles, insistindo para que não se demorassem — e saíram para o crepúsculo. Foi um passeio curto, por um caminho murado, vítreo por causa do frio, até a igreja. Tom não olhava para a esquerda, nem para a direita — não se sentia muito confortável próximo do cemitério ao anoitecer —, e segurou o braço de Cassy com mais força.

— Acontece que eu fiz uma pequena confusão enquanto ajudava meu pai. O novo cura percebeu. Sujeitinho estranho. Olhos de falcão. — Entrou no pórtico da igreja e abriu a porta pesada de carvalho para ela. — Ficou bastante agitado. É só isso que existe no trabalho de Deus? Tive vontade de perguntar a ele. Será que algumas pequenas datas têm importância no grande esquema divino?

Cassy ouvia, mas sua mente ainda estava na sala de estar: consumida pela autocrítica. Por que havia agido daquela forma, com o homem que amava tanto, que amava há tanto tempo? Ela não era assim e não conseguia entender. A vida inteira, sempre, instintivamente, dizia a coisa certa, no momento certo. Por que cometeria um deslize agora, no último dia dele?

Entraram na igreja fria, acenderam uma vela e se aproximaram do livro de registro.

— Esqueci de colocar o ano em um desses proclamas, e um nome de batismo, assim me disse o cura. — Tom encontrou as páginas e mergulhou a pena na tinta.

Enquanto fazia isso, Cassy passou os olhos nos outros registros com a sua conhecida caligrafia.

— Este batizado aqui. — Indicou no livro com o dedo. — Posso estar enganada, mas será que não caberia, talvez, quem sabe, colocar a data de nascimento do bebê?

Tom passou os olhos.

— Ah, sim. Bom, Cass, sempre correta. Você tem olhos mais atentos até do que o cura. Como serei bem mais competente nisso e em outros assuntos quando tiver você me orientando diariamente.

Ela sorriu, saiu do seu lado e foi para a cabeceira da nave, enquanto ele fazia o que precisava. Era uma igreja bonita, pequena e simples, embora as janelas tivessem vitrais. Olhou para cima, enquanto a última luz do inverno entrava filtrada, mergulhou no silêncio do instante e entrou em comunhão com o Criador — oh, Senhor, guarde-o; dai-lhe força —, até Tom aparecer ao seu lado. Ficaram juntos de pé, os jovens noivos enamorados, diante do altar. Ele se voltou para ela e segurou sua mão.

— Minha querida Cassandra — começou. — Sei que não sou o mais eloquente dos homens. Mas existem coisas que preciso dizer, antes de deixá-la. — Sua expressão era grave. — Coisas que quero que saiba, caso eu não retorne.

Em todas aquelas semanas de preparação, mesmo nos dias mais tranquilos daquela primeira visita de despedida, ambos tiveram o cuidado de nunca tocar no assunto.

— Oh! — Cassy não sabia se aguentaria. — Você *vai* retornar. Dependo disso. Por favor, não falemos sobre isso, considerar... É terrível...

Ele segurou seus braços.

— Precisamos. Quero que saiba que fiz meu testamento e deixei para você a maior parte do meu... bem, do pouco dinheiro que consegui acumular.

— Por favor, não me diga... — Ela lutou contra as lágrimas, mas foi derrotada.

— Quero que fique com ele. Você está me presenteando com sua lealdade na minha ausência. Deve ser... compensada, caso eu não volte.

— Mas estamos noivos. Esta é uma escolha minha.

— Isso lhe dará um pouco de segurança, ainda que não muita — prosseguiu Tom. — E quero que me prometa que este legado não a fará comprometida com a minha memória. — Insistiu. — Que, caso não se case comigo, você ainda *precisa* se sentir livre para se casar.

O rosto de Cassy estava molhado. Quando falou, a voz saiu entrecortada.

— Prometo — falou com esforço. — Tom, prometo a você... — E, principalmente, porque sempre acreditara que ele era seu destino, e um pouco por causa do seu comportamento mais cedo, encontrou força e declarou: — Juro aqui, diante de Deus, que nunca me casarei com outro homem.

～

No jantar, todos sabiam que este seria o último de Tom, mas ninguém sabia o que dizer.

Fulwar, preferindo distrair o grupo, começou a rememorar caçadas heroicas nas quais, por acaso, havia apenas um herói.

— Eu estava montando o Biscay. Sabem por que eu o chamava assim?

Todos sabiam, ninguém respondeu.

— Porque ele era um imenso e fremente cavalo baio! Seguíamos à frente, desde a partida. — Fulwar não tinha consideração pela virtude da novidade ao contar um caso. — Os cachorros estavam agitados, então um camarada chegou pela minha esquerda, quando íamos pela cerca viva...

Até Cassy conhecia essa história de trás para a frente.

— Quebrei minha perna esquerda e perdi metade dos dentes!

Tom sequer fingia escutar.

— E acham que fui para a cama?

A mesa inteira parecia mergulhada em tristeza.

— Tomei um copo cheio até a boca no jantar, naquela mesma noite!

Então Eliza — a sensível e inteligente Eliza — apresentou a fórmula perfeita para se discutir a partida iminente:

— Fico pensando que idade terá este bebê quando Tom o conhecer — refletiu ela, baixando os olhos para a barriga enquanto falava.

A Sra. Fowle iluminou-se diante da ideia de um novo neto.

— Ah, ainda no berço, espero. — Foi enfática. — Essa viagem não será longa. Tenho certeza. Lorde Craven não vai levar você por muito mais que um ano.

— Concordo, mamãe. Será rápido e glorioso. Você fará pouco-caso daqueles nativos, eu sei — disse Fulwar.

Uma vez que o único dever de Tom era proteger as almas, Cassy sinceramente esperava e acreditava que o futuro marido não faria pouco-caso de ninguém, de jeito algum.

Fulwar bebeu com avidez seu copo de vinho.

— Estará de volta antes que possamos notar sua partida.

— Talvez possamos combinar agora, se possível, que retardaremos o batismo até Tom voltar — sugeriu Eliza. — E Tom! Gostaríamos muito que você fosse o padrinho, se puder aceitar.

— Seria uma honra — respondeu Tom atencioso. — E isso me dá um objetivo: preciso estar em casa antes que ele aprenda a andar.

— E, definitivamente, a tempo de ensiná-lo a pescar — o Sr. Fowle entrou na conversa. Cassy comoveu-se ao ver o pai se esforçar para parecer alegre. Pilheriava. Não ficava à vontade em casa, mesmo nos momentos mais felizes. — Ninguém lança melhor que Tom. Mais uma razão para voltar para casa!

— Tenho outra — disse Tom delicadamente do outro lado da mesa, olhando para Cassy e sorrindo.

Eliza olhou para os dois, satisfeita com o aconchego familiar.

— Que sorte a dos meus filhos terem um tio tão bom. — Apertou a mão de Cassy embaixo da mesa. — E dentro em breve, claro, uma tia.

~

Um pouco antes do amanhecer, Cassy desceu para se despedir de Tom pela última vez. O ar era cortante e gelado, a carruagem era banhada pela luz da lua. A Sra. Fowle desceu, naturalmente, antes dela. Formavam três silhuetas sofridas: tomadas pela tensão inerente à ocasião. Desta feita, parecia ser a vez de Cassy dizer adeus no saguão, a Sra. Fowle com eles, esperando pacientemente pelos enamorados concluírem as despedidas, o que, considerando-se as circunstâncias, não levou muito tempo.

— Vou escrever — sussurrou Tom.

— Eu também. E você sabe que vou acompanhar sua jornada. Tenha cuidado.

— Tenha certeza. Cuide de Eliza, como só você pode fazer.

Seus lábios beijaram sua mão, depois ele deu as costas e saiu.

Cassy ficou parada por um instante, observando os contornos da mãe e do filho se abraçando junto à carruagem, até se sentir *ela* uma intrusa e arrastar-se de volta às escadas. Esperava aquele velho senso de otimismo, aquele instinto positivo, mas identificou apenas aflição, tristeza. Pesar.

~

O pior estava por vir.

Uma das criadas encontrou-a no andar térreo e lhe disse que Eliza estava em agonia, chamando seu nome. Ela correu para junto da cama e viu uma cena de puro terror.

— Estou perdendo o bebê! — Eliza, deitada, contorcia-se e soluçava. — O bebê! É muito cedo. Ele está chegando muito cedo.

Imediatamente, Cassy entrou em ação. Ela já havia presenciado outros nascimentos, embora tivessem sido mais fáceis, e logo soube o que fazer. As próximas horas foram terríveis, uma sequência de panos e água quente, láudano e medo. O bebê — um menino, como tão fervorosamente esperado — chegou ao mundo com o ar distraído de alguém que não sabia muito bem por quanto tempo ficaria aqui.

Coube a Cassy a tarefa de descer ao andar térreo, onde Fulwar andava desesperado de um lado para o outro, e dar a notícia. Seu terror e sua preocupação terna e amorosa pela esposa o dominaram, e testemunhar isso foi uma lição de humildade. Ela compreendeu, então, que — não importa o que escolham mostrar externamente — os homens também eram, no fundo, puro sentimento.

Pelo restante do dia, Cassy quase não parou de cuidar, reconfortar e trabalhar. Mas, a certa altura, por volta das quatro da tarde, Eliza adormeceu, e ela ficou sozinha na cadeira de amamentação, o bebê enrolado em seus braços. Ela o segurava com firmeza e balançava, desesperadamente transmitindo força para que sobrevivesse. Pois esse fiapo de gente era a razão para que Tom voltasse para casa. Ele precisa viver. Ele *tinha que* viver. Do contrário, que espécie de agouro seria aquele?

CAPÍTULO V

KINTBURY, MARÇO DE 1840

Cassandra acordou cedo, com as cartas ainda no colo, o corpo todo moído, pois havia adormecido encostada na cabeceira. Com que havia sonhado? Não se lembrava, mas sabia que tinha sido um sonho pesado e incômodo. Levantou-se, vestiu-se e, incapaz de se livrar dessa sensação — pelo contrário, de certa forma ávida por se entregar a ela —, atravessou o corredor e abriu a porta do quarto de Tom.

Com uma força repentina, foi levada de volta à agitação que sentiu ali, naquele Natal de tanto tempo atrás, quando, neste mesmo lugar, tremeu diante da perspectiva de casamento, lamentou a ideia de deixar a família. Aquele momento era uma nódoa em sua vida. Seu sentimento de culpa era, mesmo agora, enorme, esmagador; e ainda a deixava sem ar. Embora — tentando ser gentil pelo menos uma vez, como se estivesse conversando com uma sobrinha e não consigo mesma —, não teria sido ela, a vida inteira, uma vítima dos acontecimentos?

Pois, se aqueles pensamentos sombrios que ela ancorava tivessem tomado outro rumo, poderiam ter sido classificados como dúvidas, pura e simplesmente: dúvidas que qualquer jovem mulher às vésperas de se casar poderia ter. Teria sido capaz de dizer a si própria, então, naquela vida, que era perfeitamente natural. Nós mulheres nos preocupamos, todas nós, com tudo — principalmente casamento. Afinal, o que poderia haver de mais importante que isso? Ela poderia ter olhado para trás — do conforto da lareira junto ao marido, do quarto dos muitos filhos queridos — e visto aquele momento como um nada. Como um pequeno tropeço pessoal no caminho florido da felicidade matrimonial.

Mas a vida não tinha feito isso. Roubara-lhe e, ao fazê-lo, eliminara qualquer presunção de inocência. E sempre que pensava naquela manhã — coisa que não fazia com frequência, tentava sufocar o pensamento — ela via apenas seu próprio abandono, conseguia apenas acreditar que suas dúvidas tinham sido ouvidas e consideradas como maldição. E se envergonhava.

Entrou no quarto simples, sem maiores atrativos. Abrigara tantos dos meninos Fowle desde aquele; uma geração inteira cresceu ali e depois partiu. Hoje não havia nenhum rastro de Tom. Embora — ela passou pela pesada cabeceira de carvalho e olhou para cima — sim! Aquela mesma ilustração impessoal de uma caçada. Talvez ele jamais fosse levá-la para a casa paroquial deles nos arredores de Ludlow. Ela não deveria, afinal de contas, ter se preocupado em conviver com aquilo.

O espelho na alcova, junto à lareira, foi uma adição posterior: testemunho da vaidade da geração mais jovem. Seu Tom, certamente, jamais precisaria dele. Olhou-se no espelho. O rosto velho refletido. E ali, acima do ombro, estavam os olhos miúdos e espertos de Dinah.

Cassandra pulou.

— Dinah! Deus do céu. — Virou-se e encarou a criada. — Você me assustou!

— Srta. Austen. — A mesura de qualquer jeito, uma fungada deselegante. — Posso ajudar em alguma coisa, dona? Perdeu o rumo de novo, é isso?

Outra sugestão de sua senilidade incipiente.

— De forma alguma. Eu... — Simplesmente, era mais fácil fingir que era isso. — Sim, me desculpe. Não me lembro por que vim até aqui.

Dinah pareceu satisfeita.

— Estava procurando a senhora. Fiquei preocupada, quando vi que não estava no quarto. — Seu quarto! As cartas expostas! — Então não posso ajudar a senhora em nada?

— Não. Obrigada, Dinah. Estou bem. Na verdade, vou dar um passeio antes do café da manhã.

— Como quiser, dona. — Dinah dobrou um joelho, antes de sumir pelas escadas.

Cassandra voltou ao quarto, temendo que fosse tarde demais, juntou os papéis e os escondeu debaixo do colchão. E concluiu que era verdade: o ar fresco era exatamente do que precisava. Um bom passeio sempre fazia bem.

Um cheiro agradável saía da cozinha, mas, fora isso, a casa estava sossegada. Isabella, sem dúvida, ainda estava deitada. Cassandra não viu ninguém no corredor, desceu as escadas sem fazer barulho e encontrou Pyramus, que se esticava, voluptuosamente, no tapete. O cachorro esforçou-se para se pôr de pé. Ela não o cumprimentou e, com certeza, não o chamou, mas, mesmo assim, parecia que a acompanharia. Cuidadosamente, conseguiram transpor o caos do saguão e juntos saíram pela manhã.

À direita, depois da igreja, estava o vilarejo que, certamente, já estaria movimentado. Por lá, haveria muitos rostos familiares, que ficariam felizes em interromper o que faziam, para conversar. Mas, fechando o xale, Cassandra imediatamente dobrou à esquerda, o companheiro ao lado, atravessou a ponte e desceu pela trilha pavimentada ao lado do canal. Ela já tinha muitos aldeões em sua Chawton. O que não havia em casa — o lago dos patos, embora charmoso, tinha suas limitações — era a alegria do passeio junto ao rio.

Como as coisas haviam mudado desde seu primeiro Natal, quando veio se hospedar com Tom. Naquela ocasião, havia aqui apenas um riozinho modesto. Este canal, agora cheio de barcos e movimento, não passava de um projeto e de uma controvérsia. Lembrava-se das discussões sobre ele, enquanto costurava com Eliza na sala de visitas, todas as noites. Fulwar, naturalmente, era veementemente a favor. Dava passos de um lado para o outro, proclamando: A Marcha do Progresso! As Maravilhas da Comunicação! Os novos tipos de emprego! Enquanto o velho Sr. Fowle, sentado no seu canto, preocupava-se com os crimes e a corrupção que o projeto traria. E Tom?

Tom interessava-se muito pela engenharia da obra, mas não se envolvia com outros aspectos do projeto. Embora gostasse de imaginar o futuro deles dois juntos, não falava muito sobre o futuro em geral. Hoje, pensando bem, Cassandra se dava conta de que ele nunca havia demonstrado qualquer interesse pelo novo século que batia à porta deles, nem pelas mudanças, pelas revoluções, que poderia trazer. Que estranho não ter percebido isso antes. Um mocinho magro e sujo passou por ela, subiu num barco de carvão e levou um puxão de orelha. Ela parou e ali ficou, observando a luz do sol mosquear a água, depois olhando para ilha, onde a pata chocava os ovos e o pato ciscava por ali com o bico cheio de gravetos miúdos. Um longo suspiro escapou-lhe — de onde veio isso? — e, ao se ouvir, ela de repente foi lembrada de que era uma senhora idosa. Com todas essas lembranças, esqueceu-se disso. Que tolice ficar ao ar livre com a umidade dessa hora da manhã. Se não continuasse em movimento, com certeza pegaria um resfriado, e então onde ficaria? Apertou o passo em direção ao cais, mas estava demasiadamente cheio de gente nesse horário. Talvez devesse voltar e ir para o vilarejo, no fim das contas.

Olhou para a ponte adiante e reparou numa pequena silhueta escura. Ora essa, Isabella havia saído até mesmo antes dela! Portanto, não estava abatida no quarto.

— Srta. Fowle! — Poderiam caminhar juntas na volta para casa, Cassandra pensou. — Srta. Fowle!

Sua voz frágil não conseguia atravessar o burburinho do canal. Tentou acenar, mas Isabella parecia não perceber.

— Srta. Fowle!

Pyramus latiu, tentando ajudar.

Isabella se esquivou quando um cavalheiro se aproximou dela. Cassandra agora estava mais próxima e conseguia vê-los mais claramente. Não se tratava de alguém que reconheceu imediatamente. Na verdade, seria ele um cavalheiro? Não conseguiu distinguir. Não era alto, era atarracado. Ele e Isabella se engajaram no que parecia uma boa conversa. Cassandra saiu da trilha de pedestres à margem do canal e correu para a rua. Será que Isabella precisava de ajuda? Se suas pernas conseguissem andar mais rápido...

— Srta. Fowle! — Ela chegou à ponte. — Isabella! Estou aqui!

Mas... que coisa estranha: Isabella — e o "cavalheiro" misterioso — não estavam mais ali.

~

O café da manhã foi silencioso. Isabella, evitando mencionar quaisquer encontros ou cavalheiros, parecia triste e desanimada. Os olhos estavam inchados; a pele, mosqueada: claramente havia chorado. Deve sentir falta do pai — e, mais recentemente, seu opressor? — para além da compreensão de qualquer um. Dinah, excepcionalmente atenta naquela manhã, estava agitada. Isabella bebia o chá que lhe havia sido servido, mas não tocava na comida, e, quando o relógio bateu, deu uma desculpa e se retirou. Cassandra concluiu que o passeio matinal não inspirara o apetite de Isabella. Ela própria estava com fome e comeu bem, embora sozinha. Quando terminou, saiu para o saguão.

A porta do gabinete de Fulwar estava fechada, mas era possível ouvir vozes lá dentro. Estranho. Não tinha escutado ninguém chegar. Intrigada, Cassandra deteve-se um pouco por ali.

— Seis vezes sete são quarenta e dois — repetia um menino.

— Para brilhar ainda mais? — Isabella parecia ter se recomposto.

— Sete vezes sete são quarenta e nove!

— Muito bem, Arthur. Você foi muito bem esta semana. Estou muito satisfeita com você.

Naturalmente, Isabella aceitava alunos. Havia sido educada pela mãe para ser a boa filha de um casal de párocos em que se transformou.

Como o vilarejo sentiria falta de ter esta família em seu centro. Perder um pároco amado era um duro golpe; perder o universo feminino no seu entorno, outro. Fulwar era um pregador popular, ativo e, sobretudo, um político correto, mas passara muito tempo de sua semana levando os cachorros para passear. Às mulheres cabia o cuidado vital com os paroquianos: a sopa para os doentes, as roupas para os pobres, a educação básica. Cassandra sorriu satisfeita e pensou novamente na semelhança entre os Fowle e os Austen, em tantos sentidos.

Aparentemente, a família não iria demandar nada dela esta manhã. Cassandra, mais uma vez, voltou ao seu quarto. Uma criada tinha passado por ali: o penico estava vazio; havia água fresca no lavatório. Correu para o colchão e levantou-o: sim, as cartas ainda estavam lá, intactas. O único grande conforto que havia sido concedido à Srta. Murden fora uma poltrona surrada sob a pequena janela — talvez a pobre mulher a tivesse puído de tanto usar. Cassandra sentou-se na poltrona para retomar seus trabalhos.

CAPÍTULO VI

Reitoria de Steventon
4 de outubro de 1796

Minha querida Eliza,

Fico contente em saber que você está bem mais forte fisicamente — e sinto muito, embora não esteja surpresa, que seu ânimo esteja afetado. Naturalmente, não tenho experiência com o luto que você está enfrentando, mas tenho profundo senso de compaixão e rica imaginação. E, por essa razão, não concordo com o restante de sua família. Você sofreu uma perda tão profunda quanto qualquer morte e ainda não teve um ano para se recuperar. Que seu bebê tenha vivido por apenas um dia é um fato intangível. Não medimos o amor pelas horas passadas com nossos entes queridos. Saiba que você está nos nossos pensamentos e nas nossas orações.

Dito isso, acho que não pretendo escrever uma carta pautada num tom sombrio de tristeza e condolências. Com a pena em minha mão, não quero nada mais além de <u>tentar</u> entretê-la e levar até você alguma luz, nem que seja por um instante. Sinto muito. Perdoe-me. É uma fraqueza que tenho. Acontece que você pode se divertir com as muitas coisas que andam acontecendo por aqui — assim, é difícil resistir.

Pois, ultimamente, nossa pacata casinha transformou-se no mais ativo mercado de casamentos! Para uma conhecedora do drama doméstico — como eu — é quase impossível ignorar. Meus olhos saíram da cabeça e agora descansam permanentemente sobre um pedestal. Não preciso lhe dizer que não desempenho papel algum, a não ser o de observadora encantada. Está tudo por conta de minha mãe e minha irmã, que estão adorando cada minuto. Você não se surpreenderá com os truques que a Sra. Austen vem aplicando — prefere os acertos e combinações de alcoviteira a qualquer outra função. O papel de Cassy nisso tudo, no entanto, é mais inesperado. Posso apenas atribuir isso ao seu status elevado de noiva. Tem um futuro marido, então todas devem ter — assim como quando alguém está com tosse ou espirrando e se sente tranquilizada por outras pessoas estarem também.

Devo acrescentar que não existem tentativas de encontrar um par para mim — não que eu saiba, pelo menos. Talvez eu acorde um dia sendo levada ao altar, mas acho que não. Tenho prazer em informar que meu próprio futuro vem sendo ignorado. Na verdade, querida Eliza, são suas duas irmãs que constituem os objetos de toda essa atividade. Agora, por favor, admita — você está achando tudo isso muito divertido! Eu tinha certeza que estaria.

Começo pela mais velha. Foi decretado, pelas Austen, que sua querida irmã Martha deve se casar com meu querido irmão Frank. Sim, sei tão bem quanto você que esse arranjo acarreta problemas. Ele é bem mais jovem que Martha, passa muito tempo no mar e está a anos-luz de se casar — todos meros contratempos, de acordo com as alcoviteiras. Há também um pequeno detalhe: Frank jamais expressou qualquer opinião sobre Martha. Isso me incomoda menos, pois quem não amaria mulher tão gentil e inteligente? Eu própria me casaria com ela, se pudesse. Mas, deixando tudo isso de lado, o casamento irá acontecer, ou, pelo menos, fui veementemente informada do fato. E, no próximo porto onde atracar e onde poderá tirar algum tempo de folga, Frank — o pobre cordeiro, não sabe o que o espera! — também será informado sobre a sua situação. Espero que tenha o bom senso de obedecer.

Por outro lado, de maneira mais imediata, o esquema para juntar sua irmã Mary ao meu irmão James progride a passos largos. Mary está passando uma semana conosco, instigada por minha mãe, de forma que James não poderá ignorá-la quando chegar. E, seja por coincidência ou destino, ele vem nos visitar *diariamente! A Sra. Austen é o próprio paroxismo de entusiasmo e, pelo menos dessa vez, não acho que seja um caso de sua imaginação levando a melhor sobre ela. Pois sempre que conversa <u>conosco</u>, James observa <u>Mary</u> discretamente. Acompanhando-a com os olhos; quando ela sai, o olhar se perde na porta. Ainda não é amor, até onde posso aferir — não espere isso —, mas é um interesse profundo. Ele a está avaliando, considerando, naquele seu jeito lento e sério.*

Preciso adverti-la de que há outras jovens no condado que estão de olho nele. Não é interessante que um viúvo tão indiferente atraia tanta atenção, enquanto suas irmãs tão alegres atraiam tão pouca? Mas não se preocupe. Minha mãe decidiu que sua Mary irá triunfar e, até onde sabemos, quando a Sra. Austen decide, o destino deve abandonar os desígnios e curvar-se aos seus desejos. E pelo bem de todos nós — e pela não menos importante pobre filha de James — ele precisa se casar logo.

Amanhã à noite, iremos todos ao Salão de Baile de Basingstoke — Martha irá conosco! — e estou sentindo que, lá, a situação pode chegar a uma conclusão. E, se isso acontecer, sentirei muito prazer, assim como minha família inteira. Pois, dessa forma, me vingarei, Eliza: você ficará com a minha querida irmã, mas eu também ficarei com uma das suas!

*Sempre,
J. Austen.*

∼

O salão de baile zumbia, a pista de dança enchia e, junto da parede, as quatro jovens — Cassy e Jane, Martha e Mary Lloyd — estavam de pé sozinhas, mergulhadas numa nuvem de ansiedade.

— Ali. Eu sabia. Temia que isso fosse acontecer. — Mary Lloyd caiu sentada na cadeira, numa batida seca. Com um pouco mais de graça, as outras três sentaram-se ao seu lado. — Ele não olhou para mim, nem mesmo uma vez, desde a hora que chegou.

Todos os olhares femininos relevantes procuravam na multidão a figura de James Austen. Ele estava do outro lado, de costas para elas, numa conversa animada com amigos — como se apenas eles estivessem na festa; como se não houvesse outras pessoas no salão.

— Tenho certeza de que está apenas cumprimentando os Terry. — Cassy foi rápida em tranquilizá-la.

— Não é totalmente esperado da parte de James ser sociável — atravessou Jane rapidamente — e, afinal de contas, este é um evento social. — Abriu o leque. A noite estava apenas começando, mas Cassy via que a paciência de Jane já estava se esgotando.

Martha bateu no joelho de Mary — de forma consoladora, generosa, preocupada com a irmã mais velha.

Mary permanecia inconsolável.

— Eu não devia ter criado tanta expectativa — queixou-se. — Por que um homem como James olharia para mim? Ah, Cassy — e suspirou dramática. — Quem me dera ser bonita e elegante como você.

Martha baixou os olhos para as mãos. Jane arqueou uma sobrancelha.

— Nunca vi você tão elegante como hoje — disse Cassy gentil. As jovens haviam passado horas arrumando Mary. Uma pasta nova havia sido comprada do boticário, o último método para se esconderem as cicatrizes da catapora, com as quais ela sofria. A aplicação se provara um pouco difícil. — Eu diria que você está resplandecente. — No entanto, a pasta agora começava a descamar de um jeito preocupante. Cassy temia que o calor do ambiente pudesse estar tendo efeito adverso.

— E esse azul-claro cai muito bem em você — acrescentou Martha. — Quem me dera ter uma cor que me iluminasse assim. Acho que este rosa pode ser um erro.

Mary, encorajada, acariciou a musselina com calma satisfação, mas não retribuiu os elogios.

A orquestra iniciou o baile, e os dançarinos organizaram-se. Jane levantou-se.

— Bem, de minha parte, não pretendo passar a noite admirando as costas do meu irmão. Venham, vamos para a pista.

Cassy desejava ardentemente dançar, mas estava dividida. Mary, claramente, não estava com muita vontade, fazendo com que se sentisse mais do que um pouco responsável. Mas, quando menos esperavam, a porta se abriu. Uma nova personagem vinda da noite adentrou o salão iluminado. Ela virou-se e viu ali, na soleira, uma nova — muito discutida, profundamente temida — ameaça à noite. O coração de Cassy desabou.

Ela deu um salto e bloqueou a visão de Mary.

— Em vez disso, por que não damos uma volta pelo salão?

Mas era tarde.

— Não! *Ela* veio! — Mary lamentou, o pescoço vermelho e mosqueado. — Cassy, você disse que ela estava viajando! É o fim. Estou arrasada.

— Tolice — Cassy retorquiu com firmeza. Levantou Mary da cadeira e fez sinal para que as demais também ajudassem. — Não há evidência alguma de que James tenha sequer reparado na Srta. Harrison. Ele nunca mencionou o nome dela para mim.

As jovens iniciaram o que se esperava que fosse um desfile dignificante pelo salão, as irmãs Lloyd à frente, as Austen, de braços dados, acompanhando. Cassy suspirou.

Jane debruçou-se e baixou a voz a um sussurro.

— Esse seu esquema, Cassy, de trazer Mary para dentro da família... Você *tem certeza* de que vai dar certo?

— Ora, mas é claro! — Cassy respondeu. — Mamãe acredita...

— Ah, *mamãe*! — Jane interrompeu. — Não me fale de mamãe. Ela simplesmente tem inclinação para casamentos de maneira geral. Não se aguenta. Mas e você, Cassy? E *nós*, sério? Queremos Mary como futura cunhada?

— Jane! — Cassy riu. — Os Lloyd são nossos grandes amigos, não são? E as irmãs de Eliza. Seremos todos parte de um mesmo clã. Nunca houve um arranjo mais perfeito.

Desviaram dos dançarinos e foram empurradas contra a parede.

— Eu diria que Martha é uma grande amiga, com certeza — disse Jane. — E Eliza, claro. Mas Mary... você não diria que Mary tem uma natureza mais difícil?

— Ah, Jane. Por que você sempre tem que ser tão pessimista? Quaisquer falhas de caráter exibidas no momento devem-se inteiramente, na minha opinião, à fragilidade de sua confiança. Uma vez encaminhada, Mary irá desabrochar. Mamãe e eu concordamos. Minha única preocupação agora — haviam chegado à ponta do salão, e Cassy olhou para ela — é que a noite de hoje esteja adquirindo os contornos de um perfeito desastre. Preciso salvar a noite. Onde está James?

Estudou o salão de dança. Lá estava James, fazendo par com a Srta. Harrison — ora sorrindo, ora rindo, seu pobre espírito de viúvo aparentemente aplacado. Ela olhou de soslaio para Mary e viu quando uma lágrima — insensata e lamentável — abriu um caminho vívido e vermelho por sua face branca e pastosa.

— Tive uma nova ideia — anunciou, enérgica, em meio ao barulho. — Deveríamos sair por um instante. Não falta muito para o jantar. Odeio ser a última e privada de um bom lugar.

Foram as primeiras a se sentar, com pelo menos vinte minutos de antecedência, passados em falsa animação entre as três, enquanto Mary assoava o nariz. Por fim, James entrou. Felizmente, estava sozinho. Cassy deu um pulo e levou-o para o lado.

— Que noite agradável, para minha surpresa. — Ele estava incomumente alegre. — Espero que estejam se divertindo. Não as via desde a carruagem!

— Parece que está sendo um sucesso — começou, com cautela. — Embora eu esteja surpresa que você ainda não tenha tirado Mary para dançar.

— Mary? — O próprio fato da existência dela parecia ter desaparecido da mente de James.

— Srta. Mary Lloyd. — Cassy sorriu. — Parece um pouco estranho, irmão, já que ela está hospedada em nossa casa e vocês tenham passado tanto tempo juntos ultimamente. Penso que seria adequado você dar alguma atenção a ela agora. — Fez uma pausa, a respiração suspensa. Não era da sua natureza, e nunca antes havia sido necessário, ensinar ao irmão mais velho como se comportar, e não estava certa de como seria recebida.

Felizmente, o novo bom humor dele era sólido e inabalável.

— Se você acha isso, querida Cass. Claro. — Tomou seu braço e levou-a ao pequeno grupo feminino. — Há espaço nesta mesa delicada para um homem faminto? Posso juntar-me a vocês?

No instante em que James puxou uma cadeira e se sentou, o semblante de Mary mudou completamente. Enquanto ele esteve de pé, ela era o retrato da tragédia; quando ele se sentou, virou a personificação da alegria. Somente um homem sem vaidade deixaria de notar a diferença entre as duas Marys, ou acreditar que a diferença não se devesse a ele. E, em vista de suas muitas excelentes qualidades — era inteligente, articulado, leal e divino —, James Austen não era um homem desprovido de vaidade. Percebeu e estava visivelmente satisfeito.

— Espero que as senhoritas estejam gostando da sopa. Não estou tão certo de que consiga tomar a minha no momento. Estou com calor depois da dança e, como sempre, está muito quente aqui.

Mary descansou a tigela e assentiu sincera.

— O senhor está absolutamente correto, Sr. Austen, e me agrada ouvi-lo. Minha irmã, mais cedo, comentava sobre a corrente de ar aqui. Imagine! Corrente de ar?, disse eu. Que corrente de ar? E sabe o que eu disse em seguida? Eu disse: como sempre, está muito quente aqui! Não é uma notável coincidência, Sr. Austen? Nós dois usamos a *mesma frase*.

O rosto de Jane ficou iluminado de contentamento. Cassy — que não testemunhara qualquer discussão sobre corrente de ar — ficou surpresa em ver como o irmão estava satisfeito com esse apoio. Prosseguiu com um discurso sobre a música naquela noite:

— Tenho certeza de que está bem melhor do que a última vez que estive aqui.

— Ora, mais uma vez o senhor está correto! — Mary pareceu surpresa com o poder dessa percepção. — Não acredito que eu tenha percebido até o senhor mencionar. Estou bastante surpresa por não ter percebido imediatamente. Mas é, de fato, uma grande melhoria em comparação ao último baile. Estou inteiramente de acordo.

Jane bufou alto. O ânimo de James expandiu-se mais ainda.

— E que prazer contar com sua concordância, Srta. Lloyd. Assim que chegamos, conversando com o jovem Terry sobre esta temporada de caça, eu simplesmente disse que esperava mais do que no ano passado, pois, na minha lembrança, o ano anterior foi muito enfadonho. Portanto, imagine minha surpresa quando descobri que estávamos em desacordo. O Sr. Terry tem lembranças de uma intensa campanha contra a fauna de Hampshire, que eu simplesmente não reconheço. Foi tão intransigente que comecei a duvidar de mim mesmo!

— Ah, mas a *sua* lembrança é a correta, senhor! — Mary insistiu. — Evidentemente, não sei nada a respeito de caça, mas prestei muita atenção às suas conversas sobre o assunto. Bem, a todas que tive a sorte de ouvir. E seus relatos, certamente, refletem uma decepção geral. Espero — ela acrescentou séria — que aprecie mais o esporte este ano.

∼

— Bem, preciso parabenizá-la, minha querida irmã — sussurrou Jane para Cassy quando voltaram ao salão de baile. — A vitória é sua.

— Você acha? — Por alguma razão, Cassy passava por momentânea perda de fé no seu próprio plano.

— Ah, sim, com certeza. — Jane riu discretamente. — Mary jogou suas melhores cartas. Não precisamos mais nos preocupar com sua falta de sorte, nem com o rosto desintegrando em flocos. Para um cavalheiro como nosso irmão, não existe prova maior de superioridade, em termos de charme, sabedoria e inteligência, do que a concordância com cada uma de suas palavras.

O baile foi retomado, e dessa vez James levou Mary à pista de dança, e finalmente as outras jovens puderam se divertir — enquanto ficavam de olho na situação, como tias ansiosas em um baile de debutantes. Como o casal dançava seguidas vezes, começaram a relaxar e até a sentir alguma coisa próxima a confiança.

Os presentes começavam a sair, quando Mary finalmente voltou a elas. Estava corada: corada pelo esforço físico; corada com sua cor natural, uma vez que a pasta havia caído e largado pedaços na pista de dança. E, para além disso, corada pelo sucesso.

— Bem — arrulhou Martha, jogando o cabelo para trás. — Temos aí uma conquista, Mary. Sobre isso não há dúvida.

— Ah, Martha. — Mary afastou as mãos. — Vou me aconselhar com Cassy, se for preciso... *ela* está noiva. Mas você, minha pobre irmã? O que é que você sabe sobre isso?

CAPÍTULO VII

Kintbury, março de 1840

Cassandra tinha preferido esquecer e não gostava de ser lembrada de que um dia despendera tanta energia na promoção da causa de Mary Lloyd. Jane, naturalmente, previra os problemas inerentes desde o começo: não podia — e não conseguia — confiar na moça, que era tão desdenhosa de sua irmã; e jamais compartilhou da confiança que Cassy depositava na sabedoria dos muitos planos da mãe. Desde a mais tenra idade, demonstrara talento para julgar caráter e prever desastres. Era, de fato, algo como a Cassandra do mito. Era piada entre eles que o nome deveria ser dela por direito.

A carta de Jane não ajudava em nada; Cassandra precisava se livrar dela. Pois, ao se tornar Mary Austen, Mary Lloyd reescrevera sua história. E, na versão dela, tinha sempre sido o par perfeito de James: inconquistável, inevitável. Se pusesse os olhos nesta evidência de tramas e conluios, o resultado seria o dissabor.

Cassandra dobrou a carta, ficou de pé, levantou o canto do colchão sob o qual a esconderia, quando houve uma rápida batida na porta.

— Ela está aqui. — Era Dinah, inclinando a cabeça, revirando os olhos e, em seguida, caindo em si. — Perdão. — Acenou, acrescentando: — Dona.

Cassandra levantou os olhos aterrorizada. Apanhada em flagrante em seu quarto — cercada de papéis que não eram seus de direito! Começou a juntá-los, apressada, enquanto Dinah, ali parada, a observava.

— Melhor deixar isso de lado por enquanto, dona. A Srta. Fowle precisa da senhora, com urgência, lá embaixo.

Viu-se sendo levada, sentindo-se tão abobada quanto Dinah gostava de imaginá-la.

— Mas quem está aqui, Dinah?

Já estavam no corredor. Havia algum tipo de comoção embaixo, no salão.

— Eu avisei que isso não seria possível. — A voz estridente era inconfundível. Aproximaram-se da escada.

— Que nenhum membro da minha família viria *aqui* sem antes *me* informar. Foi um insulto à minha reputação sugerir isso. Não tive escolha, a não ser construir essa defesa mais forte. — A dona da voz estava claramente aflita.

Chegaram à curva na janela.

— A Sra. Bunbury e eu tínhamos discutido o assunto. Uma discussão que não será fácil de reparar. Coisas foram ditas. Houve uma cena. Foi de fato desagradável.

Chegaram ao térreo, onde o tumulto era palpável.

— E, em retrospectiva, não por culpa *minha*. O tempo dirá se *ela* terá a grandeza de se desculpar...

A presença delas foi notada.

— Rá! Vejam só. Então é verdade. Você está aqui, Cassandra. Bem. Que surpresa. E, se me permite ser direta, coisa que sinto ter total liberdade para fazer, dadas as circunstâncias, não inteiramente agradável.

— Querida Mary. — Cassandra aproximou-se e curvou-se para abraçar o corpo pequeno e largo da cunhada. — Que prazer ver você. Que bom que veio.

Isabella, apreciando a proteção, deslocou-se para o lado dela. Pyramus juntou-se a elas e rosnou.

— E esse cachorro é feroz, como já mencionei em muitas ocasiões. Isabella, agora que seu querido pai se foi, esse cão deveria ser banido da casa.

Cassandra alisou a cabeça de Pyramus, esfregou suas orelhas com afeição renovada e sugeriu que todos poderiam se mudar juntos.

~

Não foi uma visita tranquila para ninguém. Mary Austen chegara com uma longa lista de queixas e um impulso incontrolável de expressá-las imediatamente.

— Deveríamos agir como *irmãs* — disse Mary em tom de repreensão para Cassandra —, embora eu saiba que você jamais me considerou boa o suficiente. Fred! Onde está Fred? Onde foi que esse homem se escondeu? O fogo da lareira está totalmente minguado.

Isabella requisitou café, o que deixou Cassandra temerosa: a visita não carecia de mais estímulo.

— E pensar que você passou de carruagem pelo início da minha rua sem sequer me avisar! Sejam quais forem os crimes que acha que cometi contra você, com certeza não mereço semelhante insulto.

Dinah aproximou-se carregando uma bandeja e uma expressão satisfeita no rosto.

— Esta é a melhor porcelana que sobrou aqui? Então suponho que vá ter que dar para o gasto.

— Sinto muito mesmo, Mary, pelo meu comportamento indelicado. Só cheguei ontem... — começou Cassandra.

— De acordo com o cocheiro da Sra. Bunbury, que acabou falando com o *seu* homem na estrada e, ciente dos seus deveres, contou a *ela*, que por sua vez teve a delicadeza de *me* contar, que você *já está aqui há duas noites*. Seria verdade? Você agora vai negar? — Fez uma pausa e, pela primeira vez, olhou à sua volta. — Isabella, o que você *tem feito*, minha querida? Por que esta sala ainda não foi esvaziada?

~

Depois de um pequeno lanche, que não combinava em nada com ela — Dinah devia saber a essa altura que ela não se dava bem com queijo —, parecia finalmente que Mary seria persuadida a ir embora.

— Vou pedir licença, tia Mary — disse Isabella, levando a visitante pelo corredor. — Como a senhora mesma indicou, tenho muito a fazer.

— Bem, isso é mesmo verdade. — Mary concedeu. — Eu simplesmente não fazia ideia de que você estava lidando tão mal com as tarefas. — Dinah já estava esperando com o casaco e vestiu-a rapidamente.

— Mas vou voltar — prometeu. O cachorro guiou-a à porta. — Pela manhã, vou trazer Caroline comigo. — Parou ali, virou-se e olhou em volta para todas. — E, sim, estou evidentemente muito ocupada, mas acredito que, com algum esforço, eu possa dar um jeito: ficaremos o dia inteiro.

Na esteira dela, todos quedaram exaustos, esgotados — como um corpo batalhando contra a febre. Dinah voltou à área de serviço, Isabella mergulhou num canto. Cassandra voltou para cima. Não podia garantir sua privacidade de amanhã em diante, então se determinou a acelerar o trabalho nesta tarde livre.

Reitoria de Steventon
13 de fevereiro de 1797

Minha querida Eliza,

Vimos no Registro que o navio de Tom Fowle deixou Santo Domingo e o clima de alegria retornou à nossa casa. Mal consigo imaginar a emoção em Kintbury. Todos esses longos meses de ausência de Tom! Finalmente, podemos começar a contar em semanas — ou mesmo em dias — até o seu retorno. Que alívio livrar-se do peso da preocupação! E, agora, porque tenho o hábito de questionar, quando outros se abraçam e desfrutam, vejo-me pensando: como estará ele? Depois da viagem, da campanha, da experiência, será que iremos reconhecer esse novo Tom Fowle? Ah, Eliza, espero que sim. Ele sempre foi um homem querido. Naturalmente, rezo para que volte são e salvo e, para além disso, o mesmo.

Por aqui, o tempo anda fechado; o granizo da manhã está sendo substituído pela neve. Minha irmã e eu não nos incomodamos. O clima obriga-nos a fazer coisas de que a família não gosta e nos deixam felizes: ficamos no quarto de vestir, reservadas. Divirto Cassy com palavras e ela se debruça sobre o enxoval com urgência renovada. Hoje, está enfeitando uma touca com a renda que nosso irmão, Edward, lhe deu de presente — excessivamente fina para uma simples Srta. Austen; sem dúvida vai ficar bem sobre a cabeça de uma orgulhosa Sra. Fowle.

Com a aproximação do navio de Tom e, em breve, de seu próprio casamento, Cassy está agitada. Para mim — e devo reafirmar que sou a pessoa que mais a ama (exceto, claro, nosso Tom) — é um prazer vê-la retomar a alegria. Embora eu tenha que admitir que também estou agitada. Finalmente chegamos ao momento em que devemos nos separar e preciso assumir minha posição de Filha Solitária. Não gosto disso, mas suponho que irei suportar.

E tenho, naturalmente, minha nova irmã, Mary, morando perto! Isso será um consolo, sem dúvida. Ela e James parecem ser a imagem personificada da felicidade conjugal — que está tão em voga — e devo dizer que nos visitam com frequência, e, às vezes, até mais do que esperávamos. Em parte, isso se deve à minha pequena sobrinha, Anna — ela ainda prefere ficar conosco na Reitoria, mas penso que é apenas porque está habituada. Tentamos, algumas vezes, mandá-la de volta para Deane, mas, de alguma forma, ela sempre retorna. Em pouco tempo irá compreender que Mary é sua nova mãe e que essa é a sua família. Tudo vai acabar bem no final, não se preocupe.

Preciso concluir agora e voltar ao refúgio da sororidade, enquanto ainda posso desfrutar dele. Sem dúvida, irei revê-la pessoalmente, em algum momento da celebração das núpcias, em breve. Será um evento jubiloso, e se eu for vista chorando, por favor, certifique-se de dizer ao mundo que minhas lágrimas são de orgulho. Cassy não será apenas a noiva mais bonita, como também a melhor esposa.

Sua querida amiga,
J.A.

~

Cassandra tremia. A carta caiu de suas mãos. Estava tomada — submersa — por uma esmagadora maré de autopiedade. O sentimento lhe era repulsivo; um que, normalmente, ela não se permitia sentir. E contudo, neste momento, não conseguia sequer começar a se controlar. Leu a data novamente. Sim. O dia certo, possivelmente — quem saberia dizer? — o momento exato. Rendeu-se; que aquela emoção repugnante lavasse sua alma. Ah! Atravessar os anos e abraçar aquela pobre Cassy.

~

Em abril, começava a nova estação. No jardim, próximo do pequeno vilarejo, nos campos ondulantes de Hampshire, tudo era fresco, novo e renascido; contudo, durante as tardes, as jovens Austen não se aventuravam para fora de casa, quando podiam evitar. Nos meses escuros de inverno passados à espera, haviam encontrado alegria aqui, no quarto de vestir. O aconchego que existia entre elas desde a infância foi revisitado, desenvolvido — garimpado a uma nova profundidade que ambas achavam enriquecedora. Cada uma preferia a companhia da outra à de qualquer outra pessoa. Um hábito havia se formado.

— Você está escrevendo rápido, hoje, Jane. — Cassy, ajoelhada, colocava alfinetes em um vestido lilás que, na condição de Sra. Tom Fowle, brevemente usaria. — Cuidado com a mão. Tem certeza de que irá decifrar o que está escrevendo quando for ler para nós, hoje à noite?

— Sou uma romancista apressada, Cass. — A pena de Jane corria; sua voz distraída. — Se pretendo terminar isso aqui antes de sermos todas casamentos e partidas... — Levantou os olhos e sorriu para a irmã. — Vou sentir tanta saudade de você, minha querida.

— E eu, de você. — Cassy engoliu em seco, voltando os olhos para a agulha. — Vai ser estranho, para nós, no começo. Não duvido. Mas isso é algo pelo qual a maior parte das irmãs tem que passar, não é mesmo? E todas parecem sobreviver, de alguma forma.

— *A maior parte das irmãs?* É assim que você pensa sobre nós? — Jane fingia ultraje. — Então, perdoe-me, Srta. Austen, por minhas intimidades anteriores. Confundi-me com alguém de maior significância em sua vida.

— Ah, Jane! — Cassy levantou os olhos horrorizada. — Você sabe...

— Sim, eu sei. — Jane abrandou. — Claro que sei. E é por amor a você que estou me apressando neste texto. Estou lhe poupando das agonias da chateação e da frustração. Pois como você poderia suportar ser arrastada para o matrimônio sem ouvir *esta* peça de perfeição até o final? — Por alguns instantes, olhou para fora da janela, depois retornou à página.

Cassy ficou segurando a agulha no ar.

— Minha querida, você me trouxe tanta calma neste período difícil. Assim como as Bennet, é claro. — Falava com a linha entre os lábios. — Tem realmente sido muito divertido.

— E é gratificante ouvir isso. — Jane assentiu com a cabeça em reconhecimento. — Pois para que vivo, *senão* para entreter? — Marcou uma linha reta com um meneio das mãos e juntou o papel. — Aí está. Terminei o capítulo. Gostaria de ouvir agora, ou prefere esperar pela sala de estar mais tarde? Não vou me sentir ofendida. Sei muito bem o valor que dá aos pontos nas roupas que faz, mais do que qualquer coisa que minha pobre pena possa produzir.

— É o baile? Finalmente! — Cassy deu um salto com um gritinho. — Agora! Por favor! Eu não conseguiria me conter até o jantar. — Colocou a cadeira junto a Jane e fixou os olhos sobre ela. — Rápido, antes que chegue alguém e atrapalhe.

Ora rindo, ora suspirando, Cassy ouviu, no aconchego do quarto de vestir, com paredes decoradas com papel azul listrado de branco: totalmente paralisada e consumida de prazer. Mas, quando Jane leu, com sua melhor voz de Sr. Bennet — *"Isso basta, minha filha. Você cantou muito bem e nos deleitou a todos."* —, ela protestou. Não queria nenhum tipo de interrupção, mas é preciso interromper.

— Ah, Jane. O nome dela precisa ser Mary? Ela é tão desagradável. E a *nossa* Mary acha que tem uma voz linda. Temos que ter cuidado. Não vai cair bem quando ela descobrir.

— Mas como poderia descobrir? Nossa nova irmã tem gosto literário limitado: se não for escrito pelo marido, então não pode ser bom. Uma notável e singular posição a ser mantida.

Ambas riram. O assunto das tentativas poéticas de James era um dos que as faziam rir na intimidade.

— Certamente não consegue ficar sentada muito tempo, ouvindo algo que eu tenha escrito. — Jane prosseguiu. — Sempre que começamos, ela verifica a hora e comenta com James que devem sair. Ou, de repente, lembra-se de alguma notícia ou uma pergunta que tem para nossa mãe.

— Talvez, bem... parece-me, e digo com certa pena, que ela não se sente muito à vontade aqui, quando a família está muito envolvida. Você não entende, Jane, como é abençoada, dominando as palavras com tanta inteligência e sendo capaz de provocar risos em qualquer visita. Seu talento se expressa muito facilmente.

— Mas ela tem vindo aqui, sentado conosco, como nossa *amiga*, há tantos anos! Nunca percebi seu terrível *desconforto*.

— Pode ser que ela sinta necessidade de brilhar diante do marido e é difícil para qualquer um fazer isso numa sala cheia de Austens — contrapôs Cassy. — Agora que ela é da *nossa* família, pode ser que perceba sua desvantagem de maneira mais gritante. Desde o casamento...

— Ah, casamento! — Jane retorquiu. — *Casamento!* Sempre a mesma desculpa para todas as falhas de caráter. Os seres humanos tentam durante tanto tempo melhorar como pessoa, mas, cada vez mais, o casamento parece ser a raiz de todas as fraquezas. A minha explicação é mais simples e você irá concordar comigo, Cassy, mesmo você que não pensa mal de ninguém: a emoção de ser a Sra. James Austen subiu-lhe à cabeça.

— Bem... — Cassy pensou um pouco e concluiu que não poderia discordar. — Acho que ela se sente feliz em estar casada com James. E, talvez, por ora, sim, um pouco... arrogante.

Jane riu.

— Está vendo? Minha teoria pode ser assim resumida: até a felicidade numa noiva é cansativa de se ver. Contudo, a jovem *solteira* espalha prazer universal!

— Jane! — Cassy protestou, ao mesmo tempo se prometendo a nunca comportar-se dessa forma. — Você sabe que não é assim que penso.

— Então, muito bem. — Jane atravessou o quarto e ambas deram-se as mãos. — Sei que você, minha querida, será a combinação perfeita de alegria matrimonial e nobreza de espírito; servirá de modelo para o resto desse mundinho miserável. — Voltou às páginas. — E prometo a você: caso as coisas melhorem, caso Mary algum dia se recupere dos entusiasmos decorrentes da sua deslumbrante promoção, que irei rever minha opinião. Até lá, por favor, permita-me fazer a brincadeira entre nós. — Retomou as páginas e os olhares para Darcy.

Cassy, sentada na poltrona azul, acalmou-se, banhada em puro contentamento e caricaturesca sorte: os raios de sol batiam na janela, aquecendo seu cabelo; o noivo viajava de volta para casa em seu navio. Logo, estaria casada com um dos melhores, mais generosos, mais meigos homens que havia no mundo.

Sim, claro, ela concordava que estava ainda um pouco mais que nervosa. E, sim, preocupava-se com Jane. Todos os irmãos haviam saído de casa e viviam sua vida, sem dúvida, por gloriosos caminhos. Uma vez que ela saísse, Jane ficaria totalmente só com os pais: a última a ser escolhida nas brincadeiras das festas. Era uma posição infame, e havia longos momentos de solidão...

Organizou os pensamentos, deslocou os mais obscuros para a luz. O destino de Jane se revelaria, com certeza; Cassy estava segura de que seu próprio casamento seria o melhor que poderia ser: tudo ficaria bem. E, para além de tudo que ansiavam, as duas irmãs tinham passado os últimos meses gozando a perfeita felicidade. Não conseguia, naquele instante, compreender como a felicidade conjugal poderia ser melhor do que aquela que elas desfrutaram aqui, no quarto de vestir. Mas aconteceu. E pelo menos conheceram a felicidade: a caricaturesca sorte, de fato.

Esta nova história de Jane era cativante. Que privilégio ser a primeira plateia. Já ansiava por ouvi-la novamente à noite, com o acrescido prazer da reação da família. Gostava de saber o que estava por vir, antecipando o deleite.

— ... *e até mesmo Lydia estava cansada demais para ir além de ocasionais exclamações de "Deus, como estou exausta!", que eram acompanhadas por um violento bocejo.*

Mas, naquele momento, houve uma batida forte na porta.

— Não! — Cassy resmungou. — *Sabia* que isso ia acontecer. Quem vem aqui estragar nossa alegria? Mande-o embora imediatamente. Diga que estamos muito ocupadas!

Rindo, Jane levantou-se e abriu a porta.

Mary Austen estava ali na soleira, firme e resoluta. Atrás dela — com o semblante grave e cinzento de um carrasco relutante — James espreitava.

CAPÍTULO VIII

KINTBURY, MARÇO DE 1840

Cassandra não se sentia muito bem na manhã seguinte — os braços e as pernas pesados; tinha calafrios —, mas sabia muito bem que não devia dar importância a isso. Desceu para o café da manhã e descobriu que estava sozinha: disseram que Isabella também estava indisposta. Anos de experiência haviam ensinado que — fisicamente — cada uma delas estava muito bem, obrigada. Não havia dúvida. Seus sintomas eram de um mal-estar mais profundo que, infelizmente, era incurável: Mary Austen passaria o dia aqui.

Suspirando, Cassandra sentou-se à mesa, com presunto, ovos e apenas Dinah como companhia. Tomando seu chá, ela pensou em todas as coisas que deveria fazer e que sequer havia tentado concluir. Era possível que houvesse pelo menos algumas horas de liberdade permitidas a ela, antes da chegada das visitantes.

— Obrigada, Dinah. — Ficou observando enquanto a criada lhe servia mais chá. — Eu estava pensando em visitar a Sra. Dexter depois do café da manhã.

— A senhora vai lá? — Dinah bateu com o bule na mesa. — Bem, se é isso que quer. — Voltou-se para o aparador, resmungando alto: — Cada um com seu cada qual.

— Estou apreensiva, Dinah, com a questão de onde a Srta. Isabella irá morar. Realmente, faz sentido que vá viver com a irmã. Mas parece haver algum tipo de impasse ali, talvez?

— É assim que a senhora chama? Eu posso estar metendo o bedelho onde não sou chamada...

De fato estava, embora Cassandra logo de início tenha entendido que a posição de Dinah na casa, só com aquela patroa, era agora algo para além da criada comum.

— ... mas a Sra. Dexter não tem demonstrado muita amizade pela Srta. Isabella faz um tempo. Isso eu posso lhe dizer.

Cassandra suspirou de novo. Ela e seus irmãos eram fonte de constante amor e apoio entusiasmado entre si. Muito triste saber que outras famílias eram tão diferentes.

— Mas, naturalmente, se a Srta. Isabella e a Sra. Dexter *tivessem* que viver juntas, passar mais tempo na companhia uma da outra, descobririam que têm mais coisas em comum do que diferenças?

Dinah lançou um olhar compassivo para ela — não muito diferente daquele que Jane lançava quando Cassandra parecia muito otimista em relação à transformação dos outros —, deu uma fungada de escárnio e tirou a geleia da mesa.

— Obrigada, sim, tenho certeza de que já terminei. — Uma pena. Estava com desejo de comer a geleia. — E você, Dinah? Encontraram algum emprego para você?

— Vou ficar com a Srta. Isabella — respondeu com firmeza. — Estamos juntas há tempo demais para mudar agora.

— Ah. E vocês duas podem ir para a casa da Sra. Dexter?

— *Para lá*, eu não vou.

— Então você preferiria que a Srta. Isabella e sua outra irmã, a Srta. Elizabeth, fossem morar no vilarejo?

— Não.

E então, relutantemente:

— Mas pelo menos *ela* se comporta melhor do que a *outra*.

— Bem. — Cassandra dobrou o guardanapo e levantou-se da mesa. — Parece-me que essas são as duas únicas opções.

— Se a senhora diz. — Dinah tirou todas as tentações da mesa. — A senhora é que sabe, dona... — e saiu da sala.

Talvez fosse só Dinah — a superpoderosa Dinah — quem estava obstruindo o avanço do assunto. Mas, fosse o impedimento que fosse, ou quem fosse, era imperativo resolver a questão. Pois Cassandra sabia, por experiência própria, que, para uma solteirona que vivia com orçamento limitado — a maioria das solteironas, no caso, pelo menos as que conhecia —, esses momentos de transição eram os mais perigosos. Chegam sem aviso prévio, tiram seu teto, carregam a mesa onde você costumava sentar-se todas as noites. E, mesmo que você seja perdulária ou simplesmente não tenha sorte, chegam a lhe tirar a comida de dentro da boca. Este era o perigo em cada situação. Carecia de raciocínio rápido, coragem, às vezes de algo tão baixo e desconcertante quanto malícia, a fim de permitir a sobrevivência.

O truque era encontrar um padrão no caos, traçar o rumo de seu próprio destino, tatear o caminho adiante. Cassandra tinha sido forçada a concluir isso muito cedo, embora, olhando em retrospectiva, deveria admitir que até ela havia agido com lentidão e seguido pelo caminho errado em certas ocasiões. Mas a pobre Isabella, paparicada e protegida pela vida em família e pela casa da família até hoje — e este era seu quadragésimo primeiro ano! Claramente não havia pensado ou tido o instinto de zelar pelo seu próprio bem-estar.

Sim, o assunto precisava ser resolvido. A Srta. Austen cuidaria disso hoje.

~

A propriedade de Mary-Jane Dexter — uma casa comprida, baixa e antiga — ficava depois do muro de pedra, do outro lado da igreja. Era uma das residências mais próximas à casa paroquial, e Cassandra se assombrava com o fato de que duas irmãs como Isabella e Mary-Jane pudessem estar fisicamente próximas e, ainda assim, efetivamente distantes. Passou pelo portão do jardim da frente, aproximou-se, bateu à porta e — uma vez mais — viu-se esperando para ser recebida.

Finalmente, uma voz grave passou pela moldura da porta.

— Quem está aí? — Mary-Jane havia passado grande parte da vida de casada na Índia. A experiência havia lhe causado certas desconfianças.

— Sra. Dexter, querida, sou eu, a Srta. Austen — respondeu, achando a situação ligeiramente absurda. — Venho visitá-la.

Houve uma pausa. Ferrolhos puxados, trancas viradas e, com um rangido alto — como se há décadas não o fizesse —, a porta de carvalho se abria e Cassandra entrava.

— Perdoe-me. — As duas mulheres abraçaram-se. Mary-Jane esticou a cabeça, vasculhou o pátio da igreja e os jardins examinando possíveis ameaças ou insurgências, e em seguida empurrou Cassandra para o corredor. — Nunca se sabe. — Mais trancas e fechaduras fechadas. — Você não devia ter vindo sozinha, Cassandra. Pode ser perigoso por aqui, você sabe.

— Oh? — Cassandra ficou surpresa. — Kintbury me parece tranquila.

— Com todo respeito, você não testemunhou as rebeliões dez anos atrás.

— Não, não testemunhei. E imagino que tenham sido inquietantes, mas duraram apenas um ou dois dias, não foi?

— Quando se vive sob instabilidade, parece mais, pode ter certeza. Já vi muita coisa. — Mary-Jane, mulher baixa e larga, de rosto quadrado e corado, penteado conservador, estava vestida... bem, Cassandra não era a melhor pessoa para avaliar. Basta dizer que estava preparada para condições e clima nunca vistos em West Berkshire. — Durmo com a arma do meu falecido marido debaixo do travesseiro. — Inclinou o queixo em desafio. — E, que Deus me ajude, não hesitarei em disparar, se necessário for.

Foram para a sala de estar e, depois que seus olhos se acostumaram com a penumbra, Cassandra tomou pé do ambiente. A Srta. Austen não era uma mulher muito viajada. Nunca havia ido além de Kent — com certeza, nunca tão distante quanto Bengala. E, ao observar a pitoresca morada Tudor de Mary-Jane, divertiu-se ao descobrir que agora não mais precisava viajar: grande parte de Bengala tinha sido trazida até aqui.

Tigres mostravam os dentes para ela; elefantes, suas presas. Protegida por um vidro, uma cobra ameaçadora — preferiu achar que era embalsamada — estava enrolada, pronta para o bote. Por toda parte, havia espadas para cortar a cabeça de uma multidão de trabalhadores rurais impertinentes o suficiente para pedir um pagamento justo. Um curioso odor, que a remetia a alguma receita de Martha, tomava conta do ambiente. Devia ser o *curry*, embora houvesse mais algum ingrediente almiscarado no ar. Olhou em volta em busca de um lugar para se sentar.

— Que interessantes essas coisas que você acumulou, minha querida.

Mary-Jane pegou uma pele de animal e jogou sobre o tapete. Esperou as nuvens de poeira se dissiparem; depois, fez sinal para o banco:

— Sente-se aqui.

A visitante fez como solicitada, enquanto a anfitriã descia ao chão — com algum esforço, dado o tamanho curto de seus membros —, cruzava as pernas e pegava o cachimbo.

Cassandra observou-a por um tempo. Novamente, como Isabella, Mary-Jane não era o que se poderia considerar cria de Eliza. Sua amiga fora linda e graciosa. Essas filhas, certamente, devem ter gerado certa decepção: nenhuma foi abençoada com os muitos encantos da mãe. Naturalmente, nascer de mãe perfeita poderia ser um fardo: sentir que não acrescia nada ao aperfeiçoamento da humanidade. Talvez isso as tenha afetado. Nesse aspecto, ela e Jane tiveram muita sorte. A Sra. George Austen era, evidentemente, também esplêndida, de muitas maneiras, especialmente em seu descaso casual com a ocultação de seus defeitos.

— Ouvi dizer que estava aqui, Cassandra. Perdoe-me por não ter ido visitá-la — dizia Mary-Jane. — Não me atrevo, nesta época do ano, quando os dias são tão curtos. Eu poderia ficar presa lá! Noite adentro! — Seus pequenos olhos escuros arregalaram diante do pensamento.

— Ah, entendo perfeitamente. E Isabella tem tomado conta de mim, impecavelmente.

Mary-Jane apertou o tabaco no cachimbo.

— Menina de coragem. Coração de boi. Não faço ideia de como consegue viver ali sozinha. — Deu uma longa tragada. — Mas ela virá morar comigo, quando a velha casa for desocupada. Ficará em segurança aqui. Longe dos nativos.

— Ah, é isso que está combinado, então? Ela virá morar com você? Eu não tinha certeza...

— O que mais ela poderia fazer? — Mary-Jane replicou, com repentina irritação.

Cassandra surpreendeu-se com o tom.

— Bem...

— Não me diga que há um retorno àquele disparate! — Ela gritava. — Meus pais não tolerariam! *Revirariam em suas covas!*

— Disparate? Que disparate? — Cassandra começava a ficar nervosa. Era como se Fulwar tivesse, por um milagre, ressuscitado e voltado para elas. — Acho que não estou entendendo...

Mary-Jane acalmou-se.

— Não? Está bem, então. — Deu uma tragada no cachimbo. — Está tudo bem.

~

Cassandra permaneceu ali na medida do que prescreve a boa educação, nem um minuto a mais. Com enorme alívio, retornou à casa paroquial, mais satisfeita que de costume, e se deparou com a figura da sobrinha Caroline, filha de Mary, esperando na sala.

— Tia Cass, que bom... — Quando pôde, Caroline recuou da calorosa e atípica saudação. — Céus. A senhora está bem? Parece fora do ar.

Cassandra, que não gostava de parecer tola, se recompôs.

— Sim, obrigada. Não muito firme, como você sabe, mas passando bem. Que prazer tê-la aqui, hoje.

— Não é apenas prazer, tia. — Caroline baixou o tom de voz e inclinou a cabeça para o lado. — Minha mãe está ali. Viemos para *trabalhar*.

— Ah. — Cassandra guardou a capa e o chapéu, preparou-se psicologicamente e foi para a sala de estar. Exalando contentamento, disse: — Mary. Bom dia. — E, em seguida: — Oh, céus!

Mary estava jogada no sofá, com uma perna equilibrada sobre uma pilha de almofadas e remédios ao lado.

— Que grande azar, Cassandra. Acordei hoje feliz, antecipando um dia produtivo de trabalho, e então me dei conta de que, enquanto dormia, meu pé foi terrivelmente afetado.

— Seu pé? — Cassandra aproximou-se da paciente, examinou-a, mas não encontrou sintomas externos. — Que estranho.

— Exatamente. Como você sabe, sempre tive muita sorte no quesito pés. A Sra. Bunbury, particularmente, sofre com o dela. Nunca deixa de reclamar, tornando inclusive difícil exercitarmos a empatia. É a coragem que valorizamos nos outros, acima de tudo. E, naturalmente, embora o sofrimento não me seja desconhecido, *meus* pés estão entre as minhas melhores partes. Até hoje, eu não fazia ideia da *agonia* que podem causar a uma pessoa. — Levantou uma perna, arfou e caiu para trás. — O resultado, e isso me angustia profundamente, é que *eu* não posso fazer nada, a não ser ficar deitada aqui. No entanto, mesmo sofrendo, vim com uma lista de tarefas que vocês podem desempenhar sob a minha orientação. — Passou a lista para Cassandra, acomodou-se mais confortavelmente no sofá e acrescentou: — Ah, por gentileza, diga a Dinah que ficaremos para o jantar. Sei que nenhuma de vocês gostaria que eu me apressasse em voltar para casa nesse estado.

~

Pelo menos, o dia passou depressa. A casa assumiu alguma aparência de ordem. E a misteriosa condição de Mary manteve-a no andar térreo, longe das cartas. Além disso, forçou sua distância da mesa de jantar: comeu no sofá, enquanto as três mulheres educadas jantaram sozinhas e satisfeitas.

Foi com alguma relutância que se levantaram e se dirigiram à sala de estar. Caroline — a mais endurecida pela batalha com a mãe — ia na frente; Cassandra assumia a última posição. À porta, pensou em agradecer a Dinah.

— Sim, dona. — Dinah aquiesceu, empilhando os pratos numa bandeja.

— E como passou a manhã? Foi agradável lá com a Sra. Dexter?

— Muito agradável, sim, obrigada — respondeu Cassandra. — Eu estava interessada em ver a sua... como dizer... fascinante casa.

Dinah descansou a bandeja e aproximou-se da Srta. Austen.

— A senhora não disse nada não, né, dona? Nada pra ela pensar que a gente quer ir pra lá?

Cassandra sempre havia sido uma patroa generosa. Uma certa afeição, um laivo de intimidade entre patroa e criada eram, após certo tempo, inevitáveis e, quando administrados da forma correta, promoviam eficiência. Entretanto, insubordinação nesse nível não era apenas ultrajante — espantoso! —, mas tendia a gerar dificuldades. Deveria ser erradicada de uma vez.

— Obrigada por seu interesse, Dinah. Naturalmente, eu não poderia revelar o que foi dito numa conversa *privada*. Gostaríamos de tomar um chá agora, por gentileza, junto à lareira.

~

Cassandra observava as duas primas ocupadas em servir o chá e surpreendeu-se — e se sensibilizou — com a conexão entre elas como membros da mesma família. Isabella e Caroline tinham quase a mesma idade e constituição física semelhante — esguias, estatura mediana. Não havia nada na aparência de ambas que um observador sensato pudesse criticar.

Mas ambas compartilhavam o mesmo destino — ou melhor, a falta de um destino: a solteirice passada, por um bom tempo, na dedicação aos cuidados com os pais e irmãos. Não que houvesse alguma coisa errada com a solteirice — longe disso! Mas, quando a própria solteirona se mostrava tão relutante como essas duas mulheres... bem, isso era uma pena.

Isabella, ela suspeitava, era uma vítima da negligência parental, em alguma medida. Fulwar e Eliza dedicaram energia considerável em buscar um pretendente para a filha mais velha, Mary-Jane, e, quando o único candidato insistiu em levá-la para a Índia, tiveram a coragem de, conspicuamente, reprimir seu desgosto. Por outro lado, os pretendentes das filhas mais novas, que tinham a virtude de terem a personalidade mais branda, não foram brindados com tal atenção.

Com Caroline, ela sabia e era testemunha, o problema era de controle materno. Embora Mary tivesse sido enormemente beneficiada pela instituição do casamento, não nutria as mesmas ambições em relação à sua prole. Gostava de ter Caroline o tempo todo ao lado e não encontrava maiores prazeres na vida em sociedade.

Mesmo assim, Cassandra sempre se indagara sobre a razão de nem Caroline, nem Isabella terem encontrado pretendentes. Afinal, muitas mulheres menos atraentes estavam casadas; muitas menos simpáticas tinham filhos. Mas, por alguma razão, essas duas fracassaram em atrair a atenção da vida. Esta, simplesmente, passou por elas.

Se tivesse que pintar um retrato das duas — será que alguém já teria feito isso? Nenhuma tinha o tipo de atrativo pessoal que inspiraria alguém a querer vê-las num quadro —, Cassandra só usaria carvão para retratar Isabella. Com exceção daqueles brilhantes olhos azuis e do cabelo castanho-claro que ainda não apresentava nenhum fio grisalho, era uma criatura naturalmente monocromática. Caroline, por outro lado, exigiria o uso de suas cores — quanto mais fortes, mais vermelhas, melhor — pois corava diante da mais simples sugestão de atenção. Um mero "bom dia" era capaz de provocar os mais profundos matizes.

Caroline, neste momento, ruborizou ao fazer uma pergunta para Isabella. A voz saiu baixa, mas a sala era toda ouvidos:

— Então, você já viu o bom médico desde o funeral?

— Médico? — A voz de Mary cortou o ar vinda do sofá. — Você também não se sente bem, Isabella?

— Estou muito bem, obrigada, tia Mary. Exceto pelo estresse de minha situação atual.

Isabella sacudiu as xícaras ao passar o chá.

— Ah. Deve ser o médico sobre quem Caroline fala, o que cuidou de seu pai? — Mary virou-se para Cassandra. — Talvez não saiba que Caroline prestou apoio inestimável à família quando Fulwar estava morrendo. A coitada ficou bastante exausta com isso, aqui o tempo todo.

— Não sabia — Cassandra respondeu delicada. — Mas fico satisfeita em ouvir que alguém ajudou a carregar o fardo.

— Ah, mas eu só vinha algumas tardes, mamãe! Era Isabella, de verdade, que fazia tudo. Nunca saiu de perto do meu tio.

— Bobagem, minha querida. Tenho a clara lembrança de que você estava permanentemente ausente durante aquele período. Caroline é como a mãe — falou para todas ouvirem —, não mede esforços para se doar.

— Que tal lermos? — perguntou Isabella alegre. — Cassandra e eu começamos o romance *Persuasão*, de sua tia Jane. Você o conhece bem, é claro. Eu não o conhecia. É realmente muito divertido!

— Quando se gosta de *romances* — rebateu Mary. — Para mim, a poesia possibilita uma experiência mais profunda. Poesia e prosa mais *lírica*. Caroline, passe minha bolsa. Por coincidência, tenho aqui o diário do meu marido. Enquanto muito se fala de sua tia Jane, não custa lembrar que ela não era a única escritora na família. Na verdade, acredito que James-Edward seja o melhor de todos. Tem o talento do pai e mais. Guarde minhas palavras: ele irá escrever alguma coisa algum dia e surpreender o mundo. *Aí, então*, o nome Austen ficará gravado na história.

Cassandra sentiu uma dor incômoda — primeiro nas costas, depois refletida na região da virilha — que ela atribuiu a nada mais que uma profunda irritação. Por que se referia ao texto como "diário", quando estava claro que não era nada disso? Este volume em capa de couro vermelho, que Mary agora abria com reverência, nada mais era que um álbum de recortes, contendo fragmentos dos escritos de James. A ignorância da mulher em todos os assuntos relacionados à literatura era tão profunda e ampla que não conseguia sequer saber que estava errada.

— Acho que deveríamos ouvir seu poema *Kintbury*, agora. Concordam? Presumo que já o conheça, Isabella. Sem dúvida, você, assim como eu, pode recitá-lo, quase palavra por palavra. Não? *Não* o conhece? Isso era algo que eu sempre me perguntava: o que estariam, a minha irmã e o meu cunhado, fazendo com o seu tempo livre e o de seus filhos? Não são todas as famílias que têm palavras assim, uma *poesia* excepcional dessas, escritas para elas e sobre elas! Pois, se algo desse tipo tivesse sido escrito em *minha* homenagem e em homenagem aos *meus* familiares, eu faria de tudo para que fosse celebrado! Bem, graças a Deus, trouxe o diário, é tudo que posso dizer. Afinal, esta pode ser a última vez que nos sentamos nesta sala de estar, e esta sala de estar, acima de tudo, é o melhor lugar para ouvirmos. Mas, prepare-se, Isabella querida. Prepare-se. Vou preveni-la, é comovente — ela tocou levemente o nariz com o lenço —, tão, mas tão excepcionalmente comovente. Não acredito que tenha havido outro escritor tão *comovente* como o meu Austen.

Pigarreou e começou, naquela voz monótona, sem entonação:

— *Em meio às horas amenas da noite grave*
Perco-me no meu pensamento e vejo
O riacho cristalino de Kennet, no enclave
Do campo de Kintbury, doce ensejo...

Mary viu-se forçada a parar por um instante, dominada pela emoção.
— *Riacho cristalino*, isso não é maravilhoso? *Riacho cristalino*. — Olhou em volta, sacudiu a cabeça. — Só o Austen. Somente o meu querido Austen.
Ela se recompôs e prosseguiu:

— *E ainda com os olhos da lembrança, vejo*
A feliz família do pastor da vila...

— Então, esses são os Fowle, queridas! Sim. A sua família! Em *um poema*.
E retomou a leitura:

— *O pai severo, e de humor fugaz*
De singular gracejo ou resposta sagaz;
A mãe agitada que, como a noite benfazeja
Por mais distante que esteja,
A mente sempre acolhedora,
Será do afeto doméstico provedora.

Parou de novo.

• 105 •

— Ah, isso se parece tanto com sua avó, Isabella! *Será do afeto doméstico provedora!* Tão igual a ela! Expresso de forma tão brilhante! Tão parecido com todas nós, mulheres *casadas*, naturalmente. — Olhou em volta da sala, detendo-se em uma por uma, as solteiras reunidas ao seu redor, contemplou-as com compaixão e, em seguida, encolheu os ombros e prosseguiu: — *Enquanto os quatro meninos em alegre vigília...* Agora, ele está se referindo ao seu pai e aos irmãos. Onde eu estava? Sim:

— Enquanto os quatro meninos em alegre vigília,
Estimulados pelas brincadeiras em família,
De promissora felicidade futura,
Protegidos pela esperança que tudo sutura...

Caroline e Isabella lançaram olhares temerosos para Cassandra. A geração mais jovem da família cuidava para jamais mencionar o nome de Tom na presença de Cassandra. Até aquele momento, ela nunca havia entendido se isso era uma norma acordada por todos, ou se era simplesmente porque nunca o conheceram e, portanto, não lhes ocorria comentar. Agora compreendia — estava escrito no rosto das mais jovens — que estavam tomadas pelo terror de uma possível reação dela.

Essa revelação deixou-a perplexa. Evidentemente, se soubessem de alguma coisa, saberiam que seu estoicismo diante do assunto era bastante louvado. Mas aqui estavam, parecendo achar que ela estivesse prestes a fazer uma cena! Aquilo era um absurdo. Retomou as feições de calma e tranquilidade e se concentrou, com dignidade, em Mary.

— E um deles dorme onde o oceano derrama frontais
Suas incansáveis ondas contra as Índias Ocidentais:
Amigo de minha alma e irmão do coração!

Mas — o que foi muito estranho — este verso parecia ser novo para Cassandra. Terá se esquecido? Ou nunca tinha reparado nele? De toda sorte, temia que Mary estivesse se desviando para o território da falta de tato.

> — *Pois eu tinha muitos planos bonitos*
> *Quando da volta à minha terra, o infinito...*

Evidentemente, o território da falta de tato era para Mary algo semelhante ao seu hábitat natural. Mas Isabella e Caroline — não pôde deixar de notar — estavam ficando muito desconcertadas.

> — *Muito eu esperava (era a visão do gozar*
> *que dissolveria a piedade no ar)*
> *Nossa amizade conheceu cedo elo mais forte*
> *Do que a própria amizade podia mostrar.*

Cassandra agora percebia que também se sentia desconcertada — a começar pela atmosfera da sala, claro. Mas também — simplesmente precisava admitir, nem que fosse para si própria — pelo padrão execrável desses versos.

> — *E vivi com a certeza de me unir*
> *À mão trêmula de uma irmã querida...*

Levantou-se para dar um fim a esse absurdo. Realmente, tratava-se da escrita do irmão em sua pior forma. Não valia a pena ser lido em voz alta, no círculo familiar; não valia sequer o papel sobre o qual foi redigido.

— Perdoem-me todas. Estou realmente muito cansada ao fim de um dia de tanto trabalho. Peço licença, minhas queridas, para subir um pouco antes de vocês. — E pensar que teriam desfrutado de alguns capítulos de *Persuasão*! Que peso morto Mary havia sido naquela noite.

Desejou-lhes boa noite e saiu.

∽

Cassandra mergulhou, com alívio, no puro isolamento do seu quarto, mas foram necessários alguns minutos andando de um lado para o outro antes de recobrar a calma e a tranquilidade. Retirou o pacote de cartas sob o colchão. Abriu a valise, pegou os retalhos de *patchwork*, verificou os papéis embaixo, fechou a valise novamente. Escovou o cabelo, lavou o rosto e olhou pela janela para a noite cinzenta, sem estrelas. Por fim, o coração retomou o padrão antigo; as pernas e os braços pararam de tremer. Fechando as cortinas, sentou-se na poltrona, pegou as cartas e pensou na melhor maneira de aproveitar este precioso e curto tempo.

Certamente, poderia poupar-se de ler a carta seguinte. Permitiu-se apenas observar a data — 18 de abril de 1797 — e colocou-a de lado.

Mas o que seria isto? Em sequência, na pilha *de Jane*, na compilação que Eliza havia feito da correspondência pessoal *de Jane*, havia uma página com caligrafia diferente. Reconheceu imediatamente: era de *Mary*. Cassandra ficou chocada. O que significava isso? Naturalmente, havia sido arquivada por engano... Seria um crime lê-la... A cabeça e o coração pediam que a ignorasse, imediatamente... Mas os olhos — seus pobres olhos desobedientes — viram a mesma data. E leram.

~

Reitoria Deane
18 de abril de 1797

Minha querida Eliza,

Escrevo para lhe contar que desempenhei meus tristes deveres em nome da família Kintbury e devo informar que a tarde me deixou com a energia e o ânimo bastante reduzidos. Você se sentirá aliviada em saber que meu querido Austen foi muito solícito para comigo, de forma que agora me sinto suficientemente recuperada para lhe fazer meu relato, conforme você me pede.

Partimos para Steventon assim que sua carta chegou. Se, por um lado, meu marido — chocado e receoso do efeito que a notícia teria sobre sua irmã — preferia esperar e prevaricar, eu insisti. Cass precisa saber assim que possível. O ato não pode ser adiado. Encontramos as moças onde sempre podem ser encontradas, sozinhas no quarto de vestir, com a porta fechada para o mundo — devo confessar que acho essa intimidade entre elas deveras anormal e excludente de outros. Nada de bom se extrai disso. Mas Austen me proíbe de comentar com os pais. Aí está. Sou forçada a guardar minhas sábias palavras para mim mesma. É isso que está acontecendo por aqui, sinto dizer. Não haverá crítica sobre As Meninas. E eu me atrevo a dizer que menos ainda depois dos eventos de hoje.

Ao subir as escadas, ouvia os risos — elas riem excessivamente, na minha opinião. Antes, eu não me incomodava, mas ultimamente isso me é fonte de grande irritação. Meu pobre coração apertava diante do que se anunciava diante de mim, mas não me faltou coragem. As duas estavam fazendo algum tipo de trabalho manual — tive a impressão, quando entramos, de que era alguma peça do enxoval de Cass — portanto, foi oportuna a nossa chegada, pois assim a poupamos de mais trabalho. Pois, que utilidade tem um enxoval para a coitada agora?

Acho que, assim que viu meu rosto, C. soube da razão da minha visita — eu estava e ainda estou muito pálida diante do choque da notícia — e, quando pedi que Jane saísse, o semblante dela se fechou consideravelmente. Fui diretamente ao ponto. Austen achava que deveria falar primeiro, mas temi que ele fosse apenas prolongar o sofrimento. Quando coisas ruins acontecem, precisa ser de uma vez, e nós mulheres — as casadas em particular — somos muito mais sensíveis ao que é necessário numa situação difícil. Como quando Anna se comporta mal — o terrível comportamento dela não mostra sinais de melhoria —, por que esperar que o pai faça um dos seus longos sermões? Dou-lhe um bom tapa na parte de trás da perna e pronto.

Então, assim que a porta fechou depois que Jane saiu — e <u>ela</u> relutou em nos deixar sozinhos —, dei meu recado, simples e diretamente — Tom tinha morrido de febre amarela e tinha sido sepultado no mar há dois meses. Lamento dizer que a cena que se seguiu foi desesperadora. Cassandra caiu no chão e foi tomada por um acesso de tristeza, horrível de se ver. Em meio à situação tão angustiante, você precisa saber que não esqueci nenhum detalhe e <u>me conduzi</u> com desenvoltura. Transmiti as condolências de Lorde Craven, mas nem isso pareceu consolá-la. E me lembrei de acrescentar que Sua Senhoria não tinha conhecimento de que <u>ocorrera</u> um noivado: ele jamais teria levado um homem noivo a bordo, mas Tom *não pensou em mencionar o fato. Bem, Eliza! Era de se esperar uma expressão de compaixão pelo pobre Lorde Craven. Em lugar disso, só havia a histeria.*

Agradeço ter contado com meu marido ali, para me confortar. Ele tem sido muito solícito desde então. Tem consciência de que passei por uma experiência penosa — em especial agora, no que seria meu período de lua de mel, quando tenho a alegria e a felicidade de me tornar a Sra. James Austen — ainda sinto emoção ao escrever essas palavras — é trágico que, entre todas as pessoas, fui a que teve que desempenhar tarefa tão penosa. Será o meu destino ter que lidar com os dramas de minhas novas irmãs?

Mas, querida Eliza, está feito. Você ficará em paz em saber que estou diante de uma boa lareira com um chá de ervas ao meu lado e que James teve a sensibilidade de mandar Anna para a casa dos Austen, até que eu me recupere — ela se <u>pendura</u> no pai, mesmo quando eu estou por perto —, é aflitivo e deve ser mais do que meus nervos podem suportar, ter que lidar com a menina agora. Também havia pensado que pode ser bom para todos na família ter que cuidar de Anna — uma distração bem-vinda, para aliviar os assuntos entediantes do luto. Em breve ele lerá sua poesia para mim. Penso que seus sonetos são apropriados para esta tarde. Sempre me acalmam e Deus sabe o quanto preciso de calma nesta noite.

Sua sempre amorosa irmã,
Mary Austen.

~

A reação imediata de Cassandra à carta foi de simples espanto. Isso não podia ser genuíno. Devia ser uma paródia: a Sra. James Austen em sátira. Talvez — passou-lhe pela cabeça num primeiro minuto — tivesse sido escrita por Jane. Afinal, ela era brilhante em imitar a cunhada para sua diversão. Há poucos dias, de volta a Chawton, Cassandra havia encontrado uma carta de reclamação escrita pela irmã, como se fosse Mary, anos antes, ao pintor do retrato: *Você alega que me retratou perfeitamente, mas minha família afirma que seu retrato é de uma mulher sem atrativos, além de azeda...* Ela lera mais uma vez e, então, queimou-a.

Seus olhos voltaram para o topo da página. Começou a ler de novo. E, desta vez, as emoções eram outras e totalmente fora do seu controle. Sentiu lágrimas descendo pelo rosto, pelo pescoço, caindo nas mãos e no papel e não fez nada para contê-las. Seu choro aos soluços — soluços sufocantes, ofegantes — perfurava o ar, mas não tentou reprimi-los. Em vez disso, deixou o sofrimento voar, inflar, apertar as paredes desse quartinho ordinário que acharam suficientemente bom para abrigá-la.

— Como ela se atreve? — gritou.

Não sentia agora nenhum traço daquela autopiedade passiva.

— Como *ela se atreve*?

Não estava revisitando o luto.

— *COMO ELA SE ATREVE?*

A indignação, pura indignação, a consumia e possuía. Como Mary se atreveu a espalhar calúnia tão hedionda? Como pôde — até mesmo *ela* — escrever algo tão vil?

A partir do momento em que a notícia lhe foi dada — de forma errada, insensível, não como ela gostaria ou merecia, mas não importa —, Cassandra havia identificado aquela como a ocasião contra a qual deveria reagir. Lembrava-se — como se fosse hoje —, todos esses anos depois. Escutando o Sr. e a Sra. James Austen, pedindo detalhes, aceitando os pêsames deles — costas eretas, voz calma e baixa — e pensando que este era o fato pelo qual seria definida dali em diante. Não teria outra oportunidade. Seu futuro lhe seria negado. Não teria outro casamento, nenhuma casa paroquial para administrar, nenhuma criança para educar. Esta seria a provação da Srta. — para sempre, eternamente Srta. — Cassandra Austen. E, *por Deus* — aquele Deus que na sua sabedoria escolheu testá-la e destruí-la —, ela superaria esta provação.

E havia superado. O luto de Cassandra fora nobre; seu semblante, simplesmente notável. Ela havia suportado tudo com uma coragem que a todos surpreendeu. Haviam conversado a respeito, escrito a respeito, discutido aberta e incessantemente sobre a admiração que tinham por ela: diante da tragédia mais chocante, ela demonstrara uma força que a colocava nos escalões superiores das mulheres fortes. *Esta era a sua verdade.*

Mas Mary — que esteve com ela naquele momento, que esteve com ela ao longo de todo o sofrimento — de alguma forma fabricou inteiramente outra verdade. A que lugares aquela mentira teria chegado? Até onde teria chegado? E Cassandra via agora, compreendia pela primeira vez, a imensidão da tarefa que ela havia se dado recentemente: era impossível controlar a narrativa da história de uma família.

Bem, havia pelo menos uma pequena coisa que podia fazer. Pegou a carta mais uma vez e — com a violência que uma senhora idosa podia desferir a um pedaço de papel — rasgou-a em pedaços.

CAPÍTULO IX

STEVENTON, MAIO DE 1797

As semanas seguintes, em tese, foram amenas — aquela época do ano em que as manhãs eram claras e as noites, longas — mas, na verdade, Cassy não tinha qualquer noção do tempo. Vivia sob o véu imóvel da própria escuridão. Entretanto, seguiu adiante. Evidentemente, seguiu adiante! Jamais abandonou a resolução instantânea de permanecer digna aos olhos de todos, de sempre parecer forte.

Pela manhã, trabalhava na casa com determinação frenética; à noite, sentava-se com o bordado no círculo em volta da lareira. Ela e Jane passavam ainda as tardes no quarto de vestir. O trabalho com o enxoval foi abandonado, aqueles projetos encantadores de costura foram cuidadosamente guardados: outra noiva de mais sorte talvez pudesse, um dia, encontrar utilidade para eles. Para Cassy, não haveria nada além do preto dali em diante.

Todo seu tempo livre era então dedicado às cartas de condolências. A correspondência era volumosa, mais até do que após o noivado. Consciensciosa como sempre, empenhou-se em responder prontamente a cada mensagem. Enquanto isso, Jane escrevia. Terminava o seu *First Impressions* e fazia a revisão de um romance que começara antes, *Elinor e Marianne* — tudo para distrair Cassy. Ela escutava e até sorria às vezes. Mas não conseguia mais rir.

Certa tarde, talvez um mês depois de seu mundo ter colapsado, Cassy abriu uma carta e suspirou.

— O que foi, querida? — Jane deu um pulo e correu até ela. Seus nervos também ficaram em frangalhos depois da notícia da morte de Tom. Seria preciso um bom tempo para que as irmãs, até pouco tempo alegres e intocadas pela tragédia, pudessem confiar na sorte novamente.

— Esta é de Eliza. — A mão de Cassy tremia quando passou o papel para Jane. — O testamento de Tom foi lido.

Jane leu a mensagem e, em seguida, olhou para a irmã. Uma jovem não precisava saber muita aritmética para interpretar o número ali na página, e essas duas filhas inteligentes de um pároco compreenderam imediatamente.

— Mil libras!

— Mil libras!

— Ah, como ele a amava.

— Que homem bom e generoso.

— Então, o bom Lorde Craven realmente pagou muito bem pelos poucos serviços prestados por Tom. Isso deve ter sido por sua causa, minha querida. Porque ele iria se casar em breve.

— Acho que não — disse Cassy em voz baixa. — Parece que Tom não falou a meu respeito para o patrono dele. — A garganta apertou. — Ou, pelo menos, foi o que me disseram.

— Quem disse? — Jane perguntou.

Cassy baixou os olhos.

— *Mary!* — Jane começou a andar pelo quarto com passos furiosos. — Bem. Ela tinha muita *consciência* de seus deveres, de fato, tanto que sentiu que devia até mencionar esse detalhe.

— Por favor. — Cassy levantou a mão para pôr fim à ira de Jane. — Não vamos nos deter nisso. Não ajuda em nada. — A omissão de Tom certamente machucava. Mas, na grande trama das suas agonias, ela viu que isso não tinha importância.

Jane acalmou-se e sentou-se novamente.

— Então. Mil libras. Mesmo assim, não é tanto, é?, para um cavalheiro de vinte e nove anos e boa formação.

— Temo que a vida não tenha sido generosa com ele. — Cassy estremeceu diante daquela visão horripilante: Tom doente e morrendo, seu jovem corpo escorregando para dentro da água, tombando solitário, sem testemunhas oculares ou auditivas, naquele fundo de mar estrangeiro. Escondeu as mãos nas saias para ocultar o tremor e olhou pela janela. — Mas sempre serei grata. Agora estou protegida no caso de uma emergência futura.

— Verdade. Mesmo assim...

Ficaram sentadas realizando cálculos silenciosos, ambas chegando ao mesmo resultado irrefutável. Mil libras, ao longo de uma vida, usadas com parcimônia, deixando uma parte reservada em caso de alguma calamidade, significavam o seguinte: Cassy poderia fazer suas contribuições no ofertório e decorar ela mesma seus chapéus.

Jane viu que a irmã estava tremendo, enrolada em um xale. No entanto, não era o frio que a afetava, nem o ocorrido, a perda de Tom. Era a consciência de sua vulnerabilidade: os anos que ela enfrentou sozinha com proteção mínima.

Naturalmente, Jane compreendia isso.

— Ah, Cass. O que será de nós? O que você acha que vai nos acontecer quando papai se for e tivermos que deixar Steventon?

Cassy reforçou a expressão corajosa no rosto.

— Você estará consagrada muito antes disso, minha querida.

— Não estarei, não. — A voz de Jane era baixa. — Sei que isso não irá acontecer.

— E quanto a este Sr. Blackall, que em breve terá o prazer de vir ao condado? Todos têm altas expectativas. Ele pode muito bem revelar-se perfeito.

— Duvido muito. De toda sorte, eu jamais a deixaria agora.

— Isso é tolice. Está na hora de você começar a fazer um esforço e não descartar todos os homens à primeira vista. E eu sobreviverei, em grande estilo, graças às minhas mil libras! Por favor, cuide de seu futuro. Não há necessidade de se preocupar comigo.

Cassy queria gritar de ódio das Fúrias que haviam conspirado contra ela, mas não o fez. Simplesmente lembrou-se de ser grata e retomou as tarefas. Seria conveniente responder a Eliza mais tarde: o assunto era por demais delicado para se apressar. Passou para a próxima carta na pilha.

— Ah! Esta é de Edward. Convida-me a ir a Kent. Henry pode me levar... — Continuou a ler.

— Sim, bem, lembre-se de que Elizabeth está perto de parir. — Jane parecia cautelosa. — Tenho certeza de que a receberiam bem, mas, para dizer a verdade, Cass, você não está forte o suficiente ainda para assumir todo esse trabalho.

— Forte! — O mundo acendeu-se como um relâmpago nela. — Estou *muito* forte, Jane. E, de qualquer forma, eles não devem estar contando comigo para uma ajuda tão imediata. Elizabeth deve estar se organizando. Afinal, sabiam que eu poderia não estar dispon... — Ela parou. Ninguém havia lhe pedido ajuda com este bebê pois este seria o esperado mês do casamento. — Acho que você está sendo demasiadamente cínica, Jane. Ouça. Ele escreve: *Penso sempre em você, querida irmã, e faria qualquer coisa para estar em sua companhia aí, confortá-la. Entenda que este não é um bom momento para eu deixar minha família. Mas, caso lhe ajude, venha nos visitar aqui...* Está vendo? Edward está apenas sendo gentil.

Embora não convencida, Jane não discutiu e voltou a escrever; Cassy sentou-se e pensou por alguns instantes. O fato era que estava achando difícil sua posição na Reitoria. Há muito, tinha se habituado a agradar; gostava de olhar para os pais e ver contentamento, orgulho, sentimento de satisfação refletidos em seus olhos. Esta nova identidade — a Rainha da Tragédia toda de preto — combinava com sua tristeza. O pai olhava a mesa silenciosa de jantar e suspirava; a mãe irrompia em lágrimas quando adentrava uma sala. Estava agora abatida, subordinada: o símbolo da derrota.

Aconteceu até, pela primeira vez em suas vidas, um novo embaraço com sua irmã. Naquela primeira tarde, depois que Mary e James deram a notícia, Jane foi terrivelmente afetada por um curto e íntimo acesso de tristeza que não conseguiu conter. Desde então, Cassy decidira não expô-la novamente a esse tipo de emoção, resultando em noites de mais desconforto ainda. No seu pequeno e apertado quarto, precisava fingir que dormia até Jane pegar no sono. Só então podia virar de lado, tapar a boca com o lenço e chorar em silêncio até se exaurir.

Estavam agora, os quatro, trancados nesta situação infeliz. Todos precisavam se libertar. Cassy decidiu que precisava ir a Kent.

～

— Minha irmã querida! — Edward Austen estava de pé no elegante pórtico de sua bela casa, tomado por contentamento e agindo como se nada tivesse mudado desde a última vez que haviam se encontrado. — Espero que tenha feito uma viagem agradável. Escolheu um bom dia. — Levou Cassy pelo amplo saguão. — Sei que vai querer se recompor — o criado cuidou da bagagem, uma criada sumiu levando seu casaco —, mas preciso lhe dizer que as crianças estão loucas de entusiasmo. Se você não subir logo ao quarto delas, correm o risco de explodir!

Cassy já estava na escada, quando percebeu que o irmão não havia feito qualquer menção ao seu luto, à sua palidez, ou à sua magreza. Naturalmente, Edward já havia tratado do assunto em correspondência anterior. Sentia que não havia necessidade de trazê-lo à tona novamente. Sentindo certo alívio, acompanhou a criada pelo longo corredor, passando por uma série de portas que davam para quartos arejados e claros: havia espaço suficiente aqui para qualquer quantidade de jovens de coração partido que precisassem chorar serenamente. Cassy foi apresentada a seu quarto, testou o colchão da bela cama com o dossel de musselina e gostou de tudo.

Um broto de glicínia espiava pela janela. Levantou o caixilho, sentiu o perfume, admirou a atmosfera de Kent, que se abria atraente diante dos olhos, e então olhou para o gramado, onde seus dois irmãos caminhavam lado a lado. Descansando a testa no vidro frio, observou a cena e se perguntou se — como todos em Steventon faziam constantemente — eles estariam falando dela. Porém, estudando o par de cabeças, flagrando as ocasionais explosões de riso despreocupado, deduziu que não estavam. Esses homens tinham assuntos mais alegres com que se entreter; nenhum estava interessado em se ocupar com infortúnios por muito tempo. E ela pensou: era exatamente disso que eu precisava. Aqui, por algum tempo, posso encontrar algum sossego.

~

Edward vivia em um mundo totalmente diferente do restante dos Austen. Embora não fosse o membro mais inteligente ou talentoso da família — longe disso, na verdade —, foi o que teve, em grande medida, mais sorte. Pelas simples virtudes de seu charme e boa índole, havia sido adotado aos quatorze anos por parentes distantes, os ricos Sr. e Sra. Knight, que não tinham filhos. Sua casa atual, Rowling — muito além de qualquer coisa que seus irmãos poderiam sonhar —, era apenas um trampolim no meio do caminho de seu eventual destino: um dia, ele herdaria três grandes propriedades — Steventon, Godmersham e Chawton — e viveria a vida invejável dos cavalheiros bem-dotados. Até lá, Rowling bastava.

Às bênçãos de uma renda generosa e dos muitos acres de terra para administrar, ele poderia acrescentar três crianças adoráveis e a linda esposa, dotada de fortuna própria. Por que dinheiro deve se casar com dinheiro, quando o mundo seria muito mais feliz se não fosse assim?

A esposa de Edward, Elizabeth, mulher de modos e educação requintados, era sempre educada com seus parentes Austen — reservava os verdadeiros afetos para os mais ricos cavaleiros —, mas, Cassy bem sabia, ela não aceitava todos. Claramente achava Jane muito inteligente e excêntrica — um tanto sarcástica, sempre lendo, e, em Rowling, isso era considerado um pouco *estranho*. A Sra. George Austen: bem, a Sra. George Austen... Boas intenções, generosa e gentil, mas, naturalmente, ela também era mais inteligente e mais verbal do que a boa sociedade precisava. Mas Cassy? Cassy tinha a grande virtude de ser infalivelmente prestativa e o conforto de saber que — caso Elizabeth precisasse ter uma cunhada sob seu teto — então ela era a preferida.

Nesta visita, Cassy encontrou em Elizabeth a companhia perfeita. A cunhada pouco se importava com muitas coisas, exceto com o marido —

que adorava —, seus filhos — cada um, uma maravilha — e a casa linda, bem-arrumada. Portanto, toda essa recente tristeza não parecia perturbá-la. Cassy percebia e, por isso, era grata.

Certa tarde, no fim de maio, as duas sentaram-se sozinhas no ensolarado quarto de vestir do andar de cima: Elizabeth admirando o parque; Cassy tricotando uma manta para o bebê.

— Ah, Cass, olhe! Olhe só Fanny em seu pônei. Lá vai. Um anjo! Preciso admitir que está adquirindo uma primorosa postura, não acha?

Cassy também olhou e concordou:

— É uma criança extraordinária em todos os aspectos. Já é uma senhorita com apenas quatro anos.

Elizabeth suspirou de satisfação e acarinhou o bebê na barriga.

— Talvez esta venha a ser uma irmã para ela brincar. Acho que gostaria disso, depois de dois meninos. Embora os maridos fiquem sempre encantados quando se apresentam com filhos homens, não ficam? Hmm. — Pensou um pouco mais. — Não. Não acho que isso me incomode, dessa vez. — Ajeitou-se, desconfortável. — Mas claramente desejo que aconteça.

Cassy arrematou e começou outra carreira: um ponto, depois uma laçada.

— Não deve faltar muito tempo.

— Ah, com certeza. E agradeço tanto por você estar aqui, afinal. Pensar que eu teria que lidar com tudo sem você! Confesso que não pensei em outra possibilidade que me agradasse. — Sorriu complacente. — *Deu certo*. — Então, pareceu um pouco constrangida. — Ah, perdoe-me, eu não quis...

— Não se preocupe — disse Cassy e afrouxou um ponto.

~

O pequeno Henry chegou bem, o pai ficou encantado, e os dias de Cassy se encheram dali em diante. Coube a ela garantir que o quarto das crianças fosse um espaço feliz enquanto Elizabeth estivesse no resguardo. Supervisionava a babá e a enfermeira, jogava pega-varetas, ensinava bola ao cesto com uma precisão de expert; consolava, controlava e divertia. Havia eventuais desentendimentos com Fanny, que era muito apegada à mãe e tinha personalidade forte, mas até com isso Cassy lidava bem: era possível aplicar bálsamo nessas feridas infantis; só não existia bálsamo para si mesma. Os momentos tensos eram quando as crianças cochilavam ou saíam para tomar um ar. Cassy não se atrevia a abraçar o ócio, pois dele poderiam surgir pensamentos obscuros e tristeza, o que iria consumi-la. Ela, então, rendia a enfermeira e, compulsivamente, secava, passava e dobrava pilha sobre pilha de quadrados de musselina.

A grande bênção desse interlúdio era que suas noites transcorriam tranquilas. Ela e Edward jantavam sozinhos e em harmonia; a companhia nunca era menos que agradável. Este irmão não era aquele com quem fazia grandes reflexões, discussões espirituais ou comentava sobre livros: aqui não havia leitura junto à lareira. Em vez disso, apreciavam um excelente jantar, bom vinho e conversas simples e leves, que seguiam o mesmo padrão noite após noite:

— Conversei com Spike hoje. Ele prevê que a colheita este ano será excelente.

Isso enquanto degustavam um prato suculento e bem-servido: digamos, um bom pedaço de torta de carne de caça.

— Dizem que uma bela e jovem potranca chegará no próximo leilão. Embora meu estábulo esteja cheio, vai ser difícil resistir a ela.

Aqui ele acrescentava uma boa fatia de presunto.

— Então, mais um filho perfeito, e Elizabeth bem, ficando mais forte a cada minuto. — Geralmente, Edward apreciava duas porções de *syllabub*. E, quando sua taça era abastecida até a borda com seu excelente vinho do Porto, sempre encerrava assim seus pensamentos da noite: — Sim. Tudo estaria esplêndido em todos os sentidos, não fosse esta digestão insuportavelmente difícil. Deixa-nos biliosos.

Depois, com um afetuoso "boa noite", separavam-se relativamente cedo. Cassandra podia voltar para seu quarto no fim do corredor e chorar sem ser incomodada.

Finalmente, um mês depois da chegada de Cassy, Elizabeth conseguiu voltar a descer as escadas para o planejado e altamente esperado jantar em família. Em um progresso triunfal digno da Rainha de Sabá, ela retornou à sala de estar, apoiada no braço de Cassy.

— Nada mais agradável do que estar de volta! — exclamou em resposta à calorosa acolhida. — Esperei ansiosamente por este momento.

Cassy acomodou-a em sua poltrona favorita e enrolou seus joelhos na manta.

— Todos juntos de novo. Como somos abençoados, meu marido. A Sra. Knight, minha mãe e minhas irmãs devem chegar em breve.

Satisfeita de que sua incumbência estava cumprida, Cassy deu as costas para sair.

— Mas não sei como poderei passar a noite sem admirar mais uma vez a beleza de meu querido Henry.

Não faltava muito para o jantar, e Cassy precisava tomar um banho e fazer-se apresentável, depois do dia de trabalho árduo com as crianças.

— As pestanas dele, Edward, são impressionantes! Estou convencida de que crescem enquanto as admiramos. Ah, vou sentir falta dele esta noite.

— Não se preocupe, meu amor — Edward reafirmou a confiança. — Ficará em segurança com a ama.

A sala de estar era tão grande que Cassy ainda estava à porta e, portanto, conseguiu ouvir a insistência de Elizabeth.

— Ah, ele não pode ser deixado apenas com a ama, Edward. É muito precioso! Cassy pode ficar com ele enquanto estou aqui. Não podemos esquecer que ela ainda está enlutada. Não seria apropriado ela se juntar ao nosso grupo animado. As criadas podem levar alguma coisa para ela numa bandeja.

— Mas, minha querida — ela ouviu a resposta de Edward —, pensei que fosse um *jantar em família*?

— Verdade — concordou Elizabeth. — Agora, onde está minha família? Pensei que a esta hora já teriam chegado.

Mordendo o lábio, as unhas cravadas na palma das mãos, Cassy passou rapidamente pelo saguão, subiu as escadas, atravessou o longo corredor até seu quarto e fechou a porta. As pestanas de Henry poderiam ficar sem medição, por alguns minutos. Ela precisava pensar.

Na realidade, aquele foi um momento de profunda revelação. Desde a juventude, ela tivera um forte senso de seu propósito na vida. Tinha vindo ao mundo abençoada — embora, às vezes, mais parecesse amaldiçoada — com uma inteligência afiada e um grande apetite para o trabalho, por uma boa razão. Teve certeza de que o destino decretara que deveria se casar com Tom. Mas, infelizmente, estava errada.

E agora, então? Chegaria o dia, mais cedo ou mais tarde, mas com certeza chegaria, que seus pais morreriam e Jane se casaria. (A mente dela sempre se prendia às palavras, mas é preciso acreditar que eram verdadeiras.) No entanto, seu próprio futuro parecia obscuro e impenetrável — como um pequeno lago depois da chuva. Ela olhava, olhava, mas não conseguia ver o caminho. De repente, graças a Elizabeth, tudo ficou claro.

Cassy podia não ter muito dinheiro, mas se sabia rica numa moeda: a prestimosidade. E, para essa, poderia obter um excelente valor de troca. Elizabeth já tinha quatro filhos e ainda era jovem; poderia ter muitos mais. Kent era o lugar — o único lugar — em que a Srta. Austen poderia viver bem e trabalhar muito, guardar-se para si e não ser um estorvo. Aqui, poderia tornar-se quase um bem inestimável: a irmã solteira. A tia solteirona. O tesouro incalculável. Este, afinal, deve ser seu objetivo; este foi o desígnio de Deus, o tempo todo. Ela se provaria indispensável.

Uma nova e fria sensação de calma tomou conta de Cassy enquanto lavava o rosto, ajeitava a touca e voltava para suas tarefas.

CAPÍTULO X

Kintbury, março de 1840

A partir de então, o Capitão Wentworth e Anne Elliot com frequência compartilhavam o mesmo círculo de pessoas.

— Esta noite, era a vez de Caroline ler. Determinada a não ficar doente, Cassandra ainda assim teve que admitir que não estava muito bem. Embora tivesse feito planos — de ajudar na casa, visitar Elizabeth Fowle e insistir para que ela se comprometesse a compartilhar uma nova casa com a pobre Isabella —, ficara impossibilitada de ser útil durante todo o dia, no fim das contas.

— *Se os sentimentos pregressos seriam recuperados, ainda não se sabia; ambos indubitavelmente relembravam o passado...*

Isabella e Caroline tinham trabalhado juntas retirando coisas dos quartos, e Cassandra achou imprudente proceder à leitura das cartas: qualquer pessoa poderia entrar a qualquer momento. Passara a tarde no sofá, em um estado de indolência que lhe era desconhecido. Sequer progredira no trabalho com os retalhos; os dedos estavam por demais retesados e inchados para que pudesse costurar.

— Eles não conversavam a sós, e suas relações se restringiam ao que era dito pela civilidade. Haviam sido tão importantes um para o outro! Agora, nada!

A bênção foi que Mary não pôde se juntar a elas, impedida pelas pragas do pé misterioso e de sua lendária falta de tempo. A família ficou em paz.

— Agora, eram estranhos um ao outro; não, pior que estranhos, pois nunca poderiam se tornar próximos. Era um estranhamento perpétuo.

— Ah! — Isabella explodiu. — Pobre Anne! Sinto muito por ela.

Caroline interrompeu a leitura pela décima vez naquela noite. Novata em ouvir histórias, ou melhor, novata em ouvir histórias com algum tipo de satisfação, Isabella era uma plateia extremamente participativa. Era como se estivesse no circo, em vez de estar ouvindo um romance. Não conseguia ficar sentada: num momento, entusiasmada, sentava-se na pontinha do assento; em seguida, caía para trás em desespero. A cada bloco de linhas, exclamava diante do que acontecia e imaginava, em voz alta, o que poderia acontecer.

— Será que ficarão juntos? Acho que logo ficarão juntos. Ah, eles *ficarão* juntos? O que será de Anne se não ficarem juntos?

Caroline objetou e continuou.

— Quando ele falava, ela ouvia a mesma voz e discernia os mesmos pensamentos...

— Preciso dizer — interrompeu Isabella — que sua irmã compreendia os assuntos do coração melhor que qualquer outra pessoa de que tenho notícia. Conte-me, Cassandra. Ela conheceu o amor?

— Não, minha querida, temo que não. Embora isso nunca tenha sido motivo de tristeza para ela. — Cassandra sorriu. Como gostava da oportunidade de falar sobre sua Jane. — Sempre apreciava a companhia dos heróis de seus romances, mas, na vida, nunca teve a sorte de encontrar um homem que valesse a pena...

— Perdoe-me, tia Cass, mas acho que a senhora está enganada! — exclamou Caroline. — Certamente, uma vez, *apareceu* um cavalheiro!

Cassandra, de repente, sentiu-se incomodada. Que história alternativa era essa? Emitiu a frase que aperfeiçoara e aprimorara:

— Eu lhe garanto que minha irmã jamais desenvolveu qualquer apego de força suficiente a ser capaz de agitar a superfície de sua satisfeita existência.

— Mas... — Caroline prosseguiu, com crescente entusiasmo. — Estou falando do cavalheiro que vocês duas conheceram no litoral. A senhora mesma me contou a história, tia. — Ela se voltou para Isabella: — Coisa de romance mesmo — e, em seguida, de volta para Cassandra: — Outro dia recontei tudo isso para meu irmão James-Edward. A senhora não se lembra? Ah, querida tia Cass, acho que nunca a vi tão confusa.

— E pálida! — acrescentou Isabella, vindo para seu lado. — Talvez devesse subir e descansar. A senhora não tem estado bem nos últimos dias.

A cabeça de Cassandra girava. Sentia-se fraca. Não tinha qualquer lembrança de ter contado semelhante coisa, nunca, a quem quer que... E de repente sua mente foi tomada pela lembrança da lamentável cena: o único momento de fraqueza e dolo em toda uma vida de honestidade e hercúleo autocontrole. Em nome de sua dignidade, tinha simplesmente escolhido esquecer.

— Devo dizer que não sei do que está falando, Caroline. Que fantasia é essa que você tem na cabeça?

— Apenas a que *a senhora* colocou dentro dela! Bem, se realmente não se lembra — Caroline olhou para a tia de soslaio —, então, deixe-me contar a história.

— Pois bem. — Cassandra respondeu, externamente calma e agitada por dentro. — Por favor.

— Então — começou Caroline. — Este é o resumo de tudo que sei. Aconteceu... quando foi? Por volta de 1828, acho. A senhora estava hospedada conosco perto daqui, em Newtown. Ou talvez não se lembre de Newtown. Onde moramos com meu irmão?

— Obrigada, Caroline. — Cassandra respondeu acidamente. — Minhas lembranças de Newtown são perfeitamente nítidas.

Caroline voltou-se para Isabella.

— Meu irmão tinha um amigo, um tal de Sr. Henry Edridge, um senhor muito bonito e simpático.

Isabella ajeitou-se no assento; a informação atiçou seu interesse feminino.

— Na época, ele estava com os engenheiros.

— Ah, os engenheiros. — Isabella suspirou.

— E aconteceu de ele nos visitar, quando tia Cassandra estava conosco. Bem, *ela* ficou muito impressionada com ele. Não conseguia desviar os olhos! E realmente muito alterada na presença do jovem senhor. Quase uma gatinha, ouso descrever.

As primas riram. Cassandra envergonhou-se.

— E *eu* fiquei bastante impressionada pela admiração por aquele homem, pois tia Cass raramente admira qualquer pessoa, como todos sabem.

Por que, Cassandra perguntava-se e não era a primeira vez, Caroline achava tão difícil gostar dela? A questão há muito a intrigava, pois sempre se esforçara em ser a melhor das tias.

— Pouco tempo depois daquela visita, tivemos a notícia de que o Sr. Edridge havia morrido.

— Não! — Isabella suspirou. — Pobre Sr. Edridge!

— E quando relatei este fato à minha tia aqui, ela agiu da maneira mais surpreendente. Deu um salto e, com as pernas muito fracas para se sustentar, jogou-se na cadeira. — Caroline representou a cena para efeito dramático. Na verdade, melodramático. Se pelo menos ela também tivesse optado pelo esquecimento. — As mãos voaram para o coração. Ficou totalmente fora de si, quase chegando às lágrimas. E, como sabem, ninguém jamais *a viu* chorando, a não ser minha mãe, claro.

— Sim, claro.

— E então as palavras simplesmente derramaram de sua boca: o Sr. Edridge a afetou como homem excepcionalmente talentoso, com tudo que há de bom.

— Querido Sr. Edridge.

— *E* ele a fazia lembrar de outro senhor do passado, que conheceu no verão, quando estavam no litoral. Acho, tia Cass, que a senhora falou em Devonshire?

Será que falou?

Lamentável.

— Uma vez que isso não aconteceu — Cassandra achou espaço para responder —, duvido muito que eu tenha dito alguma coisa dessa natureza.

— A senhora não mencionou o nome do lugar, isso eu sei — Caroline insistiu. — Embora eu tenha certeza de que não disse Lyme, do contrário eu me lembraria.

— Jamais aconteceu alguma coisa em Lyme, isso eu posso garantir.
— Cassandra pigarreou. — Mas houve aquele incêndio, quando minha família estava...

— Sim, sim. — Com um movimento da mão, Caroline fez pouco-caso daquela história enfadonha antes que ganhasse vida e retomou. — E esse senhor parecia bastante atraído por minha mais que querida tia Jane. Imagine, Isabella, conhecer um cavalheiro no litoral. E apaixonar-se.

— Ah, *imagine*.

— Entendi que foi uma convivência de algumas semanas. E, depois, chegou àquele ponto que todos os enamorados temem: o momento da despedida.

— O pior, o pior momento de todos — disse Isabella, com algum sentimento.

— E ele insistia em saber onde a família passaria o verão seguinte, significando, *acho*, que ele também estaria lá, fosse onde fosse.

— Sim?

— E logo depois souberam de sua morte!

Com esse fechamento trágico, Isabella ficou muda, assim como Cassandra, por razões bem diferentes. Metade da história de Caroline era simplesmente ridícula. A moça sempre fora dotada de imaginação fértil, assim como de talento para o exagero, e estava empregando ambos generosamente aqui. Mas como proceder agora? Não era fácil descartar como invenção completa aquilo que continha o cerne da verdade. Fez uma pausa. Era vital escolher as palavras cuidadosamente.

— Bem, que adorável tessitura de coisa nenhuma você fez, minha querida — começou, com a esperada voz caracteristicamente firme. — Encantadora, de verdade; tão encantadora que gostaria que tivesse acontecido. Como sua tia Jane iria se divertir vendo-se como heroína. — Com algum esforço, levantou-se. — Lembro-me muito bem do seu Sr. Edridge, você me ajudou a lembrar, e concordo que senti muito quando recebi a notícia de sua morte. — Abaixou-se para pegar a valise. — O que qualquer um sente, quando alguém que tem um futuro promissor é levado muito cedo. — Ia deixar a sala. — Penso que a tristeza provocou algo estranho em mim. — O próprio ato de andar ficava cada vez mais difícil. Segurou o portal para se apoiar. — Esse tipo de confusão pode às vezes afetar uma pessoa mais velha. Pode acontecer com você, quando tiver a minha idade. Saiba, então, que não deve mais contar comigo como testemunha confiável. O passado está se tornando cada vez mais embaçado. — Buscou a maçaneta da porta e prosseguiu depois do umbral. — Se eu fosse você, não repetiria essa história, Caroline. Quando sua tia Jane ainda estava conosco e desfrutando de sua pequena explosão de sucesso, alguns abutres se aproximaram à cata de migalhas de sua vida. As histórias dos livros nunca eram suficientes para eles. Queriam fatos sobre ela, e Jane não tinha interesse em compartilhá-los. Na medida em que seus romances sobrevivem, e espero e acredito que assim será, pode ser que abutres reapareçam no futuro. Precisamos ter cuidado com o que despejamos para eles bicarem. Muito cuidado mesmo.

Cassandra abriu a porta, entrou no saguão pouco iluminado e deparou-se com uma silhueta indefinida encolhida no escuro.

— Ah! — gritou ela assustada.

— Perdão, dona. — A silhueta deu um passo adiante e tremeu. — Sou eu, dona.

— Deus do céu, Dinah! Você me deu um susto e tanto.

— Sou eu, dona, tirando o pó. O miserável não dá trégua.

Tirando o pó do buraco da fechadura?

— *Muito* zelosa — disse ela, sorrindo. Seria um truque da lamparina ou a criada, desta vez, parecia envergonhada? — Mas, por favor, não trabalhe *tanto*. Boa noite, Dinah.

— Boa noite, dona.

Cassandra deu as costas. Sentia-se esgotada, e a escada da casa surgia agora diante dela, íngreme como um pico alpino. Lentamente, com cuidado, escalou os degraus. Quando chegou ao quarto, estava quase sem ar. Fechando a porta com firmeza, deixando para trás os horrores daquela noite, caiu na cama.

Pensamentos banais como trocar de roupa ou fazer a toalete não vingaram. A cabeça de Cassandra estava cheia. O cérebro latejava. Todo o seu ser estava consumido por uma sensação involuntária e reminiscente: o ar do mar no rosto; a leve batida que o sininho da porta fazia quando alguém abria; o choque — aquele lampejo perfurante, abrasador, luminoso — quando sua mão enluvada teve a oportunidade de tocar a mão de um estranho. E a sensação do enternecimento cálido do regresso para casa, quando olhou dentro dos olhos dele.

∼

— Srta. Austen? Srta. Austen! — A voz de Dinah vinha do fundo de um túnel muito longo. — Ah, Deus, tenha piedade de nós, não me diga que ela se foi e morreu aqui com nós. Só faltava isso. — Em um instante de abençoado alívio, uma mão fria tocou sua testa, então sumiu de novo, de repente. — Ela está pegando fogo! Está me ouvindo, Srta. Austen? Fique aí. Vou pedir ajuda. Srta. Isabella? — O quarto escuro mergulhou no silêncio mais uma vez.

Agora, despertada para algo como a consciência, Cassandra sentiu agonia em todo o corpo: cabeça, garganta, pernas e braços latejavam e ardiam; a boca, inexplicavelmente, estava cheia de objetos pontiagudos, os pulmões lutavam por ar. Mas nada disso se comparava à dor na consciência. Era isso: a coisa que mais a apavorava? Ah, nunca havia temido a morte — de fato, muitas vezes sentira impaciência diante da demora de sua chegada. Por que demorava tanto, ela poderia perguntar? —, mas, quando chegasse, teria que ser quando estivesse na própria cama. Morrer longe de casa como hóspede — impondo semelhante inconveniência, sofrendo essas indignidades numa casa estranha; negada um último olhar pelas paredes do seu quarto, ou a despedida silenciosa do solo da casa amada —, esse seria o pior destino de todos.

Enquanto lutava para se sentar, outro pensamento a abateu com uma força que a derrubou de volta ao travesseiro: não podia e não deveria partir agora. *Seu trabalho não estava concluído.*

— Cassandra? Minha querida, pode falar comigo? Diga-me quais são seus sintomas.

Achou que havia respondido — "Devo confessar que me senti mal, Isabella" —, mas elas não pareciam ouvir.

— É uma febre, senhora. Sinta. Uma febre muito alta. Vou chamar o médico, agora mesmo.

— Não, Dinah! — Isabella foi categórica. — *Não* chamaremos o médico.

Cassandra tentou falar.

— Mas tenho muito dinheiro. Não se preocupe com isso, Isabella. Estranhamente, acabei ficando rica na velhice. Esse é o benefício de sobreviver aos entes amados. Acabei aproveitando, vergonhosamente, minha longevidade. Portanto, por favor, não pense nas despesas. Insisto em pagar.

— Ouça. Ela está delirando. Deve estar correndo perigo. Está velha como as colinas. Por favor, Srta. Isabella. Vou chamar o médico correndo. Não queremos que ela empacote aqui.

Cassandra tentou novamente — "Só sinto não poder ser de grande ajuda na casa hoje" —, mas ninguém atentou.

— Não — Isabella falou por cima dela. — Não podemos e não teremos o médico e fim de conversa. É simplesmente impensável! Eu mesma vou cuidar dela. Não percamos mais tempo em discussões. Vá buscar o láudano, Dinah, o ácido tartárico, água fria e flanelas. Depois, vá ao casarão e peça um pouco de gelo. Devem ter muito nesta época do ano.

Embora a voz fosse inequivocamente de Isabella, o tom autoritário e a eficiência ativa eram quase inesperados, assim como a hostilidade em relação à medicina profissional. Por acaso não havia sido bastante elogiosa ao médico antes? Cassandra queria abrir os olhos apenas para confirmar a identidade desse indivíduo tão seguro, mas isso parecia não ser possível, no momento.

— Aceite meu pedido de desculpas por causar toda essa inconveniência. Tenho certeza de que ficarei bem depois de algumas horas de sono.

— Tente se acalmar agora, Cassandra. Vai machucar a garganta com tantas reclamações. Agora, vou lhe tirar a roupa e trazê-la para debaixo das cobertas.

A primeira das muitas indignidades!

— Não lute, querida. Você vai se exaurir. Sou eu, Isabella. Pronto. Deve se sentir melhor agora, não? Vou passar a camisola pela cabeça.

Os braços que afastaram a roupa de cama, afofaram os travesseiros e agora descansavam seu corpo suavemente sobre eles eram cuidadosos, experientes e fortes. Cassandra queria pensar mais sobre isso, reavaliar sua anfitriã à luz desta revelação. Mas, então, a boca foi aberta, o láudano pingado na língua e todos os pensamentos se perderam.

∽

Como uma tempestade, a doença a invadia furiosa. Durante dias, Cassandra lutou e delirou. Recusava-se a partir. Precisava vencer. Todo o sentido do tempo ficou perdido enquanto adquiria novos sintomas e reunia alguma espécie de força para derrotá-los.

Houve a eventual falsa melhora, quando a doença acalmou e seu corpo pôde se recuperar. Então, viu Dinah junto à porta — olhos perfurantes sobre um rosto endurecido pelo ressentimento — ou Caroline apertando as mãos, sem saber o que fazer. E Pyramus, sempre Pyramus, montando guarda junto à cama e lhe desejando o bem.

O tempo de maior escuridão veio quando a cunhada, Mary, apareceu. A voz de Jane, então, chegou até ela, vindo de outra enfermaria, em tempos mais terríveis:

— É *ela* que vai cuidar de *mim*? Tenho que admitir ter alimentado poucas esperanças de recuperação. Mas, se Mary está vindo, preciso enfrentar um fato: a morte não pode estar muito longe.

— Tenho pena de você, Cassandra. Tenho que dizer que tenho *pena* de você — Mary dizia. — Minha máxima é que não se adoece quando se está de visita, a suprema falta de boas maneiras, e tenho orgulho em dizer que *eu* nunca em minha vida tive a falta de sorte de romper com essa máxima.

Cassandra decidiu que estava muito frágil para responder.

— É claro que houve uma única ocasião, quando eu estava com seu irmão em Londres e fui acometida de uma terrível dor no rosto. Ah, que dor. Ninguém pode imaginar o que é até passar por *isso*. Mas eu tinha levado minha própria criada e, como tive sorte, um *marido* querido e zeloso. Mas você, completamente *sozinha*...

O sol fraco entrava filtrado pelas cortinas finas. Cassandra havia perdido a noção dos dias, mas percebia que, enquanto tinha ficado ali sem fazer nada, a primavera se espalhara.

— Deve ser uma *tristeza*, ter consciência do terrível impacto que está provocando. A casa já está confusa e desorganizada o bastante. Preciso dizer...

Pela primeira vez, Cassandra teve a certeza de que ficaria boa em breve, e poderia desfrutar daquele ar fresco e revigorante.

— ... sinto muito pela pobre Isabella. Como esposa do pároco, então, ai de mim!, viúva de um pároco, sei mais do que qualquer pessoa o que precisa ser feito e as emoções envolvidas. Nunca, *nunca* irei esquecer a alegria do seu irmão Henry quando chegou sua vez de assumir Steventon. Não é agradável testemunhar o júbilo do seu sucessor em ganhar o que você perdeu. Nenhuma consideração por nós ou pelos nossos sentimentos! Nenhum respeito pela nossa casa ou pelos nossos bens! Nada além de um desejo voraz, *voraz!*, de pegar tudo que fosse possível.

A dor estava melhor, mas, mesmo assim, Cassandra implorava por uma dose maior de láudano. Sentia um desejo imenso de dormir profundamente.

∽

Havia, no entanto, um aspecto positivo nessa pincelada do Criador pela qual Cassandra era grata. Mesmo antes da crise, começara a desenvolver afeição pela querida Isabella, aquela pequena romântica que nunca havia experimentado um sopro de romance. A isso, ela agora poderia acrescentar respeito.

Já havia deixado de lado a falta de habilidades domésticas por parte de Isabella. Afinal, Cassandra dizia para si mesma, administrar uma casa — embora fosse algo importante e alguém tivesse que fazer isso — não era o único indicador de profundidade pessoal. No seu primeiro dia aqui, havia esperado que o verdadeiro talento de sua anfitriã fosse revelado. E agora, graças a esse evento lamentável, havia se confirmado.

Isabella nasceu para cuidar dos doentes: isso era evidente. Suas poções eram dignas dos mais notáveis boticários; aplicava-as com conhecimento, como se tivesse estudado. Seus modos eram de imensa bondade, mas, acima de tudo, sensíveis — quase, digamos, profissionais. Que conforto deve ter sido para seus pais quando estavam doentes. Que conforto era agora para Cassandra.

— Sabe, minha querida, devo minha vida a você — anunciou ela. Isso foi, por seus padrões, uma rara explosão da mais alta emoção, embora a voz estivesse tão fraca que reduzia a força das palavras.

— Bobagem. — Isabella levantou-a, ajeitou a roupa de cama. — Mesmo na crise, pude sentir essa sua determinação. — Sorriu em aprovação. — Sua força é extraordinária. Vai ser preciso mais do que uma febre para *derrubá--la*, Cassandra. Vejo isso muito bem. — Sentou-se na poltrona. — Agora, gostaria que eu lesse, ou está com vontade de conversar hoje?

— Conversar, por favor. Diga-me, como passou a manhã? O que há de novo no mundo das pessoas saudáveis?

— Meu melhor aluno veio ter comigo esta manhã. Um menino pobre da família Winterbourne. Uma cabeça tão boa para os números.

Cassandra estava agora no processo tedioso e calmo de convalescença. Ainda não tão bem para descer as escadas, mas era, pelo menos, um incômodo menor para a família. Dinah deixou-a em paz e uma diarista tímida assumiu seu posto.

Mas, todas as tardes, Isabella sentava-se com ela e essa era sempre a melhor parte do dia. Ao longo da vida, os momentos mais felizes de Cassandra tinham sido passados em companhia de excelentes mulheres. Todas, infelizmente, tinham partido. Sentia falta delas e pensava nelas constantemente, e uma estava acima de todas.

— A pobre mãe dele nunca se recuperou, mas *ele*, acredito, poderia ter um futuro. Minha ideia é trazê-lo e, na medida das minhas possibilidades, apresentá-lo ao meu amigo na Botica de Hungerford. Como aprendiz, isso fará toda a diferença para essa desafortunada família...

Agora, aqui nesta paróquia, Cassandra encontrou, da forma mais inesperada, outra excelente mulher. Não havia esquecido a sensação, aquela sensação profunda, alegre e plena que o bom companheirismo feminino proporcionava. Que bênção desfrutar disso mais uma vez.

～

Passados alguns dias, Cassandra sentiu-se bem o suficiente para se levantar da cama, por algumas horas, e sentar-se na poltrona com o sol banhando o rosto. Logo, pensou, teria forças não apenas para ouvir, mas para ler, ela própria, um romance. Isabella correu para escolher um livro e sumiu por um tempinho.

— Peço desculpas. Você deve achar que somos muito carentes. — A boca de Isabella torceu de vergonha. — Temo que este é o único que consegui encontrar.

— Ah. *Peveril of the Peak*. — Os braços de Cassandra caíram sob o peso do livro. — Bem, com certeza não li e fico um pouco surpresa que você, na condição de minha médica, faça essa sugestão. Se por acaso eu tiver uma recaída, já sabe onde localizar a culpa.

Rindo, Isabella deixou-a sozinha, e Cassandra, realmente, tentou começar a ler. Mas parecia que não estava com disposição para Sir Walter. Podia ser um bom sinal. Como nunca identificou a necessária disposição para aquela asneira exagerada, seu velho ânimo, com certeza, estava retornando.

Deixou o livro cair sobre a mesa ao lado. Talvez, finalmente, estivesse em boas condições para retomar seu projeto. Tanta oportunidade perdida; não poderia se impor a elas por muito mais tempo. Levantando-se, esperou a tontura baixar e aproximou-se da cama, escorregou a mão sob o colchão, tateou, tateou novamente... E logo começou a procurar freneticamente por toda a cama. Debaixo dos travesseiros. Entre os lençóis. Por todo o quarto. Não havia nada. Suspirou, apoiando-se na coluna da cama para não cair. A preocupação tomou conta dela.

As cartas haviam desaparecido.

CAPÍTULO XI

KINTBURY, ABRIL DE 1840

Durante três dias, Cassandra sentiu-se impotente. Tudo que conseguia fazer era ficar no quarto e inquietar-se com a impossibilidade de sua situação. Era impensável pedir qualquer tipo de explicação. Afinal, as cartas não eram suas. Não competia a ela guardá-las. Mas teria o desaparecimento sido uma questão de mera e inocente arrumação da casa, ou haveria algum motivo mais sinistro em jogo?

Finalmente, chegou a tarde em que já se sentia praticamente bem. Isabella entrou e exclamou diante da hóspede arrumada.

— Muito bem, vejo que está melhor. Olhe só! Quase de volta à vida. — Colocou a mão na testa de Cassandra e confirmou a ausência de febre; examinou um olho e anunciou que estava claro.

— Obrigada, minha querida Isabella. E gostaria de me desculpar pelo transtorno que lhe causei. Sei que manter uma enfermaria em casa é um peso oneroso na sua já difícil situação familiar.

— De forma alguma. — Isabella olhou em volta e examinou o estado do quarto. O processo não levou muito tempo. — Gostaria de ter tido a possibilidade de lhe oferecer um aposento mais confortável. O pedido de desculpas deve ser meu. Não deve ter sido agradável passar tanto tempo aqui. Pensamos... bem, estávamos erradas. — Passou o dedo sobre a cômoda. — E não posso fingir que muita energia foi gasta na limpeza enquanto se encontrava debilitada. Temo que a diarista nunca foi conhecida como das melhores.

Cassandra refletiu. Isso, então, a deixava com duas possíveis suspeitas: Mary, que certamente teve oportunidade. Ah, por que razão pediu o láudano? Puro comodismo! E Dinah. Difícil ter sido Dinah — que sabia *o que* eram e *onde* estavam escondidas.

— Não há necessidade de ficar sentada aqui comigo agora, Isabella. Por que não vai ao vilarejo? Tenho certeza de que tem coisas a tratar.

— Bem, preciso levar geleia de mocotó para os Winterbourne. Não vai se incomodar de ficar sem mim?

Na verdade, Cassandra gostou muito da ideia. Insistiu. Havia muitas coisas que precisava fazer.

~

Depois de algum tempo, Cassandra levantou-se e, pela primeira vez em semanas, entrou novamente no mundo. Parou no patamar e percebeu aquela espécie de silêncio que existe apenas nas casas vazias. Como eram diferentes os odores e os sons sem a família. A personalidade da casa transformava-se. Mergulhava de volta em sua concha. Perguntava-se como seria quando os Fowle partissem e o novo ocupante chegasse. Era agradável saber que Steventon ficara na sua família, e que ela nunca precisou testemunhar um estranho tratando a *sua* Reitoria como a casa *dele*.

Grande progresso — caso progresso fosse a palavra — havia sido feito durante a ausência de Cassandra. A casa paroquial de Kintbury, agora metade vazia, configurava oficialmente um interregno. As pinturas dos Fowle haviam sido tiradas das paredes, que agora sustentavam-se nuas, pacientemente à espera dos retratos de outros. Não havia mais cortina na janela da curva da escada. O quarto de Tom estava vazio. Ela seguia com cautela em direção ao de Eliza. Ranhuras no piso eram o último testamento da cama que ali estivera durante quase um século. Marcas escuras confirmavam. Mas o banco, aquele banco de madeira de espaldar alto, ainda estava no lugar.

A única esperança de Cassandra é que as cartas tivessem sido colocadas de volta no lugar a que pertenciam. Seria o mais sensato e compreensível; na verdade, a única explicação possível. Ela própria se repreendeu — sua velha tola! — ao pensar que poderia haver outra. Era ainda mais difícil levantar a tampa agora; a doença havia sugado sua força. Mas estava determinada, mais do que isto, estava confiante de que o esforço seria recompensado. E, depois de uma luta considerável, finalmente abriu a tampa do assento. Pronto.

Tudo estava exatamente como havia deixado. As cartas dos filhos dos Fowle por cima, as da mãe ainda embaixo, junto com as de Martha. Fuçou pelas outras camadas, onde as cartas de Jane e as suas próprias poderiam estar, caso tivessem sido substituídas casual e inocentemente... Não estavam. Agora, ela começava a se preocupar, abaixando-se mais, as mãos indo mais fundo. A letra de Fulwar... de Mary... dois irmãos Austen... Deixou-as de lado. Quase chegando ao fundo, via apenas a caligrafia de estranhos sobre o papel que agora se desfazia e amarelava: missivas velhas e sem sentido, de nenhum interesse.

Cassandra abandonou todas as esperanças. Com um ruído das articulações, sentou-se sobre os calcanhares e parou um momento para avaliar a situação. As cartas foram retiradas do seu quarto em um ato de obstrução deliberada: até aí tudo estava claro. Sua correspondência particular e a de Jane estavam, agora, em outras mãos. Seus pensamentos e emoções íntimos, que havia tentado esconder, poderiam ser revelados a um estranho. Cassandra viera a Kintbury com um objetivo desesperado: proteger sua querida irmã. E fracassara. Enterrando o rosto nas mãos, rendeu-se ao desespero.

Embora fosse tentador passar a tarde deprimida e fosse razoável ficar remoendo a tristeza — ela era velha, tinha estado doente, estava totalmente esgotada —, Cassandra não dispunha do luxo de ter tempo. O resto da família poderia voltar a qualquer momento. Havia pilhas de cartas espalhadas pelo chão. Precisava esconder suas pegadas. Com um suspiro, esforçou-se para se levantar e começar a colocar tudo de volta no lugar onde havia sido encontrado. Agora, como estavam organizadas? As de James ao lado das de Mary, ou as de Mary embaixo das de Martha? Abriu um pequeno espaço, e ali, para seu assombro, estava um outro pacote de Jane.

Cassandra pegou-o e o segurou junto ao peito. Isso era extraordinário! Um presente mais valioso que ouro! E, como acontece com os melhores presentes, bastante inesperado. Não fazia ideia de que Jane e Eliza tivessem se correspondido com tanta frequência. As duas eram amigas, claro, mas não *muito* próximas. Como Jane teria tanto a dizer?

Esquecidos todos os pensamentos das cartas perdidas, Cassandra fechou a tampa do velho banco e se apressou em voltar a seu quarto.

~

Reitoria de Steventon
19 de setembro de 1800

Minha querida Eliza,

Ficamos muito contentes em saber que seu parto foi bem-sucedido e que a bebê passa bem. O nome é esplêndido — Isabella, certamente nome de heroína — ou de Rainha Espanhola, suponho, mas penso que não desejaríamos semelhante destino a ela. Não. Isabella Fowle será uma heroína cujas aventuras serão magníficas e estritamente reservadas ao grande condado de Berkshire. Gostaria muito de ler sobre tais aventuras, em algum momento no futuro, mas, por ora, assegure a ela que só esperamos e desejamos que se desenvolva bem.

Por aqui, tudo vai bem conosco. Não tenho nada a contar, a não ser sobre a saúde de todos na paróquia de Steventon e Deane. Dos Austen mais distantes, temos só boas notícias, graças a Deus. Meus irmãos marinheiros continuam a subir os degraus da glória — sabia que Frank acaba de se tornar Capitão Comandante? É claro que sabia. Sem dúvida, Kintbury deve ter recebido tantas cartas sobre o assunto que a casa paroquial foi soterrada, e que, só neste exato momento, você conseguiu se desenterrar. O ato de escrever estas palavras é tão estimulante que não consigo resistir. E, agora que ele tem uma patente, deve estar às voltas com a procura de uma esposa. Ainda tenho esperanças de vê-lo com Martha. Minha família é gananciosa, Eliza — não contente em tomar uma de suas irmãs —, queremos todas elas. E Martha já é irmã, de todas as formas, faltando apenas o nome. Virá nos visitar amanhã. Não temos nada em vista, apenas um festival de livros, rodas de conversa e passeios — muitos passeios neste clima excelente. Somos três mulheres desesperadas para passear. Isso pode não ser considerado o epítome da diversão, mas somos criaturas estranhas e vamos desfrutar bastante.

Espero que a visita distraia Cassandra de seu sofrimento, pelo menos por alguns dias. Faz três anos da morte do pobre Tom, e seu ânimo não está sequer próximo de melhorar. Ah, compreendo, evidentemente, mas quisera que não fosse assim. Sua ansiedade com relação ao futuro é perfeitamente natural. Afinal, <u>o que será dela</u>? Esta é a questão. E aqui uma confidência, querida Eliza — que nos conduz diretamente a outra, qual seja: o que será, afinal de contas, de <u>mim</u> também?

Antes de perdermos Tom, não havia motivo para duvidar que o futuro seria feliz e duradouro. Mas, de repente, parece que chegou até nós e tem um ar ameaçador. Um dia, talvez em breve, teremos que deixar Steventon. Ah, não se preocupe! Meu querido pai está saudável como nunca, mas não poderá ser Reitor perpetuamente. E nós duas, pobres filhas dependentes, seremos lançadas ao mundo que não parece aberto a nos receber com calorosas boas-vindas. Não posso fingir que a perspectiva seja agradável.

Perdoe-me! Esta carta começou em tom de grande comemoração e então, sem qualquer aviso, procedeu a uma virada horrível. Sou incorrigível. Mostre-me um céu perfeitamente azul e encontrarei uma nuvem. Ignore tudo o que está acima e envie nosso carinho à sua pequena Isabella.

*Sua sempre,
J. Austen.*

~

— Ah, não! — O grito agudo de Jane perfurou o ar das colinas em torno de Steventon. — Por favor, Cassy! Martha!, parem agora. Eu imploro. Do contrário, vou morrer de rir, como costumávamos dizer quando estávamos na escola. E vocês terão que carregar meu pobre cadáver de volta para casa.

— Sinto muito — protestou Cassy. — É verdade. Ela estava com uma aparência simplesmente ridícula.

— Estava mesmo. — Jane deu outra risadinha. — Mas será que não analisamos a noite tão minuciosamente a ponto de destruir qualquer lembrança de diversão? Achei muito agradável enquanto estava lá. Agora, graças a vocês duas, tudo que consigo visualizar é o pescoço largo dela e seu marido rosado, e, em retrospecto, me parece tudo horrendo.

— Muito bem — concordou Cassandra. — E, se vocês se divertiram, fico feliz por vocês. Ultimamente, tenho achado muito mais divertido os comentários sobre o evento do que o próprio evento.

— Querida Cass. — Jane segurou seu braço e ficou séria. — Você costumava gostar dos bailes e festas e de sair socialmente.

— Eu? — Achava difícil lembrar-se agora. — Então talvez eu esteja ficando muito velha para isso.

— Sou mais velha — completou a querida amiga Martha. — E acho tudo divertido quando estou com vocês.

Elas subiram a colina, pararam para respirar e admirar a vista.

— Nosso lar. — Jane suspirou feliz. — Digam-me, não é a vista mais doce do mundo?

— É perfeito — Martha concordou. — O que pode ser melhor do que um vilarejo pequeno no campo? — A luz clara do outono chegava ao campanário. — Lá vai seu pai. — O Sr. Austen andava rapidamente pela rua em direção à casa paroquial. — Que homem bom. Não sei como consegue cuidar da igreja e da terra nessa idade.

— Papai? — Jane zombou, com certa ênfase. — Ágil como uma pulga! De fazer inveja à maioria das pulgas.

Ela ia na frente, na descida da colina.

— E assim ficará por muito tempo! — Martha caminhava devagar logo atrás. — Mesmo assim, vai querer que James assuma, daqui a pouco tempo, sou capaz de apostar.

A Cassy soou como se Martha soubesse mais do que elas.

— Ele não é mais tão ágil como era, é verdade — disse pensativa. — E a saúde de mamãe não está como deveria. Eu me pergunto...

— O tempo está virando. Vamos pegar chuva, meninas.

— E o que é a chuva para nós, Martha? — Jane girou, as mãos estendidas: a capa esvoaçando ao redor. — Vamos! Temos pelo menos mais uma hora antes de precisarmos chegar em casa.

Mas Cassy escolheu voltar sozinha e ajudar a mãe a preparar o jantar.

∽

Quando passou pela porta dos fundos, Cassy estava encharcada. Tirou a capa e as botas, colocou-as para secar e abriu espaço para se trocar. Passando pela sala, ouviu ruídos de uma conversa. O irmão James e sua mulher Mary haviam chegado mais cedo — que surpresa! Estendeu a mão para a maçaneta da porta, na intenção de entrar e saudá-los. E então a voz de James passou flutuando por ela.

— Então, pai... estou... estamos interessados em avançar. Ao entrar nos meus trinta e seis anos, está na hora de assumir maiores responsabilidades e desempenhar integralmente meu papel de Homem da Igreja. Espero que concorde que meus talentos correspondem em igual proporção à tarefa diante de mim.

— Ah, meu menino querido — declarou o Sr. Austen —, não preciso lhe assegurar disso. Você é um cura exemplar para mim e será um Reitor exemplar para a paróquia.

— Exemplar — repetiu Mary com fervor, acrescentando em voz baixa, mas insistente: — E então, Austen, a casa. Lembre-se: a casa.

— Ah, sim. A casa. Eu... isto é, nós... com a família crescendo, parece que...

— Temos *uma criança*, agora. — Mary não resistiu à oportunidade de mencionar seu triunfo a esse respeito.

— Vocês têm duas crianças, minha querida — disse a Sra. Austen. — Não nos esqueçamos de Anna.

— Sim, claro. Quero dizer que agora temos *um filho*.

— E nos ocorre, pelo menos, me ocorre, que talvez o espaço aqui seja atualmente excessivo para vocês dois, apenas com as meninas. Acomodações um pouco menores, menos cansativas para você, mãe, talvez sejam mais adequadas, para diminuírem as necessidades da família da forma como atualmente se encontra.

Ela ouviu o pai se levantar e dar alguns passos.

— Que você herde o meio de vida já foi decidido há tempos, e não há razão para duvidar. A questão da ocasião para a transferência, no entanto... Talvez eu tenha gerado uma confusão por viver tão bem e por tanto tempo.

— George, meu querido! Por favor.

— Esta é a questão, meu amor. Achamos que o Senhor iria dar conta disso mais cedo, mas parece que Ele tinha outros planos para nós. Obrigado por trazer o assunto, James. Não tenho o menor desejo de me interpor no caminho de um bom homem. Essa não pode ser a intenção de Deus. Permita-me discutir o tema detalhadamente com sua mãe, em particular, e, com a ajuda de Deus, tenho certeza de que chegaremos rápida e facilmente a uma avaliação que será boa para todos nós.

Cassy afastou-se e subiu ao seu quarto sem fazer barulho. Com o coração batendo forte, caiu na cama e digeriu aquilo que não deveria ter ouvido. Não era surpresa. Estava escrito, iria acontecer mais cedo ou mais tarde. É que ela não esperava que fosse acontecer agora. Para onde iriam? Não tinha como saber e não esperava ser consultada. Era uma decisão que cabia aos pais e somente a eles. Ao não se casarem, as filhas perdiam o direito a opinar sobre o assunto. Cassy aceitava. Era a sua condição: viver solícita e invisivelmente. Via agora o próprio destino com a maior indiferença. Mas Jane?

Para Jane, isso viria como um terrível golpe.

~

À noite, a pedido de George Austen, Jane leu *Razão e Sensibilidade*. Os pais sentados ao lado da lareira, cada um espelhando a posição do outro — as mãos sobre o colo, o brilho da satisfação nos rostos enrugados, cansados e velhos — como dois aparadores de livros. Como gostavam de escutar Jane.

— *Você o estima! Gosta dele! Insensível Elinor! Oh, pior do que insensível! Envergonhada de ser justamente o oposto. Use essas palavras outra vez e sairei desta sala no mesmo instante.*

De quando em vez, Mary debruçava-se em direção à sogra, tentando envolvê-la em conversas domésticas — "Já trouxeram o porco de volta do açougue?"; "Agora, a sua receita de chutney..." —, mas a Sra. Austen a repelia com firmeza.

— *Desculpe-me e acredite que não pretendia ofendê-la falando com tanta tranquilidade dos meus sentimentos íntimos. Acredite que eles são mais fortes do que eu declarei e acredite que, em suma, estão à altura dos méritos de Edward.*

Cassy, sentada com a costura, sentia-se confortada. Como sempre, as palavras de Jane acalmavam seus pensamentos conturbados e devolviam a ela o otimismo. Podia até ter sentido alguma coisa próxima do contentamento, caso James não tivesse se impacientado e sorrido malicioso daquela forma. Mas a inveja — apesar de leve e tola, que não deve se fazer notar — sempre envenena a atmosfera de todo o grupo.

— *...encontrará enorme dificuldade em seu caminho, caso queira se casar com uma mulher que não tenha grandes posses ou elevado nível social.*

Depois de meia hora, James não aguentava mais. Levantou-se determinado a interromper.

— Muito bem, Jane. Preciso admitir. Você é muito *corajosa* em tentar algo que derrubou muito escritor *bom*: a escrita epistolar.

— Verdade! — Mary completou, entusiasmada com o fim do tédio. — A escrita epistolar! — repetiu, obsequiosa como um papagaio e com a compreensão que um papagaio tem das palavras que repete. — Um desafio, tenho certeza.

— Há um elogio aí. — Jane levantou os olhos e sorriu. — Agradeço, vindo de um escritor como você.

— Precisamente. Eu me pergunto se não estaria na hora de voltarmos para casa, minha querida. — Ele deu passos largos pela sala, reassumindo o comando. — O tempo e tudo o mais.

— Mas só tivemos leitura, Austen. Não sinto que tivemos uma *noite* aqui. Vamos conversar um pouco. Ou — seus olhos acenderam — quem sabe você, meu amor, pudesse ler para nós agora? — Falava para a sala. — Sei que *todos* iremos amar.

— Ah, sim, *por favor*, James. — Jane sentou-se, tomada de entusiasmo. — Mostre-nos como se faz.

Jane sentou-se, tomada de entusiasmo.

— Só se insistirem. — A insistência foi concedida. — Bem, então. — Imediatamente, a volta para casa deixou de ser urgente. — Talvez o meu "Soneto para o outono" seja o mais apropriado. — James acomodou-se e começou.

— Ninfa do chapéu de palha e da saia agreste,
O outono leve chegou, saudando o camponês;
Se na planície a luz ilumina a tua tez
Inclina-te nas correntes leves do vento oeste...

E os pensamentos de Cassy, tão recentemente acalmados, alvoroçaram-se novamente — cresceram e tomaram conta dela. E agora?, perguntava-se enquanto o soneto se arrastava. O que viria a seguir na sua tortuosa jornada? Para onde a vida a estaria levando?

CAPÍTULO XII

Paragon, Bath
7 de maio de 1801

Minha querida Eliza,

Mamãe e eu chegamos a Bath — com certeza você irá nos parabenizar por essa tremenda façanha — e, com relação a não termos parado em Kintbury, não há necessidade de nos repreender, pois isso nós mesmas o fizemos. Nossa justificativa é que a viagem propriamente dita foi nossa mestra; decretou que deveria durar apenas um dia, e nós, humildes passageiras, não tivemos forças para discordar. Embora saibamos que teria sido muito agradável estar com a amada família Fowle, também queríamos chegar ao nosso destino.

Obrigada por suas condolências, mas, tendo começado a vida com um choque ao qual nunca deveria me acostumar, nossa partida de Steventon veio quase como um alívio. E por esse motivo, como você previu tão corretamente, posso apenas agradecer à sua irmã. Muito embora sua explícita alegria não tenha amenizado nosso momento de perda, o prazer de Mary em atravessar a porta, estimular o nosso em sair e nos privar de todos os bens mundanos no processo foi de tal ordem que ficou difícil esperar o fim. Rendemo-nos assim que nos foi possível. Espero que estejam todos tão felizes por lá quanto ela esperava. Não há dúvida de que meu irmão irá se revelar um bom pároco, e que a casa já deu provas de ser boa para crianças. James-Edward em breve irá ganhar um pônei. E Anna gosta muito do lugar — a pequena poderá finalmente sentir-se em casa na sua família.

Sobre Bath — não compartilho das altas expectativas de meus pais, mas eles estão tão animados que não sei ao certo quem poderia contrariar. O Sr. e a Sra. G. A. estão determinados a viver uma aposentadoria gloriosa, recebendo visitas e em gozo de saúde até onde for possível, enquanto para nós, mais jovens, há promessas de encontros com pretendentes esplêndidos, em uma lista infindável. Veremos. Mas, caso tudo isso aconteça, avisarei: irei ignorar qualquer evidência de caráter, aparência ou benefício para as nossas famílias e, em lugar disso, me lançarei, de cabeça, para o mais rico. Pretendo, então, tornar-me tão terrivelmente mimada e afetada que você, pobre e humilde Eliza, poderá nunca mais ouvir falar de mim.

Enquanto isso, faz três dias que estamos aqui, e ainda tento encontrar um cavalheiro abaixo da faixa etária de cem anos. Até agora, a própria cidade está brincando com minhas afeições. O rochedo se recusa a brilhar sob o cálido sol; em vez disso, faz uma carranca cada vez mais fechada sob o terrível nevoeiro. Mas preciso dar tempo — até porque não tenho escolha sobre o assunto. Meu futuro agora é aqui e preciso fazer disso o que for possível.

Posso pelo menos me consumir com uma grande distração. Estamos à procura de acomodações mais permanentes, que esperamos encontrar em breve. Talvez assim esta cidade barulhenta possa parecer um lugar mais natural para nós. E, depois disso, vem o primeiro dos nossos Grandes Projetos de Verão, e iremos, como os grupos de Cowper, que, "impacientes com a terra seca, concordam, em uníssono, em correr rumo ao mar". Você acredita que essas felizes criaturas sem endereço fixo são, na realidade, os seus velhos amigos, os Austen de Hampshire? Então, nem eu.

Você pergunta de forma tão gentil sobre minha querida Cassy. Apesar de sua perda, a vida seguiu adiante, rumo a outras histórias, e parece que apenas você e eu sobramos para cuidar do luto. Posso garantir que sair de nossa casa não lhe causou particular sofrimento e posso também resumir a minha leitura: a infelicidade de minha irmã é tamanha que um mero <u>lugar</u> não faz diferença. A esperança de minha mãe é que aqui ela sairá dessa situação e retomará a vida social, mas temo *que seja uma esperança infundada. Sim, ela ainda se veste de preto, faz apenas o esforço mínimo para cuidar da aparência... Você verá, quando ela for visitá-la com meu pai. Por favor, veja se consegue convencê-la; ela a admira tanto! Sua atual condição é quase intolerável e dolorosa para esta amorosa observadora: a conduta adequada a uma viúva sem os confortos passados de ter sido esposa.*

Preciso lhe dizer que ela vai chegar no dia 22, e meu pai, um pouco depois. Espero que encontrem todos vocês bem e felizes e quero ter notícias das crianças florescendo. Com relação a nós, por favor, tente se aproximar de minha irmã e me diga o que achou depois que voltarem.

*Sempre,
J. Austen*

~

Cassandra ficou estupefata. Isso não era de forma alguma o que esperava. Talvez o trauma da mudança tivesse soltado a pena de Jane. Encostou-se para digerir: o tom de confidência, até mesmo a indiscrição, eram impressionantes. Sabia da amizade entre elas, mas não da profunda intimidade. E que Jane tivesse escrito naqueles termos? Era mais do que estranho. Ela se ajeitou, desconfortável. Folheou as cartas seguintes. Cada uma delas apimentada com referências a Mary e ao tratamento em relação a Anna: *"ela agora se superou"...*"*por favor, pode conversar com ela"*...*"como seria melhor se ela pudesse ficar com você em Kintbury"*...*"o conluio de James nos magoa"*...*"A rara imagem de um homem tirando da esposa a liderança é motivo de alegria, mas nesse caso"*...

Esta triste história não refletiu bem na família. Cassandra estremeceu. Seu medo fora que os Austen se tornassem algum tipo de espetáculo — ainda que, ela bem sabia, de um tipo inferior — e seus esforços atuais eram dedicados a evitar isto. Havia apenas um fato que seria permitido caminhar lado a lado com os romances para a posteridade: que Jane havia vivido sua curta vida como uma estranha ao drama; que poucas mudanças e nenhuma crise jamais interromperam o fluxo da corrente suave do curso da vida.

Qualquer coisa além disso não deveria passar à posteridade.

Juntou as cartas — a valise era o único esconderijo disponível — quando seu olho foi atraído para a página seguinte. O que era isso? Sem data, sem lugar e um rabisco apressado e descaracterizado.

Minha querida Eliza,

Esta vai para você depois de muito refletir e por grande necessidade, portanto me perdoe se vou diretamente ao assunto. Saiba que espero que a epidemia de sarampo tenha passado e que todos em Kintbury etc. etc. Pois preciso partilhar com você, na medida em que preciso partilhar com alguém, embora não seja segredo meu. Até nossos pais ainda desconhecem metade da história e não saberão de nada até que tenhamos alguma evidência do que disso há de decorrer. Ah, Eliza. Minha irmã está profundamente apaixonada!

CAPÍTULO XIII

SIDMOUTH, 1801

— O que vamos fazer hoje, tia Cass? — Anna estava parada junto à porta, admirando a vista luminosa que se abria diante dos olhos.

O ano era 1801, e os Austen estavam em Sidmouth, no primeiro de seus Grandes Projetos de Verão. Seguindo a sugestão de Cassy, a pequena sobrinha tinha ido com eles.

— Bem, primeiro vamos colocar nossos chapéus corretamente. — Cassy inclinou-se e amarrou a fita sob aquele queixo delicado e fino de oito anos de idade. — Hoje vai fazer calor, e o sol é uma criatura mais feroz aqui do que em Hampshire. Você não vai querer enfrentá-lo e acabar de cama. Assim. — Ajustou o chapéu novamente. — O que *você* gostaria de fazer, Anna? O que está no topo da sua lista?

— Não sei dizer. — Anna mordeu o lábio e adotou a expressão preocupada que tanto incomodava as tias. — Nunca estive no litoral. — Havia se tornado tão cuidadosa em não dar a resposta errada que parecia ter medo de dizer qualquer coisa. — Não tenho certeza... você escolhe por mim, tia Cass.

Cassy segurou sua mão, e juntas caminharam para a Avenida Beira-Mar.

— Vamos começar pelo mercado de peixes; quanto mais cedo chegarmos lá, maiores serão nossas opções de escolha, e seu avô quer muito comer uma boa cavala no jantar. — Ela assentiu e respondeu aos bons-dias daqueles que também estavam passeando. — Tia Jane já saiu para tomar banho de mar em algum lugar.

Vasculharam com os olhos as cabines de banho rolantes que ocupavam o mar, mas, de longe, os corpos eram todos muito parecidos.

— Banho de mar é bom? Parece ser bom. Criança pode entrar no mar?

— Você pode andar pela beira da água mais tarde, minha querida, se quiser. Sua tia pode lhe mostrar como fazer. Ela ama a água. Não sei explicar a razão, mas não sou muito amiga do mar. — Cassy olhou com desconfiança para a enseada límpida, calma, azul: sua mente via apenas morte e cadáveres. — Vou ficar em terra firme. Mas o dia é todo seu para fazer o que quiser. Agora, se eu ainda fosse uma menininha... — Anna olhava para a tia de vinte e oito anos com espanto. — Já fui um dia, acredite se quiser. Mas nunca ninguém me proporcionou um verão em Sidmouth. — Apertou a mãozinha. — Em seu lugar, eu gostaria de começar a colecionar coisas. Podemos encontrar muitas conchas.

— Conchas! — Finalmente a criança baixou a guarda.

— Sim! — Cassy entusiasmou-se. Anna era uma criaturinha inteligente e cheia de interesses que não conseguia expressar. — E esta aqui é uma praia muito especial. Dizem que é possível encontrar pedras marcadas com formatos de animais estranhos e antigos.

— Animais estranhos e antigos?

Pararam de conversar, então, e olharam para os rochedos azulados no fim da enseada — cada uma delas achando difícil acreditar nessa lenda.

— Bem, é o que dizem. — Cassy deu de ombros, e ambas retomaram a conversa. — Teremos que investigar isso por nós mesmas. Mas, primeiro, vamos ao que interessa. — Passaram agora pela casa de chá e chegaram às casinhas, onde redes secavam ao sol penduradas em postes e os barcos eram puxados para a praia. A pescaria do dia em cestos, e metade da população ao redor.

— Veja. — Ela se curvou e sussurrou no ouvido de Anna. — Até o assunto mais comum como comprar um ingrediente para o jantar torna-se uma diversão no litoral. Segure firme, não se solte de mim. Vamos entrar.

Cassy estava tão concentrada em escolher a cavala que não atentou no fato de estar sendo o objeto de interesse de alguém. No entanto, enquanto o pescador se ocupava em embrulhar o peixe, ela sentiu a pontada de desconforto que vem quando alguém nos olha fixamente. Virou-se, puxou Anna mais para junto de si, e seu olhar se deteve em um cavalheiro ali perto, que agora se afastava rapidamente.

O calor aumentava ao voltarem pela praia de seixos. Cassy levantou o vestido amarelo-claro — aqui, por fim, rendeu-se à pressão popular e desistiu da roupa preta, pesada e quente — para não molhar a barra da saia. Extremamente concentradas e dando gritos de alegria, caçaram conchas e limparam as de melhor qualidade. Juntas, compunham uma cena afetuosa: a mulher bonita, alta e magra e a doce menina, concentradas na caçada inocente. Havia pessoas na Avenida Beira-Mar — uma em particular — observando a cena com prazer, mas elas estavam muito entretidas para notar.

— Esta aqui é a minha favorita. — Anna afagou uma pequenina concha incrustada com madrepérola.

— É uma beleza. — Cassy concordou. — Mas esta é apenas a sua primeira manhã. Se quiser levar a sério essa atividade, poderá encontrar muitas outras. Perdi a noção do tempo. Precisamos voltar para a casa de sua avó. Mas, primeiro — ah, ela realmente amava fazer projetos! —, vamos à biblioteca no caminho de volta, e comprar um caderninho. Você, então, poderá escrever um diário sobre as suas descobertas e talvez acrescentar desenhos das melhores conchas. Posso ajudá-la com isso.

Este excelente plano agradava a ambas, embora talvez Cassy fosse a mais satisfeita das duas. Conversando com entusiasmo, deixaram a praia, atravessaram a Avenida Beira-Mar e foram em direção à loja que ficava ao lado da Sala de Leitura. A porta estava fechada. Cassy estendeu a mão para a maçaneta, o rosto voltado para o lado enquanto explicava algo a Anna. O sininho tilintou; sem querer, sua mão tocou a de outra... Recuou diante do choque, virou-se e levantou os olhos. Sentiu o mundo transformar-se.

Quanto tempo ficaram ali parados? Poderia ter sido uma vida inteira, embora mais parecesse um instante. Cassy baixou os olhos, observou um livro debaixo do braço dele, atentou para as palavras na lombada — *Elementos de Conquiliologia* — e sentiu certa decepção por não se tratar de um bom romance.

Então:

— Com licença. — Ele fez uma reverência e tocou no chapéu. — Bom dia à senhorita, madame.

De alguma forma, ela fez uma reverência.

Ele sorriu para a menina:

— Senhorita. — E apontou para a mão da menina. — Perdoe-me a impertinência, mas preciso dizer que se trata de uma excelente concha.

E, com isso, desapareceu manhã afora, engolido pela multidão elegante.

— Magnífico! — Jane chegou desamarrando o chapéu, revelando o cabelo desarrumado e a tez brilhante. — A água está uma maravilha esta manhã. Ah, como gosto daqui. Tão melhor do que a insuportável Bath. E então, o que minhas queridas fizeram? Bem, você parece muito melhor, Cass, radiante até. Preciso dizer que, apesar de sua resistência, você parece estar recuperando o viço. — Segurou os ombros de Anna e olhou seu rosto. — E você, minha criança? O mar a enfeitiçou? Parece que não! Agora, conte-me tudo, Anna. Por onde andou nos últimos meses, numa caverna, subindo uma chaminé? Vamos lá, conte-me todos os seus segredos.

Anna riu pela primeira vez desde que chegou.

— Em Steventon, tia Jane, juro!

— Então não há justificativa para a sua palidez. — Largou o chapéu. — Quando sua tia Cass e eu morávamos na Reitoria, tínhamos o cuidado de tomar sol todos os dias. Levávamos isso muito a sério. Naquela época, era vulgar não parecer corada. Sem dúvida, os jovens de hoje têm outras ideias.

Cassy riu com elas, distraída dos eventos perturbadores da manhã. No entanto, sentia o coração se contorcendo de pena da pobre criança. Sua saída de Hampshire implicara muitos arrependimentos, mas o maior deles havia sido a perda do contato diário com Anna. Haviam afastado a única coisa que compensava seus problemas com Mary, que sempre se mostrara uma pessoa difícil e que agora, com a chegada do abençoado menininho, devia estar insuportável. Havia sido uma vitória trazer Anna aqui para o verão. Iriam recuperá-la: Cassy tinha certeza disso. Enquanto o resto da família se divertia, ela traria essa menina querida de volta à vida.

— Vou subir e ver como está nossa mãe — anunciou Cassy —, e depois podemos fazer planos para o restante do dia.

— A vovó está muito mal? — perguntou Anna com ansiedade.

— Não, minha querida. — Jane abraçou-a. — Não há motivo de preocupação. Sua avó gosta de ficar de cama sempre que chegamos a um lugar novo. É seu jeito de se sentir em casa. Assim ela pode experimentar o colchão, conhecer os melhores médicos, experimentar os produtos do boticário local e saber com o que pode contar, caso uma doença de verdade a aflija. O que nunca acontece, a propósito. Mas talvez isso seja parte da sua sabedoria: prevenção através de uma boa preparação. Como todos os melhores enfermos, ela sobreviverá a todos nós.

— Jane, isso não é justo. Nossa mãe vem sofrendo com o fígado desde a viagem. Viajar a afeta...

— Ou não... — Jane deu de ombros, sorrindo. — E minha tese é verdadeira.

Quando Cassy desceu de novo, sua irmã brincava com a sobrinha — uma era um pirata, a outra, uma pobre donzela naufragada; ambas estavam às gargalhadas. O caderninho novo estava jogado, abandonado no tapete da sala. Pegou-o, retomou o bordado e esperou a brincadeira acabar.

∽

Na noite seguinte, a Sra. Austen declarou que estava bem para uma ida ao salão de jogos. A doença havia desaparecido tão rápido quanto chegara, sem deixar rastro ou efeito, a não ser um desejo urgente de jogar cartas. A família inteira saiu para lhe fazer a vontade, imediatamente.

Eram seis horas, e o sol avermelhado se punha na linha do horizonte no mar sob um céu violeta. Todos em Sidmouth estavam na rua, apreciando o frescor do fim de tarde. Jane e o pai caminhavam a passos rápidos e se distanciaram dos demais. Cassy observava as costas de ambos, via que riam e paravam para trocar amabilidades com os novos vizinhos enquanto ela ouvia por alto o que a mãe dizia.

— Meu intestino está mais regular agora, graças a Deus, depois do que foi, como você bem sabe, Cass, a evacuação mais assustadora. Penso que vou gostar desse boticário. Ele entendeu bem o meu sistema.

Cassy passava os olhos pelos transeuntes que vinham em sua direção, com aquilo que ela se convenceu ser o tipo mais casual de interesse. Certamente não esperava ver ninguém em particular que valesse a pena: oh, *não*. Ninguém.

— Acho que vou visitá-lo amanhã para conversar um pouco mais. Afinal, *digo* que o intestino está mais regular, mas nunca o bastante para o meu gosto. Se eu pudesse me livrar dos gases...

Do nada, lá estava ele — de repente, quase em cima delas: mais alto do que se lembrava. Desta vez ele sorriu, revelando dentes bonitos, brancos e alinhados. Novamente, nos olhos verdes dele, ela sentiu aquele cálido reconhecimento, como se se lembrasse de uma conexão em alguma outra vida. Ele levantou o chapéu, ela dobrou o joelho, houve um consenso sobre a beleza da noite. Mas, com a mesma rapidez que surgiu, ele desapareceu.

— E quem era aquele distinto cavalheiro? — A Sra. Austen parou e olhou para trás, embora Cassy tivesse preferido que não o tivesse feito.

— Não o conheço, tenho certeza. — Segurou o braço da mãe novamente e conduziu-a na caminhada.

— Mas ele parecia conhecer *você*. — Sentiu um olho comprido sobre ela. — E demonstrou interesse, também, se eu não estiver errada. Você sabe que pouca coisa passa sem que eu perceba. Bem, bem. Bem, bem, bem. — Seus passos adquiriram vivacidade. — Esse é um bom avanço. Já se vão quatro anos, minha querida. Deus não gostaria de ver você de luto para sempre. — Cassy abominava esse assunto enfadonho, mas não conseguia escapar dele. — Nem Tom, a propósito. — No entanto, preferia esse assunto aos intestinos e sua regularidade. — É nosso profundo desejo ver vocês duas encaminhadas antes que o Senhor venha nos chamar. E, com a minha pobre barriga, isso pode acontecer a qualquer momento. — Este era um novo inferno: junção de solteirice com problemas de indigestão. — Da próxima vez que eu tiver uma evacuação daquele tipo...

Cassy suportou com coragem até chegarem à porta do London Inn.

CAPÍTULO XIV

Sidmouth, julho de 1801

—Já estamos chegando?
Sob a manta cálida do afeto familiar, a pequena Anna adquiria confiança. Sentia-se, agora, capaz de pedir para sair e se divertir — cada vez mais frequentemente, aumentando as demandas sobre os adultos —, como qualquer outra criança feliz e amada. Havia tomado sorvetes, feito carinho nos cavalos, observado o moinho de água girar, ficado quase entediada na beira da praia. Infelizmente, o grande Projeto Concha não deu em nada, mas Cassy conteve sua decepção e seguiu adiante com o restante.

— Não é fácil andar na praia coberta de seixos.

Os rochedos banhados pelo mar foram o destino preferido naquela manhã. No café, Anna anunciou que gostaria de explorá-los: queria encontrar alguns daqueles tão falados "animais estranhos e antigos". O Sr. Austen imediatamente se animou. Ofereceu-se para levar a criança, ele mesmo, e começou uma palestra preparatória sobre o mistério dos fósseis. Cassy não prestou muita atenção: o assunto não parecia de particular interesse; começou a pensar sobre as coisas que poderia fazer com esse repentino tempo livre. Estavam esperando novos vestidos na Potbury's; ela e Jane poderiam visitar a loja... Então o pai disse as palavras "elementos" e "conquiliologia". De repente, ocorreu-lhe que, afinal, tinha interesse. Talvez fosse com eles. Os fósseis *podem ser* fascinantes. Certamente, valeria a pena olhar...

~

— Falta pouco, agora, criança. Olhe só, os rochedos estão bem ali. — O entusiasmo acadêmico do pai o impulsionava a andar a uma velocidade que desafiava sua idade avançada. O cabelo branco longo brilhava ao sol sob o confortável chapéu. — Não é necessário escalá-los, dizem. Temos muita chance de encontrar algum tesouro nas rochas aqui na praia mesmo.

Cassy e Anna esforçavam-se para acompanhar o passo, de forma que ele chegou primeiro ao lugar escolhido. A vista estava bloqueada, mas elas escutaram a saudação animada:

— E bom dia ao senhor!

Ah: então não iriam caçar sozinhos. Deram a volta na rocha e saíram numa clareira. E ali estava ele:

— Senhoritas. — Fez uma reverência, tocou no chapéu e se dirigiu apenas a Anna: — E aqui está a orgulhosa possuidora daquela excelente concha...

— Então já se conhecem? — indagou o pai.

— Não exatamente. — Sorriu. — Ainda precisamos nos apresentar. Sou o Sr. Hobday. O Sr. Henry Hobday. — Mais outro meneio com a cabeça.

— Sr. Austen. E eu trouxe minha filha e minha neta, as Srtas. Austen, esta manhã. Estamos à procura de fósseis.

— As Srtas. Austen. Então estão no lugar certo. — Sacudiu um pequeno martelo. — Encontrei espécimes muito interessantes. Venha comigo, Senhorita Austen. Vou lhe mostrar.

Mas suas palavras — uma vez mais — foram dirigidas a Anna. Os três escalaram as rochas, deixando Cassy sozinha. Ela preferiu não os acompanhar — seria inapropriado escalar — e se encostou na rocha maior, apreciando o grupo. O Sr. Hobday — um sobrenome que significava "passatempo" tinha uma certa graça — e o Sr. George Austen tornaram-se grandes amigos. Seu pai era muito inteligente e não tinha o menor respeito pelos tolos. Portanto, se interpretou corretamente a interação deles, o Sr. Hobday era inteligente também.

As horas passaram e, para sua surpresa, Anna ainda estava profundamente entretida. O Sr. Hobday teve o cuidado de incluir a jovem cientista em todos os aspectos da exploração, e sua capacidade de concentração, que até ontem era pateticamente limitada, expandiu-se consideravelmente. Cassy encostou-se na rocha, suspirou, ficou admirando o mar e começou a se sentir um pouco desconfortável. O sol estava quente, as gaivotas barulhentas e turbulentas. Estava certa: fósseis são enfadonhos. Ou pelo menos, com certeza, causavam enfado nos outros. Todos haviam se esquecido de que ela estava ali esperando. Não se lembrava agora por que tinha vindo.

Não tinha sido — não poderia ter sido pelo desejo de ver o Sr. Hobday. O Sr. Henry Hobday. Nome interessante. De toda sorte, não havia sido por ele: disso ela tinha certeza. Ele podia ser atraente — definitivamente era atraente —, podia ter ares de conquistador. E daí? Ela seria a Srta. Austen para sempre. Homens bonitos e charmosos não lhe convinham mais. Ocorreu-lhe a ideia: talvez ele fosse servir para Jane?

Agora configurava-se um plano. A firme repulsa da irmã diante de cada desafortunado pretendente há muito tinha deixado de ser assunto de entretenimento para os pais e, hoje, era motivo de irritação geral. Cassy estava na posição desconfortável de enxergar ambos os lados: de um, homem algum tinha sido suficientemente bom; de outro, Jane não podia continuar assim por muito tempo. Os pais estavam determinados a viajar o máximo possível durante os anos que lhes restavam, mas precisavam ter alguém que cuidasse deles. Cassy, embora não exatamente feliz, pelo menos aceitava a ideia de que seria essa pessoa e que, depois disso, Kent a reivindicaria. Mas e Jane? Ela não era bem uma cuidadora e, mais, precisava de estabilidade. Esse estilo de vida peripatético começaria, em breve, a afetá-la: o ânimo declinaria, prenúncio de problemas adiante. Mas, se este Sr. Hobday, Sr. Henry Hobday, fosse genuinamente inteligente e divertido, como esta manhã sugeria, então...

Suspirando, Cassy pegou a cesta de piquenique e tirou dela suas tintas. O desenho a acalmaria. Sempre a acalmava, quando estava triste; de repente, começara a se sentir triste, precisava admitir. Iria desenhar o grupo. Delineou os rochedos com o lápis e começou a desenhar os três, embora fossem pouco eficazes como modelos. Anna não parava de rir e pular; o Sr. Henry Hobday — ela abriu um sorriso involuntário — não ficava parado. Teria que se concentrar em seu velho pai.

Estava colorindo o desenho quando o grupo retornou.

— Veja, tia Cass! — Anna gritou e estendeu um pedaço de rocha para ela.

— Olhe só! — Cassy observou, não muito impressionada.

— Tem o formato de uma minhoca!

— Sim. Estou vendo.

— O Sr. Hobday disse que tem milhares de anos.

— Muitos milhares até — acrescentou o Sr. Hobday. — É a evidência de uma criatura que viveu na Terra talvez até mesmo antes do homem.

Cassy olhou de novo e sentiu pena da coisa. Detestaria ser desenterrada e descoberta em alguma época do futuro.

— O que está desenhando, minha querida? — O pai aproximou-se e olhou de cima. — Ah, encantador. Minha filha — voltou-se para o Sr. Hobday — é uma artista de considerável talento.

— Papai! — Cassy corou diante do elogio.

— Perdoe-me, mas é verdade. Veja, Sr. Hobday, o senhor está desenhado aqui de forma brilhante.

— Posso? — Ele se aproximou, e Cassy ferveu de incômodo. Tinha certeza de que havia elaborado mais o desenho do pai. Mas, olhando novamente, que estranho!, a figura do Sr. Hobday parecia maior.

— É apenas um desenho. — Juntou suas coisas apressadamente. — Nada especial, eu lhe garanto. Agora, minha jovem, precisamos levar você para casa e sair deste sol.

Cassy segurou o braço do pai dessa vez: deve ter ficado exaurido com todo esse esforço. Precisava do seu apoio na volta. O Sr. Hobday tinha mais vigor. Ela andou devagar, refreando o avanço do homem mais velho, de forma que Anna, que ia pulando ao lado dele, pudesse tomar a dianteira.

Uma vez na Avenida Beira-Mar, separaram-se cordialmente e, para o alívio de Cassy, não fizeram planos para encontro subsequente. Logo ele foi engolido pela multidão.

— Que homem gentil — observou o pai enquanto subiam pelo terreno gramado em direção à casa onde estavam hospedados. — Surpreendeu-me como um sujeito excepcionalmente talentoso, dotado de tudo que é agradável.

— É mesmo? Não percebi.

Seu pai riu.

— Bem, Anna com certeza percebeu. O Sr. Hobday foi especialmente generoso e gracioso com ela.

~

— Por favor, vamos fazer alguma coisa. — Cassy largou a costura com certa impaciência. Estava achando difícil sossegar esta manhã. — Talvez, quando nossa mãe descer, possamos sair para passear?

— Hmmm. — Jane continuava a escrever. — Mais tarde, Cass, mais tarde. O Sr. Thorpe tem se tornado particularmente inconveniente. Tem me divertido muito e me faz trabalhar a todo vapor.

Cassy levantou-se e olhou, pela janela da frente, a paisagem para além do terreno gramado lá embaixo. O pai e Anna estavam por ali em algum lugar. Foi tola em recusar o convite para acompanhá-los. Que mal haveria se ela se deparasse com um certo cavalheiro inquietante? Ele não a notava; claramente, preferia as pobres criaturas fossilizadas há muito enterradas em rochas. E ela mesma se encontrava segura, fora de perigo. Nada poderia acontecer. Não havia motivo para se esconder aqui.

Ficou assistindo ao desfile dos elegantes passando ao longe e a um barco de passeio saindo da praia. O mundo parecia tão feliz e movimentado sem ela. Suspirando, voltou ao seu lugar. Ah, quando sua mãe iria se levantar?

A aldrava de cobre soou na porta da frente, e ela se empertigou com interesse, apurando o ouvido, caso se tratasse de um visitante. Mas identificou pela troca de palavras que era apenas uma criada. Recostou na cadeira novamente e tentou conter seu clima de desespero.

— Um bilhete para a Srta. Austen. — A criada entrou e saiu.

— Um bilhete? — Jane levantou os olhos ao ouvir aquilo e não pôde deixar de notar a mão da irmã tremendo. — O que temos aqui?

— Nada de muito interessante — disse Cassy sem dificuldade. — Volte para o inoportuno Sr. Thorpe.

— De quem é?

— Ah, ninguém. De fato, ninguém que eu conheça. Uma Sra. Hobday — disse ela, lendo. — Doente, acho eu, hospedada no Crescent. Pergunta se posso ir vê-la hoje, na parte da manhã.

Jane não estava mais em sua cadeira e lia por cima do ombro da irmã.

— Um pouco estranho, não? Se você não a conhece. Ah, entendi. Ela diz que você conheceu seu filho.

— Mas muito superficialmente. É o cavalheiro sobre quem falamos ontem. Que estava nos rochedos. Um tal de Sr. Hobday. Sr. Henry Hobday.

— Cassy! Você está sorrindo!

— Não estou mesmo. E posso garantir que não o conheço, pelo menos não de verdade. Eu sequer sabia que tinha mãe, sério.

— Em geral, a maioria dos homens tem — disse Jane. — E este aqui tem uma que está ansiosa para conhecer você. Isso o diferencia dos demais?

Cassy lembrou-se de seu plano.

— Você não quer ir comigo? O Sr. Hobday pode estar lá, e acredito que ele será de seu gosto.

— Não, obrigada. — Jane já estava de volta às suas páginas; pena na mão, a cabeça em outro lugar. — Estou ocupada com isto aqui. Está indo bem hoje. — Escreveu algumas palavras e acrescentou, distraidamente, brincando com a pena entre os dedos. — E não vou.

— Não vai o quê?

— Achar que ele é do meu gosto. Você sabe que nunca acho.

~

— Sra. Austen! E esta deve ser a *Srta.* Austen. — A Sra. Hobday sorriu e assentiu. — Sim. Soube imediatamente. Encantadora. E que gentileza virem me visitar. Tenho achado difícil sair de casa esta semana. Meus pobres pulmões. — Deslizou os dedos sobre as pérolas no pescoço. — Estou aqui por causa do ar marítimo, mas este meu corpo não me deixa sair.

Assim que a Sra. Austen soube do bilhete, vestiu-se, pronta para ir ao encontro. Mulher naturalmente loquaz, não precisava de persuasão. Novas amizades eram sempre bem-vindas, especialmente os doentes. Tanto para conversar! Sentou-se e fez sua contribuição para o assunto.

— Ah, compreendo, perfeitamente. Quando chegamos aqui, há apenas uma semana, fui acometida por uma série de problemas biliares. Esse é o meu ponto fraco. Os pulmões não me afligem, mas o estômago! Ah, Sra. Hobday, a senhora nem imagina...

Cassy estava sentada em um silêncio mortificado e observava a anfitriã. Era mais jovem do que imaginara. Devia ter tido Henry — o Sr. Hobday — muito cedo. Ele herdara os belos traços — ah, seus traços — da mãe. Lindo cabelo com o mesmo tom escuro, rosto inteligente e forte, nariz aquilino semelhante. De vez em quando, a Sra. Austen elencava uma ladainha de sintomas, e a Sra. Hobday olhava para Cassy com seus cintilantes olhos verdes.

Finalmente, conseguiu dizer alguma coisa.

— Vejo que está observando nossos livros, Srta. Austen. Gosta de romances?

— Ah, muito. A senhora tem alguns dos meus favoritos. Minha irmã e eu nunca vamos a lugar nenhum sem levar conosco Sir Charles Grandison.

— Então, com essa recomendação, vou consultar meu filho se podemos lê-lo. Todos esses são de Henry. Ele tem a bondade de ler para mim todas as noites, e sou grata. Mas, na verdade, acredito que o prazer é mais dele.

— O Sr. Hobday gosta da obra de Mesdames Burney e Edgeworth? — Cassy ficou perplexa. — Não sei por quê, mas tinha ficado com a impressão de que ele gostava mais de textos científicos.

— Ah — disse a orgulhosa mãe —, ele é cientista, artista, filósofo e aficionado por romances... — Fez um gesto englobando o universo. — Acredito que poderia dominar o mundo, se não insistisse em cuidar da mãe doente.

Era como se ele tivesse sido criado por algum romancista seguindo as especificações de Jane. A mente de Cassy maquinou: uma parte ocupava-

-se da questão prática de planejar um encontro; a outra, de registrar sua própria e crescente irritação.

Seria possível que o Sr. Hobday tivesse, realmente, tantos atributos? Isso poderia irritar qualquer um.

— Somos muito grudados. Penso que, às vezes, em excesso. Veja — voltou-se para a Sra. Austen, supondo que esse fato poderia ser de seu interesse —, perdemos o pai dele há cinco anos.

E acertou em cheio.

— Sinto muito. — Sua mãe inclinou-se para a frente, atenta: um cachorro à espera do osso. — Foi alguma coisa particularmente...

— Um tumor.

O que foi recebido com grande contentamento.

— Um tumor!

— Consultamos os melhores profissionais, mas nada podia ser feito. — A Sra. Hobday sorriu, triste. — Deixou-me com uma certa desconfiança da profissão médica.

— Imagino. No entanto, eu recomendaria o boticário daqui. Não sei se o consultou desde que chegou a Sidmouth.

— Acho que já é tarde para isso.

— Ah! Sra. Hobday! Sinto tanto!

Ela riu.

— Não se preocupe, Sra. Austen. Não estou morrendo, pelo menos ainda não. Vamos embora logo cedo pela manhã, na carruagem que vai para Exeter. Meu filho tem a esperança de que encontrarei a cura em Devon. Já organizou tudo para partirmos para a Europa. — Nesse momento, olhou para Cassy. — Embora eu ache que ele lamenta isso.

— Para a *Europa*? — A Sra. Austen ficou perplexa. — Mas, minha querida, eles estão em guerra! Vocês não *podem*...

— Sim, estamos cientes, obrigada, Sra. Austen. E deixe-me assegurá-la de que não passaremos pela França. Mas, se tivermos de passar, meu filho não é o tipo de pessoa que deixa um miserável como Napoleão bloquear seu caminho. — Havia mais que um simples indício de satisfação pessoal no sorriso da Sra. Hobday.

— Não duvido. Bem, então: é uma pena — disse a Sra. Austen, sentida. — Justo quando acabamos de nos conhecer.

— Pois é. Parece um pouco precipitado para nós, também. Mas talvez sua família retorne no próximo ano?

— Infelizmente, não. Ah, é tão agradável aqui. Estamos desfrutando bastante. Mas nos aposentamos, veja, e queremos viajar para diferentes lugares. Dawlish está no topo da nossa lista.

∼

Pouco tempo depois disso, Cassy percebeu que estava se cansando de Sidmouth. Os prazeres da praia tinham se esgotado; a sociedade, superficial, vazia e muito dada à moda; não tinha o menor desejo de voltar aos rochedos. Mesmo os bailes semanais não pareciam valer a pena. Qual, afinal de contas, era o motivo para dançar? Não se lembrava. Portanto, ficava com Anna em casa e lia.

O clima captou a atmosfera de decepção e refletiu isso. As nuvens chegaram, a chuva caiu, a vista azul virou coisa do passado. O vento açoitava o mar, trazendo com ele o frio. O vestido amarelo tornava-se inadequado. Aliviada, Cassy retomou o traje preto, pesado e quente.

CAPÍTULO XV

Kintbury, abril de 1840

Cassandra precisava de ar. Frágil como estava, depois da doença, não conseguia mais suportar aquele quarto pequeno, as cartas, as memórias. A vida lá fora oferecia opções; qualquer coisa restauraria seu ânimo. Decidiu ir ao vilarejo e ajudar Isabella.

Assim que apareceu no corredor, Pyramus deu um show de boas-vindas exuberante e quase desvairado. Cassandra inquietou-se ao perceber o quanto isso a comovia. Fazia anos, décadas até, desde que havia sido motivo de uma reação como essa, por parte de qualquer ser vivo. Acariciou-o e esfregou suas orelhas. Evidentemente, não passava de um cachorro. Mas, dentro das limitações impostas pela espécie — pelas quais ele não era, em hipótese alguma, responsável —, era clara e excepcionalmente delicado. Desta vez, ela fez questão de convidá-lo a acompanhá-la e ficou encantada quando Pyramus acolheu o convite.

Saíram juntos da casa paroquial. A esperança de Cassandra era encontrar Isabella nos Winterbourne. A família morava no emaranhado de habitações miseráveis atrás das lojas, perto do penhasco que pairava sobre o canal.

Seu progresso não foi fácil — esta colina era muito mais íngreme do que se lembrava —, mas não foi um passeio desagradável. O sol batia em suas costas e os passarinhos cantavam. Pyramus acompanhava seu ritmo como o cavalheiro que era e, a cada passo, a mente dela clareava.

Já na rua, cumprimentou o ferreiro e perguntou por seu menino — a resposta inevitavelmente completa permitiu-lhe descansar um pouco —, depois tomou o caminho de curvas pelos casebres. Aqui, famílias apertavam-se, desordenadamente, ocupando cada centímetro, tornando difícil para alguém de fora se localizar. A Srta. Austen, no entanto, sabia aonde estava indo. Sempre se determinava a visitar, quando estava aqui.

William Winterbourne havia sido líder das rebeliões dos agricultores dez anos antes. Cassandra não o conheceu pessoalmente, mas diziam que era um homem delicado, trabalhador, e ela preferia acreditar. O fato que tenha brandido o martelo para o magistrado, no calor do momento, fora claramente uma infelicidade, e era difícil culpar Fulwar por tê-lo prendido e entregado. Ninguém poderia ter antecipado que seria enforcado por isso, mas esse foi seu destino e, desde então, tornara-se fonte de mal-estar na consciência familiar coletiva.

Ela chegou à esquina escura que abrigava o que restava da família. A porta estava aberta. Entrou.

— Olá?

Espiou através da escuridão, viu o catre no chão de barro. Não havia sinal de Isabella ou de criança, apenas a Sra. Winterbourne encolhida junto à parede úmida, com a geleia de mocotó ao lado. Cassandra olhou para esse resto de pessoa e sentiu raiva. Que tipo de justiça era essa, que sentenciava uma boa mulher a uma vida inteira de miséria por causa de um crime cometido pelo marido?

De repente, um alvoroço. Uma silhueta quadrada, sólida, apareceu na soleira. Um cavalheiro — ou um homem, pelo menos — entrou.

— Madame. — Cumprimentou-a com não mais que um leve meneio de cabeça e atravessou o cômodo com passo firme e determinado. Chegou junto dela. A meia-luz, ela não conseguia ver seu rosto muito bem e começou a ficar apreensiva.

Mas então ele se ajoelhou ao lado da Sra. Winterbourne.

— Então, minha querida. — O forte sotaque era de Berkshire. Colocou no chão o que parecia ser uma sacola de remédios e segurou a mão da mulher com ternura. — Como estamos? Não levantou-se ainda esta manhã?

Seria esse o médico sobre quem Isabella havia falado, o que cuidara de Fulwar tão bem até a morte? Normalmente Cassandra puxaria algum assunto: encenaria aquele ritual social de trocas que todos fazemos quando conhecemos alguém, esperando impor alguma ordem neste vasto e difícil mundo.

— Vamos ver se consegue comer um pouquinho desta geleia gostosa.

Mas uma eventual conversa não parecia adequada. O médico não estava interessado em Cassandra; não havia se apresentado: sua cortesia fora apenas rudimentar. No entanto, ela não pôde deixar de perceber a maneira como tratava a paciente, claramente exemplar. Tentava, agora, alimentá-la, enquanto ela virava a cabeça para a parede.

— Que mal a aflige? — perguntou Cassandra baixinho.

— Que mal a aflige? — O médico agachou-se e olhou em volta. — Nada que eu possa curar, infelizmente, mas quem dera eu pudesse. Pobreza. Azar. Um sistema que trata gente como ela injustamente. — Sorriu, de modo arrependido. — Me perdoe, senhora, se eu tiver sido muito político — e, em seguida, deu de ombros. — Mas a senhora perguntou.

— Sim. Embora eu já soubesse a resposta — disse Cassandra. — Nossas opiniões não são divergentes. Obrigada por cuidar dela.

— Não vou abandoná-la.

Retomou seus cuidados. Cassandra observou por alguns minutos — impressionada com a dedicação do homem; comovida com sua bondade — e saiu em silêncio. Ela fez o caminho de volta, emergindo na rua sob o sol, bem em frente ao pub Plasterer's Arms. Não era aqui, na sala dos fundos, que Elizabeth Fowle tinha sua creche? Então, aí estava a oportunidade do dia de ser útil. Vinha mesmo com vontade de visitá-la.

Cruzou a rua e pegou o beco ao lado do pub. O pátio atrás estava tomado por barris velhos empilhados e caixotes quebrados, mas havia uma passagem. Pyramus, naturalmente, sabia por onde ir. Cassandra seguiu atrás dele, em direção ao barulho crescente de crianças em diferentes estágios de agitação extrema, e encontrou uma porta.

— Srta. Austen! — A irmã de Isabella, Elizabeth Fowle, ali estava de pé com uma criança apoiada em cada lado dos quadris. — Vejam, crianças, temos visita. — A única luz no cômodo cheio e mal iluminado parecia vir do seu brilho. — Agora — alisou algumas cabeças e secou algumas lágrimas — temos que lembrar os modos. O que a gente diz quando pessoas tão generosas vêm nos visitar? — Aos olhos de Cassandra, ela parecia uma santa feita em vitral: radiante, abençoada, redimida.

Uma menininha deu um passo à frente e tentou fazer uma reverência; um bebê foi posto nos braços de Cassandra e a observava com interesse. Pyramus deitou-se, aceitando agora sua condição de joguete, e algumas crianças mais velhas foram brincar com ele. O restante — quantas haveria aqui? Cassandra contou pelo menos dez — seguia com suas tarefas.

— Elizabeth, minha querida. — Cassandra deu um passo à frente, e as duas se beijaram. — Então é aqui que você se esconde.

— Sim. E que prazer mostrar o espaço para você. Sinto não estar nunca em casa ultimamente. Meus dias são tão movimentados por aqui que nunca tenho tempo.

Elizabeth pegou uma cadeira para Cassandra e pediu que uma ajudante fizesse um chá para elas.

— Meus pupilos chegam às cinco da manhã, veja só. É nesse horário que as mães têm que ir para o trabalho na marmoraria ou no moinho e todas trabalham durante muitas horas. — Pegou um biscoito duro e o colocou na mão de um pequenino. — Depois que as crianças vão embora, não tenho mais energia para nada, a não ser ir para a cama. — Apontou para uma escada que levava a um sótão. — Antes do amanhecer, começa tudo de novo! — O rigor da rotina parecia encantá-la.

Cassandra ouvia. Não pôde deixar de ficar impressionada e, por isso, viu-se forçada a rever uma velha opinião — processo que ela nunca apreciou muito. Mas que se dê a César o que é de César, e essa filha, anteriormente tímida e de poucas palavras da casa paroquial, teve o mérito de ter sido responsável por sua própria transformação.

— Venha cá. — Elizabeth pegou um bebê que chorava.

Não eram seus filhos, e o cômodo era feio e caótico, mas, para Cassandra, Elizabeth parecia simplesmente ser uma boa mãe na sua própria creche: tinha a mesma paciência e devoção e o dom infinito da compaixão maternal.

— Pronto, pronto, meu tesouro.

De alguma forma, o que era louvável, Elizabeth achara a solução para o seu problema. Usara sua própria solteirice como oportunidade, colocando-a a serviço do público. A recompensa eram longos dias cheios de propósito — e até mesmo amor, aparentemente. Aqui estava a prova viva da lição que Cassandra queria ensinar a Isabella: finais felizes estão à nossa disposição, em algum lugar, trançados no tecido da vida. Temos apenas que buscar o detalhe, seguir o padrão, para encontrar aquilo que será o nosso final feliz.

O pensamento trouxe-lhe à lembrança a razão de ter vindo.

— Gostaria muito de conversar com você sobre Isabella e seu futuro, se tiver um tempinho.

— Ah, claro — respondeu Elizabeth, colocando fraldas limpas sobre a mesa. — A grande conversa sobre Isabella e seu futuro que nunca parece chegar ao fim. Não posso interromper o que estou fazendo, mas posso emprestar pelo menos um dos meus ouvidos. — Começou a tirar a roupa de um bebê.

Cassandra surpreendeu-se com o tom.

— Então é algo que a família já vem discutindo?

— Tento me manter longe disso. — Elizabeth sorriu, segurando um alfinete de segurança. — O grande prazer deste meu imenso estabelecimento — fez um gesto englobando a creche — é ser um refúgio da política da família Fowle. E, de fato, houve um tempo em que pouco se falava de outra coisa.

— O que... mesmo antes de o assunto tornar-se tão urgente? Mas... não entendo... por que em um assunto tão prático haveria tanto a dizer?

Elizabeth olhou para ela.

— Acho que já deixei claro: não gosto de me envolver e nunca vou me envolver. Tudo que vou lhe dizer — voltou às fraldas e ao bumbum pelado — é que houve e, de fato, ainda há alguns personagens na minha família famosos por serem bastante persuasivos. E minha irmã, de quem gosto muito, tem o defeito de se convencer muito facilmente. Além disso — pôs-se de pé, ereta, aninhando o bebê no pescoço —, não me meto.

Perplexa, Cassandra tentou compreender essa declaração ao estilo da esfinge, mas não se dava bem com enigmas. Desistiu de uma vez e pensou em rever sua recente opinião: pode-se admirar uma mulher que cuida de si, mas não se deve tolerar negligência na família.

Decidiu dizer o que já estava planejado. Pesava sobre ela e precisava descarregar:

— Bem, não posso ficar parada vendo Isabella sofrer com a insegurança de sua posição atual. Preciso...

— Por quê? — Elizabeth inclinou a cabeça para o lado, parecendo perplexa. — Por que isso seria uma preocupação para você?

Cassandra surpreendeu-se.

— Perdoe-me. Não me entenda mal. É uma pergunta genuína. Você precisa saber que não somos uma família que condenaria uma irmã ao asilo. Nosso pai nos deixou com recursos limitados. Isabella não pode esperar muito, mas não corre nenhum perigo. Suponho que seja melhor colocar desta forma: por que está tão preocupada?

Tratava-se de uma pergunta razoável, de fato. Cassandra foi forçada a refletir sobre sua própria situação. Estaria sendo uma velha intrometida? Ah, que horror se fosse isso! Havia uma linha invisível entre ser útil e ser intrusa, e ela conhecia bem os perigos de cruzá-la. Fez uma pausa por um instante até que, satisfeita com suas descobertas, iniciou seu relato.

— Você, Elizabeth, é uma pessoa rara e, talvez, excepcionalmente afortunada em se sentir feliz com seu trabalho e indiferente à sua casa. Isabella, como vi imediatamente assim que cheguei aqui, é uma mulher para quem a estabilidade doméstica é um pré-requisito para que ela consiga funcionar. Parte seu coração deixar a casa paroquial; parte sua alma não saber o que vai ser dela.

Elizabeth baixou um bebê e pegou outro, deitando-o para trocar a fralda.

— Com relação a isso, ela me faz lembrar minha querida irmã — prosseguiu Cassandra. — Como você sabe, passamos muitos anos, com sua tia Martha também, claro, indo de um lado para o outro sem nunca parar em um lugar só. Ninguém gostava, mas esse tempo prejudicou Jane, em particular, e, talvez, profundamente. A lembrança me assombra até hoje. Às vezes, fico pensando que, se tivéssemos tido a oportunidade de fincar raízes em algum lugar mais cedo, provavelmente ela não teria... bem, provavelmente teríamos tido mais tempo com ela. O estresse, creio eu, teve seu preço. — Ela pausou um pouco a fala para se recompor. — Não pude ajudar Jane... tínhamos pouco dinheiro e nenhum poder... mas gostaria de ajudar Isabella. Sua felicidade está ao nosso alcance. Se você, minha querida, concordar em compartilhar uma casa, então ela poderá ficar aqui no vilarejo. Vejo que está completamente ocupada, mas, com certeza, ela irá encontrar algum trabalho. Ela tem seus alunos e seus trabalhos, já reparei. Então — concluiu ela, animada —, então tudo vai ficar bem.

— Farei isso, com prazer — disse Elizabeth, com um rastro de relutância. — *Se* isso for de fato o que minha irmã deseja. Mas não vou assumir a posição de impor esse arranjo a ela, assim como também não posso ajudar muito. Sou, como você diz, muito ocupada. Agora, se não se incomoda, está chegando a hora da comida das crianças e...

Imediatamente, Cassandra e Pyramus saíram pela porta.

~

O cachorro conduziu-a de volta à casa paroquial. Cassandra não sabia por qual caminho, não havia prestado atenção nos pontos de referência: havia muito sobre o que pensar, e muito com o que se inquietar. Gostaria de ter decifrado as mensagens enigmáticas sobre os desejos de Isabella, mas era tudo muito misterioso e, francamente, inacreditável. Jamais tinha escutado burburinhos sobre quaisquer dramas antes, e tinha certeza de que Eliza teria feito comentários sobre eles. Elizabeth Fowle, ela concluía, tinha um quê de mulher histérica — sem dúvida provocado por muita exposição à obra de Sir Walter Scott. O único fato a se ater era que havia concordado em morar com a irmã. Portanto, nesse ponto, Cassandra dava por concluído o trabalho.

O que deixava ativadas as lembranças inquietantes de sua própria irmã, primeiro pelas cartas e depois pelo assunto daquela conversa. O êxodo da casa paroquial, as incertezas adiante... Pela primeira vez, Cassandra dava-se conta do motivo de estar tão afetada pelo dilema das mulheres da família Fowle. O que estava acontecendo em Kintbury evocava o que havia acontecido em Steventon. Remeteu-a àqueles primeiros anos turbulentos do século.

Jane ficou chocada com a aposentadoria do pai e a mudança para Bath, mas pareceu reanimada em Sidmouth. No entanto, no inverno seguinte, murchou. O pai ainda estava vivo; ainda recebiam a pensão para se manter. Não havia sinal de privações financeiras que pudessem tomá-las de assalto em breve; não dependiam da boa vontade dos irmãos: ainda não estavam de chapéu na mão pedindo esmolas. Mas Jane não conseguia se tranquilizar e não encontrava consolo na vida social, nem tranquilidade em casa.

No verão seguinte, começou a mostrar sinais — até para Cassy, que observava por um prisma de absoluta empatia — de que se tornava a mais indesejável das criaturas: a mulher infeliz, que se recusava a fingir ser diferente.

CAPÍTULO XVI

Dawlish, 1802

Soara a última badalada do sino, e, numa igreja do vilarejo, o culto já estava adiantado quando entraram correndo e encontraram um banco no fundo.

— Sente-se, minha querida. — O Sr. Austen conduziu a esposa ao seu assento, mas a cortesia dele não foi suficiente para agradá-la.

— Isto é muito insatisfatório. — A Sra. Austen sentou-se, o rosto vermelho por causa do esforço e quase sem fôlego. — Não quero ninguém se acotovelando aqui.

Cassy e Jane tomaram seus lugares, pegaram o livro de salmos e cada uma rezou silenciosamente, pedindo que a mãe ficasse em silêncio durante o resto do culto.

— Também não consigo ouvir. O senhor consegue ouvi-lo, Sr. Austen? — Era sempre um milagre da ciência que um sussurro viajasse tão longe e tão claramente. — Esse homem é bom no que faz?

Um ano havia passado e a família, mais uma vez, escolhera passar o verão no litoral. A velha igreja, no entanto, ficava afastada e só podia ser acessada através de campos e jardins. Ninguém poderia esperar que a Sra. Austen estivesse disposta a fazer algum esforço naquela manhã — a distância era grande, e Deus poderia dispensá-la —, mas ela fazia questão.

Dawlish, descobriram, não era como Sidmouth, no que diz respeito à vida social. O ar fresco e a linda enseada certamente bastavam para atrair visitantes. Ambicionava ser um lugar elegante no litoral e não apenas uma vila de pescadores, mas as transformações ainda não estavam concluídas. Assim, embora pudesse se gabar de ter muitas cabines de banho na praia e médicos para aqueles que se preocupavam com suas indisposições, ainda era um lugar sem salões de baile ou outras diversões para entreter os que tinham saúde.

— Esperava ver alguns rostos novos. Só vejo chapéus.

Era somente a primeira semana ali, mas a Sra. Austen já se preocupava com as limitações da estância balneária. Isso, naturalmente, não se aplicava apenas a ela. Ficaria perfeitamente feliz em passar um verão sossegado na companhia do querido esposo, em busca de uma vida mais saudável. Mas, para as filhas, achava aquele um projeto deplorável. As moças precisavam conhecer gente nova — talvez (nunca perderia a esperança) até firmar alguma aliança mais profunda. Com uma oferta tão pequena por aqui, seria tolice deixar passar oportunidades sociais como o culto de domingo. E quando soube que o pároco era solteiro, bem: a caminhada de um quilômetro e meio, de repente, não parecia ser longa.

O homem solteiro começou o sermão da manhã.

A Sra. Austen debruçou-se.

— O que acham dele?

Cassy observou-o. Ela também gostaria muito que as férias lhe apresentassem a alguém interessante, mas teria que ser muito interessante para despertar Jane do seu marasmo. Seria este o homem? Não era fácil distingui-lo de um rosto comum subindo em um púlpito. Mas então ele ditou o seu ritmo.

E Jane virou-se para ela, revirando os olhos para o céu convencional dos anglicanos. Mais um evangelista! Será possível? Estão por toda parte. Fim de conversa. Cassy suspirou. Ele não servia.

No devido tempo, que passou lentamente, conseguiram se livrar daquela pregação condenatória e caminhar ao sol. Do lado de fora, no pátio da igreja, finalmente teriam a oportunidade de avaliar os fiéis. A Sra. Austen andava devagar, parando com frequência para apreciar os arredores, ávida por ver e ser vista pelo maior número de pessoas possível. Cassy e Jane adiantaram o passo, fingindo paciência e se aquecendo, depois da umidade fria da igreja.

— Sra. Hobday! — A voz da mãe ressoou sobre a multidão. — Acho que está nos seguindo!

— Mamãe! — Cassy virou-se para trás. — *Por favor.*

Lá estava ele.

— Ai, meu Deus. Foi só uma piadinha minha. Por que as filhas têm que se assustar tanto toda vez que ousamos falar? Estou certa de que seu filho não age dessa forma, Sra. Hobday. — A Sra. Austen olhou para o cavalheiro diante dela. — E este aqui é ele? Muito prazer, Sr. Hobday. Bem, acredito que *o vi* em Sidmouth, não? Achei que não tinha, mas me lembro claramente. Na Avenida Beira-Mar, com minha filha mais velha. — Estendeu a mão e segurou Cassy, empurrando-a para a frente com força. — Foi em um fim de tarde.

O Sr. Hobday fez uma reverência.

— Não poderia me esquecer.

— E gostaria de apresentar a minha filha mais nova — acrescentou a Sra. Austen, cobrindo todas as opções, a título de precaução, caso a diferença de idade de três anos viesse a ser uma questão, e todas as demais apresentações foram feitas. — Bem, que coincidência e, preciso dizer, muito feliz. Que prazer revê-la. Está muito bem este ano, Sra. Hobday. O inverno claramente lhe fez bem. Estiveram na *Europa*, Sr. Austen, imagine. Isso faz as nossas aventuras parecerem brincadeira. Embora estejamos, agora mesmo, considerando um plano de ida ao País de Gales. — A Sra. Austen fez uma pausa e, então, acrescentou. — Que também é bem longe.

— Obrigada. O ar alpino foi exatamente do que eu precisava. — A Sra. Hobday acariciou o braço do filho. — Meu querido menino, como sempre, acertou. Tenho tanta sorte de tê-lo como protetor. Sua avaliação sobre todos os assuntos nunca é menos do que impecável.

Agora foi a vez de o rapaz parecer totalmente constrangido. Cassy teria gostado menos dele se não tivesse ficado assim.

— Como chegou aqui esta manhã, Sra. Austen? Confesso que a ideia de uma caminhada desagradou-me, então pegamos uma carruagem. Mas Henry, tenho certeza, ficaria feliz em lhe ceder seu lugar na volta. Por que nós duas, senhoras mais velhas, não vamos confortavelmente, e o resto do grupo volta a pé?

O esquema claramente encantava a Sra. Austen em vários aspectos: o conforto da viagem, o tempo sozinha com a senhora agradável e bem-educada de quem ela estava determinada a se tornar amiga, e, naturalmente, a oportunidade de este gentil cavalheiro aproximar-se das duas moças. Ela olhou uma e outra, e, enquanto isso, Cassy lia seus pensamentos: a escolha poderia ser dele, de acordo com sua preferência. Era indiferente a qualquer uma das opções.

~

— E o que achou do culto esta manhã, senhor? — perguntou o Sr. Hobday para o Sr. Austen.

— Achei que o jovem foi muito bem. — O Sr. Austen sacudiu a bengala quando se pôs a caminhar. Deixaram a multidão para trás e saíram andando para o campo. — Não deve ser fácil ter uma paróquia com congregação tão flutuante. Cheia hoje, mas, sem dúvida, no inverno com pouco mais que um homem e um cachorro.

— Então isso talvez explique seu histrionismo no púlpito. — Jane observou com certo desdém. — Ele pode estar alimentando a própria fama para atrair mais fiéis.

— Então, minha querida — advertiu o pai. — Ele tem o direito de pregar da maneira que desejar, e não temos razão para duvidar do seu fervor.

— Meu pai está sendo educado — disse Jane ao Sr. Hobday. — O sermão não foi no nosso estilo preferido.

— Jane! — exclamou Cassy, colocando a mão no ombro da irmã, sinalizando moderação. — Não sabemos dos sentimentos do Sr. Hobday sobre o assunto. — Baixou a voz. — Não queremos ofender. — Em seguida, voltou-se para o Sr. Hobday: — Senhor, peço desculpas por minha irmã. — Era a primeira vez que se dirigia adequadamente a ele, e justo para pedir desculpas pela irmã! Lamentável. — Em geral, ela não é tão franca.

O Sr. Austen explodiu em sonora gargalhada.

— Temo dizer que é, sim!

— Por favor, não se preocupem por minha causa. Não tenho medo de falas sinceras. O sermão também não foi do meu agrado, mas, quando se viaja, como nós fazemos ultimamente, não se pode ser muito seletivo. — O sorriso do Sr. Hobday era largo e natural. — Então, já que abraçamos o espírito de honestidade mútua, o que acham de Dawlish?

— Muito agradável — respondeu Cassy gentilmente.

— Como estância balneária, deixa a desejar — acrescentou Jane.

— Com certeza — exclamou o Sr. Hobday. — Tentei visitar a biblioteca ontem, na nossa primeira tarde. Lamentável. Se eu não estivesse habituado a viajar com um bom estoque de livros, não sei o que seria de mim.

Cassy sorriu esperançosa, pois aqui estava a oportunidade perfeita para um encontro de mentes brilhantes. A fúria da irmã diante das persistentes falhas da biblioteca havia sido uma constante desde que chegaram. Assim, esperou a manifestação dela de sua concordância inevitável e premente com ele, mas a espera foi em vão.

Finalmente, o pai preencheu o silêncio que se seguiu.

— Então eu o invejo, senhor. Tive que entregar minha própria biblioteca quando desistimos da Reitoria, no último ano, o que me causou grande dor. Renunciar aos nossos livros, bem: é renunciar a parte da nossa alma.

— E, sem eles, ficamos reduzidos a nada mais que mendigos — suspirou Jane de maneira teatral.

— Jane! — Cassy advertiu-a uma vez mais.

Mas o Sr. Hobday parecia estar se divertindo.

— Não existem muitos mendigos que tenham a sorte de alugar uma casa de veraneio em Dawlish.

— Ah, não vamos ficar durante todo o verão aqui — retrucou Jane. — Meu irmão chegará em breve...

— Capitão Charles Austen, da Marinha Real, chegará a bordo do *Endymion* — disse o pai orgulhoso. — Faz alguns anos que está no mar, afugentando Napoleão. — Como se a guerra fosse um duelo entre dois homens. — A bênção desta paz chegou na hora certa. Ele já está a caminho.

— ... e me atrevo a dizer, papai, que ele não vai aguentar Dawlish por muito tempo. É um homem do mundo agora, acostumado a todas as formas de emoção. Um lugar como este, na companhia de ninguém a não ser a *família*, jamais seria o bastante para uma personalidade forte como a *dele*.

Cassy segurou o braço de Jane, empurrou-a para a frente, e todos caminharam em silêncio pelos campos em direção ao mar e a suas hospedarias.

Uma vez em casa, Jane imediatamente sentou-se para escrever com ar de grande satisfação. Ela havia repelido o Sr. Hobday com a maior eficiência. Poderia retornar ao seu mundo inventado.

~

— Pensei bastante e concluí que faço gosto desse seu Sr. Hobday. — Jane falava olhando para o espelho enquanto Cassy escovava o cabelo dela naquela noite.

— Bom, você com certeza achou um jeito muito interessante de demonstrar isso — caçoou Cassy.

— Ah, Cass. — Jane apertou os lábios. — Fui muito mal-educada? — Falava como se estivesse dando alguma importância.

— Sim! Você foi medonha! — Cassy puxou seus cachos de brincadeira.

— Mal-educada como fui com o Sr. Blackall?

— Não — admitiu Cassy, rindo. — Ninguém jamais, na história das relações sociais entre dois sexos, conseguiu ser mais grosseira do que você foi como Sr. Blackall. Você fixou um padrão imbatível para todas as mulheres.

— Hmmm. Então qual é a sua avaliação desta manhã? — Jane levantou o polegar e o dedo indicador, como se estivesse medindo — Digamos, metade de um Blackall?

— Não chega bem à metade de um Blackall, talvez mais para um terço. Mas, se nossa mãe tivesse visto...

Cassy não conseguia ficar com raiva por muito tempo. Os dias aqui seguiam o mesmo padrão. Jane tinha apenas dois humores: amuado e calado, ou instável e travesso. Nenhum deles era fácil para a família, e apenas Cassy aguentava. A Sra. Austen chegava quase ao desespero. Mas não percebia o que Cassy havia compreendido. Aqueles maus humores persistiam apenas até o momento em que Jane se via livre para pegar sua pena. Depois de uma ou duas horas sozinha com seus pensamentos e sua escrita, voltava — como que purificada — a algo semelhante à calma. E à noite, quando apenas as duas estavam no quarto, Jane sentia-se a pessoa mais feliz.

Cassy entregou a touca a Jane.

— Enfim, não sei por que você se refere a ele como *meu* Sr. Hobday. Ele não é nada disso. Sério... — ela foi para o lado da cama e ajoelhou-se — eu acharia melhor — cobriu o rosto com as mãos — ele ficar com você.

Jane subiu na cama de uma vez, atropelando as orações de Cassy.

— Eu lhe garanto que ele é totalmente o seu Sr. Hobday. Isso ficou claro pela forma como olhava para você hoje de manhã. Não me diga que não sentiu a admiração. — Afofou o travesseiro. — Então, pensando bem, eu não deveria ter sido tão hostil. Deve ter sido apenas por força do hábito.

Cassy puxou a coberta e deitou-se junto de Jane.

— Eu não devia ter agido daquela forma. — Jane virou-se, colocou um braço em volta da irmã e beijou-lhe o rosto. — Foi imperdoável, e tenho fé que você vai perdoar imediatamente. De qualquer forma, duvido que tenha causado algum efeito sobre o seu Sr. Hobday, de uma forma ou de outra. Que diferença pode fazer uma irmã ruim no contexto? Ele não me pareceu um amante que poderia ser desestimulado por...

— Amante! — Cassy recuou horrorizada. — Como assim, *amante*? Jane, você está entendendo tudo errado. Ele me ignorou o tempo todo. Sua corte, se é assim que você chama, dirige-se a todos, *exceto* a mim, primeiro a Anna, depois ao papai, e hoje, penso eu, a você.

— Exatamente! Aí está a prova do ardor inequívoco. Tenho certeza de que vi faíscas saindo dele. Acho que alguém pegou o meu lugar. Por causa de você e seu charme, posso ter virado fumaça. Ah, Cass, você consegue ser tão lenta. Por que acha que ele foi parar em Dawlish?

— Bem, não posso dizer que conheço bem o Sr. Hobday para poder responder, mas posso apenas presumir que não seja mais do que mera coincidência. Não há muitos lugares na costa sul...

— E nem muitos cavalheiros do calibre do Sr. Hobday. — Jane soprou a vela e acomodou-se. — Ele está aqui em busca de encantar a Srta. Austen. Você o tem sob seu poder.

Cassy riu.

— Como você pode ser tão boba? Não sei que poderes eu tenho.

— Ah, mas tem, minha querida. E não ter consciência deles faz você ainda mais poderosa. Nosso Sr. Hobday, coitado, rendeu-se.

— Então, sinto muito — respondeu Cassy com firmeza. — Você, mais do que ninguém, sabe que perdi o único homem com quem poderia me casar. Não tenho interesse algum nele ou em qualquer outro cavalheiro, por ora.

— É assim? — Jane virou-se e acomodou o queixo no ombro da irmã. — Pobre e bela Srta. Austen, condenada a viver uma vida triste, sem nada para fazer, a não ser cuidar dos outros e controlar o temperamento de sua irmã difícil. — Encolheu os joelhos, preparando-se para dormir, bocejou e, em seguida, murmurou: — Esperemos para ver.

CAPÍTULO XVII

Dawlish, julho de 1802

Cassy tinha esperança de que a saúde da mãe se fragilizasse de novo, para que pudesse ficar em casa e cuidar dela em abençoada obscuridade. Mas, na manhã seguinte, para sua decepção profunda, a Sra. Austen desceu à sala e declarou estar bem.

— Que dia bonito faz hoje! E tenho o prazer de anunciar que passei uma boa noite e acordei me sentindo excepcionalmente forte. Agora, Cassy, enquanto seu pai e Jane estão passeando, penso que poderíamos caminhar juntas, concorda?

Cassy sabia que sua concordância seria mera formalidade e pegou os chapéus.

— Maravilha — disse sua mãe, passando pela porta. — A maré ainda está baixa, e podemos ir pela praia. Pena Dawlish não ter uma Avenida Beira-Mar. — Apertou o braço de Cassy. — Vamos ter que aproveitar cada oportunidade para caminhar e conversar. Não podemos desperdiçar a chance.

O dia estava deslumbrante, sol brilhante, ar límpido e variados matizes de azul. Cassy admirava tudo aquilo e pedia paz.

— Condições perfeitas para um banho de mar. Talvez um bom mergulho fizesse bem ao humor de sua irmã. Não se pode perder a esperança, não se pode perder a esperança. Aquela menina é arisca e me preocupa muito. Seu pai me contou sobre a conduta dela com o nosso simpático Sr. Hobday, e preciso lhe dizer que fiquei bastante descontente. Naturalmente, seu pai achou engraçado, e isso me irritou ainda mais. Sua excessiva tolerância não alivia em nada as coisas, e já disse isso a ele muitas vezes. Só não entendo a razão de ela fazer questão de parecer tão desagradável. — Fez uma pausa para tomar fôlego e cumprimentar alguns vizinhos que passavam. — Preste atenção, tenho uma teoria sobre o Sr. Hobday. — A voz da Sra. Austen não baixou, simplesmente se transformou no costumeiro sussurro audível. — E a teoria é que foi *você*, minha querida, que atraiu o olhar dele.

Constrangida, Cassy baixou os olhos quando retomaram a caminhada.

— A mãe dele me disse algo interessante quando voltávamos da igr... *Sr. Hobday!* — A Sra. Austen parou. — Que prazer nos encontrarmos novamente. Não me ocorreu, ao sair nesta linda manhã, que teríamos essa sorte. A coincidência é bastante surpreendente. Diga-me, o que o traz aqui hoje?

— Mamãe. — Cassy, fazendo uma mesura, foi compelida a minimizar a histeria da mãe. — O Sr. Hobday está hospedado aqui no vilarejo. Não pode ser mera obra do acaso. A maior parte das pessoas em Dawlish está aproveitando o clima.

— Eu lhe imploro, madame — e fez uma reverência —, não me furte de semelhante efusão. Não estou acostumado a isso, mas devo confessar que acho muito agradável.

A Sra. Austen deu uma risadinha.

— Isso. Minha filha chamando minha atenção outra vez, sem razão nenhuma. Tenha certeza, Sr. Hobday, que sempre terá recepção calorosa de minha parte. Aonde vai? Estamos simplesmente caminhando sem rumo. Talvez queira nos acompanhar por alguns instantes?

— *Mamãe.*

— Que prazer. Também estou somente arejando e apreciando a vista, enquanto minha mãe toma um banho de mar. — Fez a volta e começou a caminhar ao lado delas.

— Perdoe-me por invadir sua privacidade, Sr. Hobday, é o meu jeito, com certeza irá se acostumar. Todos se acostumam. Estou muito velha para mudar, mas preciso dizer que o senhor é um filho exemplar para sua querida mãe.

— Nunca me ocorreu ser diferente.

— No entanto, nem todos os homens jovens podem se gabar de semelhante senso de dever. É um prazer testemunhar essa devoção filial. O senhor se parece muito com esta minha filha aqui. — Deu um tapinha em Cassy com ternura. — Ela também tem as mais notáveis qualidades.

— Mãe, acho que a senhora está ficando cansada — interrompeu Cassy rapidamente. — Talvez deva descansar um pouco neste banco. — Acomodou a Sra. Austen. — Senhor, por gentileza, não se sinta obrigado a esperar. Nossa evolução é um pouco errática, não é, mamãe? Ah!

— A senhorita tinha razão. — Ele sorriu. — Sua mãe devia estar cansada. Adormeceu imediatamente. — Sentou-se ao seu lado. — Por gentileza, permita-me esperar aqui até que ela se recupere. Não gostaria que ficasse sozinha.

— Quanta gentileza, mas, de verdade, não preciso de companhia.

— Então, deixe-me simplesmente ceder ao meu próprio prazer. — Trouxe a bengala para mais perto e ficou examinando-a.

Cassy sentou-se em silêncio e fingiu calma e recato exterior, contradizendo o atroz tormento interior. Uma brisa fina e leve de verão era a única coisa que os separava. Brincava em sua pele. Ah! Tudo que ele precisava fazer era estender a mão, e seus sentidos se acenderiam, como se acenderam da primeira vez que o viu. Tremeu ante a lembrança: aquele clarão arrebatador, escaldante... Era demasiado para suportar. Sua vida estava resolvida, decisões tinham sido tomadas; sua promessa fora feita e mesmo assim o perigo espreitava. Havia se guiado a um lugar de tranquilidade e acreditava estar estabelecida. Por que sua decisão deveria estar sob um ataque tão pesado?

Estava determinada a dar um gelo nele. Poderia falar sobre o que quisesse — reflexões sobre o pitoresco e a paz com os franceses; o amor incompreensível pelos fósseis —, mas que não esperasse sucesso. Teria que tirar leite de pedra.

— Posso perguntar sobre a saúde de sua sobrinha, a querida Anna? Penso nela com frequência e naquela manhã agradável que passamos na praia.

Isso não era o que ela esperava. Em sua perplexidade, Cassy amansou.

— Obrigada por se lembrar dela, senhor. Está bem, acho eu.

— E feliz, espero? Havia um certo quê de melancolia, ou, talvez, insegurança, inquietante de se observar em uma criança daquela idade.

— Ela perdeu a mãe quando ainda era pequenina e tem medo dessa lembrança. Mas estou surpresa que um estranho tenha percebido.

— Ah. A perda dos pais é um fardo muito pesado para se carregar — ele suspirou —, em especial para alguém tão jovem.

— A Sra. Hobday contou no ano passado sobre o seu luto, pelo qual sinto muito.

— Obrigado, senhorita. Meu pai era um homem admirável, e sentimos muito sua ausência. Minha mãe sofreu muito, e isso explica nossa existência peripatética. Ela sofria muito em ficar em casa. Mas acho, e rezo para que seja verdade, que, com sua força agora recuperada, possamos voltar para a nossa propriedade no outono.

Cassy sentiu a mãe se contorcer quando aquela pequena mas poderosa palavra invadiu e perfurou o recôndito de sua mente.

— Por mim, acredito que nossa temporada está de bom tamanho. Não apenas porque quero assumir meu patrimônio, mas especialmente porque a atração por Derbyshire é muito grande para resistir.

— Derbyshire! — exclamou Cassy.

— *Derbyshire*? — No seu entusiasmo, a Sra. Austen esqueceu que estava dormindo.

— Então, conhecem? — O Sr. Hobday parecia contente.

— Ai de mim, não. — Cassy sentiu-se uma tola. — É que minha irmã tem na imaginação que é o lugar mais próximo da perfeição.

— Então sua irmã é uma dama de grande intuição. É território de Deus. Acredito nisso honestamente.

A Sra. Austen esforçou-se para se pôr de pé.

— E gostaríamos muito de ouvir tudo sobre a região, não é mesmo, Cassy? Vamos. De volta à caminhada.

Ambos se levantaram, obedientes.

— O senhor pode descrever tudo para nós, nos mínimos detalhes. Somos gente do campo, Sr. Hobday, com ótimo senso do que é a terra. Minha filha aqui sabe lidar com galinhas, embora, santo Deus! Que bobagem, eu suponho que tenha gente para isso, não? Bem, é claro. Uma propriedade, ouvi o senhor dizer. Quantos acres?

A maré havia virado. A fina faixa de areia — tão larga e firme durante a ida deles — ainda resistia desesperadamente, como se fosse capaz de determinar seu futuro. Embora soubesse, por experiência própria, que o mar iria dominá-la com o tempo.

— Ah, como é *vasta* — disse a Sra. Austen. — E quanto de terra cultivada? E quanto de reserva natural?

A volta deles para o vilarejo deveria ser agilizada. Cassy preferiu não fazer contribuições para a conversa, mas ninguém percebeu. A Sra. Austen tinha muitas perguntas a fazer ao Sr. Hobday, e ele tinha muito prazer em responder.

∽

Com a alegria da chegada de Charles, a família isolou-se. Cada um deles preferia a companhia de um Austen à de qualquer outra pessoa. Reunidos, não precisavam de vida social. Eram uma festa completa. E, quando não podiam estar todos juntos, para as mulheres esse era o arranjo perfeito. Entre os irmãos, cada uma tinha o seu favorito, mas ambas idolatravam Charles.

A noite estava agradável, guardando a memória do calor do dia. Jane lia para todos, sentada junto à janela aberta. Uma brisa leve bamboleava e eriçava o cabelo em volta do rosto.

— Digo que o seu Thorpe é um patife. — Charles deu um salto e começou a andar pela pequena sala. Não conseguia ficar parado por muito tempo. — Se esse é o homem de Oxford, agradeço por não ter estudado lá. Duvido que tentasse chegar perto do meu barco: a gente botaria pra correr imediatamente.

Jane baixou suas páginas.

— Ele jamais iria ao seu barco ou a qualquer outro. O Sr. Thorpe não tem desejo nem interesse em fazer isso. Sabemos que nossos marinheiros são os melhores entre nossos homens.

— Exatamente — disse o Sr. Austen. — Como os franceses agora bem o sabem, para desgraça deles.

— É, mas minha irmã aqui continua a me insultar! — retorquiu Charles.

— Eu? — exclamou Jane. — Meu querido Charles, você certamente está brincando! O que foi que eu fiz?

— Não é óbvio? Você continua a escrever essas histórias cheias de rapazes maravilhosos de todo tipo, mas nunca ouvi qualquer referência a uma de suas heroínas ter sido abençoada com um elegante irmão marinheiro que ela admira e adora.

— Verdade. — Jane riu. Cassy levantou os olhos da costura e sorriu ao ver a irmã tão à vontade. Depois de uma leitura bem-sucedida de sua obra para a família, Jane brilhava como nunca. — Mas, se eu fizesse isso, estaria traindo meus próprios objetivos. Isso ficaria claro na narrativa. Você precisa ver que se uma jovem for tão afortunada por ter um elegante irmão marinheiro, não serve mais para nenhum outro herói que eu pudesse criar para ela. Pois como é que, com esse tipo de exemplo em seu próprio quintal, poderia ela se apaixonar em terra firme? Nenhum homem superaria o irmão.

— A-rá! — Charles deu um pulo e ajoelhou-se aos pés de Jane. — Então essa é a razão de eu voltar e ver que você ainda está solteira. Diga-me, confesse agora. — Ele segurou a mão da irmã. — É isso? Você se *desespera* a procurar um homem que possa competir comigo?

— Com certeza, eu me desespero a procurar um tão apto a fazer papel de bobo. — Jane afastou-o. — Mas, Charles, é Cassy que trai você. Ela tem um novo pretendente e se sente muito confiante para considerar um assunto tão sem graça quanto seu querido irmão marinheiro.

A Sra. Austen ajeitou-se na poltrona, dando uma risadinha.

Cassy soltou a agulha e levantou os olhos de novo, aterrorizada.

— Jane!

— Ah, me desculpe. Falei bobagem novamente. Ignore, Charles. Cassy não tem, afinal de contas, *nenhum* pretendente. E gostaria de frisar, em particular, que ela não tem nenhum pretendente que atende pelo nome de Hobday. Especificamente, Sr. Henry Hobday...

— ... que, por sinal, é muito gentil *e* herdeiro de uma propriedade em Derbyshire — acrescentou a mãe.

— Com certeza não. Ela não enfeitiçou nenhum cavalheiro que correspondesse a tal descrição. Nenhum homem.

Cassy, corada, ficou calada e ressentida. Gostava dessas brincadeiras em família quando não era o centro das atenções.

— Você está deixando sua irmã desconfortável, Jane — reprovou o Sr. Austen. — Preciso dizer que não vi qualquer evidência desse romance sobre o qual estão falando.

— Isso, papai, é porque é um segredo profundo. Tão profundo que só é conhecido por todo o povoado de Dawlish.

— E Sidmouth?

— Sim, você tem razão, mãe. Ouvir dizer que existem bolsões de Sidmouth onde não se fala de outra coisa.

— Ah, chega. Por favor — implorou Cassy. — Veja bem, Charles, que Jane continua sendo tão extravagante quanto era na sua última visita. Seu gosto pela ficção se alastrou das páginas para as nossas vidas. Lamento dizer que, ultimamente, ela deu para falar bobagens. Não podemos mais acreditar em uma só palavra que sai de sua boca.

Charles, embora estivesse se divertindo muito, sempre foi gentil. Sabia que estava na hora de mudar o rumo da prosa, e, com a maestria de um comandante, fez exatamente isso. Alegrou-os todos com histórias do seu navio e descrição de lugares distantes.

E o sol se pôs sobre uma sala que era pura alegria em família. Cassy, agora recuperada e calma, olhou em volta com afeto. O pai fazia perguntas eruditas e se deleitava com os detalhes nas respostas do filho. A mãe balançava na cadeira e sorria embalada por seus pensamentos. Cassy esperava que não se desviassem para o distrito de Derbyshire, embora receasse que isso pudesse acontecer. E Jane? Jane parecia mais feliz e mais viva que nunca. Aqui, nesta sala, havia tudo de que a irmã precisava: boa conversa em que não sentia qualquer tipo de inibição; tempo e espaço para escrever, com uma plateia inteligente para escutá-la; a família ao redor, com quem podia ser ela mesma. Sua felicidade ou, pelo menos, seu equilíbrio dependia dessas condições. Seria muito para uma mulher solteira pedir? Somente essas pequeninas coisas. Nada mais.

~

Não levou muito tempo para Charles sentir-se enfadado em Dawlish. Como Jane previra, esse vilarejo tranquilo não oferecia distrações suficientes para entreter seu irmão. Era um jovem com muita energia, que estivera no mar e tinha poucas esperanças de que essa paz fosse durar. Sentia falta de um verão com vida social: gente elegante; sem dúvida também damas elegantes da mesma idade que ele e oportunidades de encontros frequentes nos quais pudesse conhecer algumas. Com isso em mente, os Austen concordaram em se transferir para Teignmouth imediatamente.

Essa perspectiva trouxe grande alívio a Cassy. Naturalmente, não tinha desejo de estar entre gente elegante, nem achava este lugar demasiado calmo para o seu gosto — ao contrário. Para ela, o perigo espreitava ali, e havia ficado quase desesperada em seu desejo de fugir dele. Havia fingido dores de cabeça, evitado visitas, recolhera-se a quartos escuros e ignorara as súplicas da mãe pelo máximo de tempo que podia ser tolerado. Seu comportamento chamava atenção negativamente. De uma vez por todas, Jane foi deixada em paz para fazer o que quisesse. A Sra. Austen deslocou o foco de sua preocupação materna. Cassy, dentre todos, era agora o novo problema.

— E como está você hoje, minha filha? — Os olhos da mãe se apertavam enquanto ela espiava o outro lado da mesa. — Recuperada, por fim, espero.

— Obrigada, mamãe. Acho que estou melhor. — Cassy não se atrevia a dizer outra coisa e, na verdade, sentia-se muito mais calma. A sensação de ameaça estava diminuindo. Afinal, o que poderia acontecer? Iriam deixar Dawlish na manhã seguinte.

— Maravilha! — exclamou Charles. — Sugiro que nós três levemos nossas jovens pernas para um bom passeio, até os rochedos e pelo campo. O que acham?

— Nada me agradaria mais — respondeu Jane. — Tem sido tão triste, para mim, ter uma irmã enferma. Você não pode imaginar como sofri, Cass, abandonada. Vamos fazer um piquenique e podemos comemorar seu retorno.

O assunto foi decidido sem a concordância de Cassy, mas logo ela estava envolvida no alvoroço dos preparativos. Não podia confiar na memória de nenhum dos irmãos para saber o que era necessário levar e, é claro, assumiu a frente. Planejar um bom piquenique era uma arte. E um de seus talentos.

Saíram. Era a primeira vez que estava ao ar livre em uma semana, e a sensação era de prazer. Sim, o sol estava atrás das nuvens, e o vento, um pouco fresco, mas não eram essas as perfeitas condições para se caminhar? E não conseguia imaginar melhores companheiros que a irmã e o irmão. Pegaram o caminho da orla, dobraram a rua, seguiram pelo riacho até o vilarejo, e, naquele momento, a alegria de Cassy estava totalmente recuperada. Ria e estava feliz — qualquer observador presumiria, despreocupada — enquanto os outros paravam e olhavam em volta. Como se estivessem esperando.

— O que foi? — perguntou ela. — Garanto que não precisamos de mais nada para o piquenique. Temos tudo que poderíamos desejar.

— Lá vem ele! — Charles levantou a mão e a voz. — Hobday, meu bom amigo. Aqui estamos. Feliz por você ter vindo. Que dia bonito temos para o nosso passeio.

— Bom dia a todos. — O Sr. Hobday levantou o chapéu. — Eu também fico igualmente feliz por ter sido convidado. Senhoritas. Srta. Austen, meu prazer especial. Não a tenho visto ultimamente. Espero que esteja bem.

— Obrigada, senhor. — gaguejou Cassy. Seu cumprimento não saiu como deveria. Não estava controlando direito seus membros.

— Excelente! — Charles exclamou com grande satisfação, como se tudo no mundo estivesse bem. — Vamos passear. Ouvi dizer que, se usarmos este riacho como guia, um esplendor pitoresco nos aguarda. Diga-me, Hobday, qual é a sua opinião sobre o pitoresco? Não tenho certeza se captei bem isso.

Os homens andavam juntos na frente e Cassy ficou para trás. Não queria ouvir as opiniões do Sr. Hobday sobre aquele ou qualquer outro assunto, por medo de que pudessem obter sua aprovação. Uma manhã de opiniões concordantes se provaria ineficaz. Melhor seria viver na ignorância e esperar que ele fosse burro e equivocado.

— Você está muito chateada? — Jane, caminhando ao seu lado, pôs a mão em seu braço.

— Sim, Jane. Muito.

— Foi tudo ideia de Charles.

— E você não sabia de nada?

— Não — respondeu Jane, tentando parecer séria, mas contente demais para conseguir disfarçar. — Sabia de tudo e não vi mal algum. Enquanto você não estava bem, seja lá o que a *tenha* adoecido, os dois ficaram amigos. Charles parece gostar muito dele.

Mais uma conquista, Cassy pensou irritada. Por que ele não conseguia passar despercebido?

— De fato, ninguém consegue encontrar nada errado com o seu Sr. Hobday. Parece que é o modelo da perfeição masculina. O universo conspirou a seu favor. Chega a dar raiva. — Jane suspirou. — Você sabe que, na condição de mulher de muitos defeitos, detesto observar a impecabilidade nos outros. O que se pode fazer com essas pessoas, se não podem melhorar ou se modificar?

Cassy riu.

— Aos meus olhos, você é impecável.

— Não, não acho. Mas você me enxerga melhor do que qualquer outra pessoa enxergaria. — Fazia-se a paz entre elas. — Minha querida Cass, você é que é impecável, ou o mais próximo disso que consigo tolerar. Merece algo melhor do que esse nosso futuro miserável. Essa negação de si mesma é um absurdo completo.

— Jane! Por que precisa fazer tanto drama do nada? Nosso futuro não é *miserável*. Temos pais, pelo menos por ora, se Deus permitir. Temos cinco irmãos que nunca nos abandonariam. Mais importante que tudo, temos uma à outra, ou pelo menos até você encontrar alguém que valha a pena. E, mesmo assim, não morrerei de fome.

— Não morrer de fome! É essa a sua ambição? "Aqui jaz Cassandra Austen. *Ela não morreu de fome.*" — O tom de zombaria de Jane, de repente, tornou-se grave. — Não tenho bola de cristal e não posso dizer ainda, exatamente, o que acontecerá conosco, mas uma coisa é certa: ficaremos pobres. Em pouco tempo, ficaremos velhas. Nos tornaremos pessoas dignas de pena ou, pior ainda!, de risos. Este vai ser o *meu* destino e, embora eu o tema, aceitei-o de bom grado. Mas não tem que ser o seu destino. Cass, quero tanto bem a você. Eu a amo acima de tudo. Mas não temos que viver como um só corpo. Somos duas mulheres diferentes. Eu imploro — parou e apertou a mão de Cassy —, se lhe for oferecido algum meio de escapar, *não recuse*.

— Como estão as coisas aí atrás? O dia não está lindo hoje?

Os cavalheiros interromperam a caminhada para que as damas pudessem alcançá-los.

— De fato! — gritou Jane. — Estamos gostando muito. Concorda, minha irmã? Acabamos de comemorar nossa sorte em estarmos cercados de tanta beleza neste dia especial. Somos abençoadas. Nossos corações exultam! Que excelente escolha virmos aqui. Que homens admiráveis vocês foram ao terem essa ideia. Nossa gratidão é imensa, para além do que as palavras podem expressar.

Essa forma de falar era tão distante do estilo de Jane que Charles explodiu em gargalhadas.

— O que me diz disso, Hobday? Na minha avaliação, carece de efusão, concorda?

O Sr. Hobday sorria.

— Muito fraco, na verdade. Deixou bastante a desejar como reação à nossa excelência. Começo a achar que sua irmã não se sente tão agradecida assim.

— Talvez você devesse recitar um soneto ou dois, Jane. Uma louvação a nós. Isso seria apropriado.

— Um reles soneto? Muito curto e muito fácil. Exijo um poema épico, Srta. Jane, longo e denso, ao estilo romântico. Se pudesse ser entregue no meu quarto em algum momento esta noite.

— Começarei a compor imediatamente. *Sobre Dawlish*, assim será o título.

— Lembre-se de incluir aquele moinho ali — acrescentou Charles. — Sinto-me poético quando o vejo. Um tipo de... retorno no tempo... ou algo assim.

As irmãs explodiram em gargalhadas.

— Charles, você é impagável.

— Bem, e o que acham daquele homem no campo, arando a terra? Fazendo coisas que acabam com as costas, digo.

— Ah, Austen — alertou o Sr. Hobday —, você não está apreciando corretamente a relação entre o camponês e a poeta. Penso que, qualquer que seja sua dor ou sofrimento, se os filhos estão mortos ou o estômago está roncando de fome, a poesia pode registrar apenas sua felicidade impassível.

— Está vendo? — gritou Jane. — O Sr. Hobday compreende perfeitamente o ofício da poeta. Penso que, no meu poema épico, não irei me deter nas pessoas. Sempre me parecem muito complicadas e ridículas. Terminaria enredada em seus dramas, e isso interromperia meu fluxo criativo. Reparem — acrescentou, olhando para os lados —, estão vendo como aquele raio de luz cai sobre o rosto de minha irmã? Talvez valesse um verso ou dois.

— Ah, certamente uma estrofe inteira. — O Sr. Hobday sorriu para Cassy, e ela corou. Então Jane e Charles afastaram-se apressados.

E eles ficaram ali, sozinhos, na encosta. O mar brilhava embaixo. As nuvens da manhã haviam se dissipado e o sol parecia abençoá-los. Não havia mais ninguém por perto.

∽

— O que aconteceu? — Jane entrou correndo no quarto. — Conte-me tudo, já! Ele se declarou?

Cassy deitou-se na cama, disposta a acalmar o coração. O chapéu abandonado no chão; o cabelo sobre o rosto.

— Ele se declarou. — Ela se virou para o outro lado e chorou.

— E? Então? — Jane saltou da cama e agarrou os ombros da irmã. — A resposta? Qual foi sua resposta?

— Eu o desencorajei. — As palavras foram amortecidas pelo travesseiro.

— *Você o desencorajou?* — gritou Jane.

— Shh, Jane. Mamãe está lá embaixo. — Ah, coitada da pobre mãe! Não pode saber disso. — Sim. Foi o que fiz. Não gosto de ver vocês conspirando para me deixar tão desarmada assim. Mas, pronto. — Ela se sentou e enxugou o rosto com o lenço. — Está feito.

Jane levantou-se e começou a andar pelo quarto.

— Eu não... eu *não consigo* entender você. Que defeitos encontrou nele? O que mais poderia desejar? Um partido desses, na sua idade, é uma história quase além da ficção! — Olhou pela janela em silêncio por alguns instantes; depois voltou e segurou a irmã pelos braços. — Por favor, pelo menos tente explicar — implorou com delicadeza.

— Eu... Eu... — Lágrimas desceram novamente. — Não posso me casar com ele. É impossível. Jurei para Tom que não faria isso.

— Tom? — Jane estava genuinamente intrigada. — Mas Tom não tinha o menor conhecimento do seu Sr. Hobday.

— No nosso último dia em Kintbury, um pouco antes de ele partir. Fomos à igreja. — Cassy relutou. Nunca havia admitido isso. — Em frente ao altar. Ficamos ali de pé, diante de *Deus*, Jane. E jurei a ele, fielmente, que me casaria com ele ou jamais me casaria.

Jane afastou-se horrorizada.

— E Tom se atreveu a pedir isso de você?

— Não. Claro que não. Ele implorou que eu não me comprometesse. — Cassy assoou o nariz. — Mas comprometida, com certeza, estou. Não posso descumprir minha palavra. Serei punida novamente.

— Cassandra! Punida, sim. Punida *novamente*? Que asneira é essa do Velho Testamento? Que Deus cruel é esse de quem você fala? Preciso falar com papai.

— Nossos pais não podem saber disso, jamais! — insistiu Cassy. — Não me perdoarão. E seria inútil. Não mudarei de ideia.

As irmãs deitaram-se juntas, Jane abraçou Cassy enquanto ela chorava aos soluços e até se acalmar.

Depois, passada a tensão, não resistiu a perguntar:

— Por favor, Cass. Conte-me tudo que ele lhe disse. Como foi o pedido?

Cassy ajeitou-se e sorriu.

— Você não irá se surpreender em ouvir que o pedido foi *perfeito*. Ele me ama desde a primeira vez que me viu. Fez elogios à minha beleza, mas sem muitos detalhes. Falou mais da inteligência, da mente e do espírito e do meu... bem...

— Continue.

— ... caráter e, o que *ele* percebe, pelo menos, sua excelência. Que percebeu o dom de cuidar da vida daqueles ao meu redor. — Acenou com a mão, como se quisesse apagar o elogio. — Mas, como ele chegou a essa conclusão, não sei.

— Ele tem razão. Você faz isso, meu amor. E eis aqui um homem que tem a capacidade de observar. — Jane suspirou. — Como ele reagiu à sua recusa?

— Ah, *à perfeição*, claro. Ficou triste, mas foi respeitoso. Não tentou me persuadir. Mas pediu permissão para me escrever no futuro.

— E você concordou?

— Sim, embora agora eu lamente. No momento... Ah, Jane! Foi horrível... era o mínimo que eu podia fazer.

— Então ele ainda pode ter esperança. — O rosto de Jane iluminou-se. — Ele pode pedir novamente.

Ela se levantou, compôs-se e foi se juntar à família, para contar que as dores de cabeça haviam voltado, que tinha visto com seus próprios olhos o quanto Cassy sofria.

Seu relato deve ter sido aceito sem questionamentos. Cassy permaneceu no quarto, sozinha.

CAPÍTULO XVIII

Kintbury, abril de 1840

Era fim de tarde. Pyramus guiou-a pelo caminho através do cemitério até o pórtico da igreja e sentou-se como se aguardasse. Com a sensação de que havia sido levada até ali por alguma razão, Cassandra abriu a pesada porta de carvalho, entrou — e ficou maravilhada.

A casa de Deus, quando vazia, comportava-se de forma bem diferente das casas dos homens. Não era triste, não dependia das pessoas para manter sua personalidade e sua atmosfera: ao contrário. Livre dos fiéis e dos cultos, sustentava-se forte em seu esplendor, confiante de seus propósitos: fria, úmida e simples, e ao mesmo tempo rica em magnificência.

Cassandra andou pela nave, sozinha com seu Deus, e se sentou em um dos bancos, para ficar junto Dele por algum tempo. Estudou o altar sombrio em sua roupagem de Quaresma e voltou o pensamento para aquela noite de inverno, anos atrás, quando estava decorado para a Epifania. Ali ela havia se postado com Tom. O olhar da lembrança evocou aquela Cassy — magra e linda — jurando o que não precisaria ter jurado. Quanta precipitação — impulsividade, intempestividade — ao dar sorte para o azar; algo incomum para ela. Houve momentos — em Dawlish e depois disso — em que protestara junto a Deus por ter permitido semelhante juramento. Ele estava presente, como testemunha: não poderia ter entrado e detido seu ímpeto juvenil?

Mas agora, sentada ali, Cassandra teve a própria epifania. Refletindo, via que a promessa se tornara uma dádiva, pois havia lhe servido de álibi. Deu-lhe o poder de desencorajar o encantador Sr. Hobday. Levou-a, através de um caminho tortuoso, cruzando becos escuros e sem saída, até o seu eventual final feliz. Então seria possível dizer que aquele não foi o ato obstinado de uma jovem tola, mas o ponto central do esquema de toda a sua vida.

Cassandra levantou-se, saiu da igreja e caminhou lentamente para a casa da paróquia, pensando nos mistérios dos acontecimentos e suas consequências. A ambiguidade de tudo aquilo causou-lhe dor de cabeça. Sentiu-se fraca e exaurida, precisando sentar-se. Mas, quando chegaram ao portão, seu fiel amigo canino não a conduziu para dentro de casa, mas, em vez disso, tomou o caminho da ponte.

— Pyramus! — Não tinha forças para continuar andando. — Aqui, Pyramus! — Não poderia deixá-lo sozinho ali fora, desamparado. Sem dúvida ele conhecia o caminho, era dotado de sentidos mais apurados que a maioria dos humanos, mas, mesmo assim, era uma criatura muito preciosa para ser perdida. Respirou fundo e prosseguiu.

Depois da ponte havia a Avenida, uma rua comprida e reta, ladeada por castanheiras, que levava à Prefeitura. E ali, na metade do caminho, estava a pequena silhueta de Isabella, conversando com um homem alto, todo de preto. Pyramus deve ter ouvido a voz da dona. Enquanto se aproximavam, Cassandra detectou que poderia ser uma conversa delicada. Pyramus deve ter sentido sua angústia. Finalmente, chegou perto deles.

— Ah, Cassandra. — Isabella tremia, quase chorando. — Que bom ver você.

Basta de dramas em Kintbury! Cassandra não tinha mais energia.

— Deixe-me apresentá-la ao Sr. Dundas, que será o novo pároco de Kintbury, sucedendo meu pai. O Sr. Dundas acaba de me informar que gostaria que saíssemos da casa dentro de quinze dias.

— Dentro de quinze dias? — Cassandra repetiu. — Mas isso é pouquíssimo tempo. Dois meses, Sr. Dundas. A família que sai sempre tem dois meses. É um costume tão antigo quanto a própria Igreja.

— Quando se trata de uma *família inteira*, sim, acho adequado. Mas, nesse caso, não há uma família a se considerar. — O Sr. Dundas falava com a segurança de alguém muito consciente de seu charme sedutor. — Só existe a Srta. Fowle, portanto não antevejo dificuldade. Quero começar e fazer o melhor para a paróquia, senhorita...?

— Srta. Austen. — Cassandra aprendera a desconfiar dos sedutores. Muitas vezes, tinha visto os abusos resultantes da busca cruel da satisfação de suas vontades.

— Srta. Austen? — O Sr. Dundas fez uma reverência. — Talvez tenha algum parentesco com a *verdadeira* Srta. Austen, a grande romancista?

Ela assentiu.

— Ah, mas isso então *é* uma grande coincidência! Pois sou grande admirador dela.

Cassandra resolveu rever a opinião sobre o cavalheiro. Havia ali mais do que meros trejeitos.

— Permita-me, por favor, beijar a mão que já tocou nossa querida Jane. O mais próximo que chegarei à verdadeira e precisa essência.

Reconsiderou tudo imediatamente e devolveu a opinião com firmeza à posição original.

— A senhora não imagina meu desespero quando ela nos deixou tão cedo. Fiquei deprimido durante dias quando soube.

— Então posso apenas expressar meus sentimentos por sua perda tão particular — falou Cassandra com calma.

— Obrigado, muito gentil de sua parte. Li toda a obra dela. Bem, talvez a maior parte. Qual é mesmo o romance que tem o clérigo?

— Bem, é difícil dizer a qual você se refere. Ela gostava de inserir clérigos... Todos eles...

— *Mansfield House*! Sim, é esse. O meu favorito. Li e reli. A questão da sua irmã, e pouca gente percebe, é a sua compreensão tão profunda e quase única das pessoas e de um certo meio.

— É mesmo? — Cassandra começou a andar de volta para casa. O Sr. Dundas acertou o passo, para ficar ao seu lado. Isabella ficou para trás.

— E me parece que ela deve ter recebido excelente educação, que normalmente é privilégio dos homens ingleses. Talvez tenha tido sorte em ter um tutor e não apenas uma governanta? — Cassandra entendeu que isso era mais uma reflexão do que uma pergunta. — Também tenho a impressão, na verdade tenho certeza, que ela viajou muito e viu muita gente em uma grande quantidade de salas de estar, entre as pessoas mais distintas. *Posso* afirmar, definitivamente, que esteve em Bath uma vez, pois meu irmão teve a sorte de encontrá-la.

— Foi mesmo? — Cassandra lembrava-se claramente da ocasião. Havia ido ao Pump Room sozinha com os pais. Jane se recusou a sair naquele dia. O velho Sr. Dundas havia encontrado somente esta *outra* Srta. Austen. Como sempre, a pobre e frágil verdade sai de cena, para o triunfo das narrativas ficcionais.

— Ele contava que foi a criatura mais graciosa que já havia conhecido! Que bom saber. Ela se lembra, pensando bem, que estava de muito bom humor.

— Sua situação me interessa. Deve ser difícil, não deve? Sempre me vejo ponderando sobre a forma aleatória como as bênçãos se espalham dentro de cada família. Aí está sua irmã, uma mulher genial que, se houver justiça, deverá ser objeto de interesse de gerações futuras. E, ao lado, está a senhora, madame, que, pelos caprichos do destino... — Ele fez uma pausa e, pela primeira vez, demonstrou alguma indecisão.

— ... não sou objeto de interesse de ninguém? — ela concluiu o pensamento dele, ajudando-o. — Penso que vamos por aqui, não é mesmo, Srta. Fowle? Se estiver a caminho da sua igreja e da imensa importância da sua tarefa, Sr. Dundas, por favor, não queremos detê-lo.

Despediram-se, e ele saiu desfilando sua glória.

— Isabella — disse Cassandra com suavidade, quando se viram sozinhas —, você pretende atender a essa demanda ultrajante?

— Acho que não tenho escolha. — Isabella fungava enquanto caminhava. — Ele se sensibilizou em relação ao meu apuro, mas é natural que a paróquia venha em primeiro lugar. O Sr. Dundas é um homem impecável, em todos os sentidos. Foi muito elogioso à sua irmã, não foi?

— De fato. Fiquei muito lisonjeada. Mas, minha querida, você já encontrou um lugar para onde se mudar?

Haviam chegado à entrada da casa da paróquia.

— Não, nenhum. — Isabella suspirou e fungou novamente. — Ah, é minha culpa, devo dizer. Em geral, é. É o que minhas irmãs me diriam. Tenho estado feliz demais em deixar que os outros decidam tudo por mim. Sou uma criatura desgraçada, abjeta e desajeitada.

Foram recebidas na porta por Dinah, que estava parada, esperando para recolher as capas.

— Com certeza deve haver algum lugar adequado no vilarejo. — Cassandra soltou a tira do chapéu. — Você tem *algum* dinheiro, Isabella: o meio de prover algum tipo de teto para a sua cabeça. Minha querida, lembre-se disso. Nada está perdido.

Isabella soltou a capa.

— Sim, claro. Um lugar. Vou encontrar um lugar. — A pena de si mesma veio à tona enquanto ela admirava a entrada da casa. — Mas pode ser que eu nunca encontre um lar novamente. — Tirou o lenço do bolso, tocou levemente o nariz e se acalmou um pouco. — De fato, ontem, tive notícia de uma casa aqui no vilarejo. — O rosto se fechou novamente. — Não, não vai servir. Está além das minhas parcas possibilidades. Só poderia ficar com ela se minhas irmãs fossem morar comigo. Obrigada, Dinah. Isso é tudo.

Dinah ficou onde estava.

O coração de Cassandra ficou mais aliviado. Uma casa de três mulheres, e todas ligadas por fortes laços: esse seria o melhor arranjo, aquele que ela havia desejado desde sua chegada: a Santíssima Trindade da Perfeição Doméstica. E agora podia compartilhar sua diligência.

— Conversei com sua irmã Elizabeth esta tarde! — declarou com satisfação. — Ela está disposta a dividir a casa com você, se for de sua vontade.

Passaram à sala de estar. Dinah acompanhou-as.

— E tenho certeza de que Mary-Jane também pode ser convencida. Parece sentir-se insegura na casa onde mora.

Dinah saiu correndo, e Cassandra esperou que tivesse ido fazer um chá.

— Ah, como a invejo. Uma casa nova é sempre motivo de muita alegria, e essa será a primeira casa que poderá chamar de sua — continuou Cassandra. — Pense nisso, minha querida. Tantas mulheres terminam empoleiradas em algum cantinho da casa de parentes, tentando não incomodar. Você terá sua própria sala! E quem sabe até um jardim. Ficamos tão contentes com o nosso jardim em Chawton. Um canteiro só nosso. Para cuidar como quiser; um cantinho de glória numa cidadezinha do interior inglês: tínhamos tudo o que mais poderíamos desejar nesta vida.

Ela se alegrava diante do futuro que Isabella poderia almejar agora. Ao viverem sozinhas, pela primeira vez, essas mulheres descobririam os verdadeiros laços entre irmãs e aprenderiam que esse é, de fato, o mais feliz de todos os finais felizes. Afinal, homens não são requisito para se alcançar a felicidade.

Um forte barulho veio da despensa. Isabella levantou-se e correu. Cassandra continuou sentada por um tempo, ligeiramente curiosa para saber o que estava acontecendo. Dinah com certeza não era o tipo de criada que tornava a vida da família mais fácil, e a aparente devoção de Isabella era difícil de ser explicada. Mesmo assim, não havia motivo para se envolver no que acontecia nas áreas de serviço. Tinha assuntos mais importantes com que se preocupar.

Voltou ao seu quarto, pegou a valise e tirou dela o curioso bilhete de Jane. *Minha irmã está profundamente apaixonada!* Mais uma vez, as palavras saltaram da página e a afetaram profundamente. Em que Jane estaria pensando quando escreveu nesses termos? Cassandra se sentiu horrorizada de novo, mas rapidamente se acalmou. Isso deve ter sido escrito durante uma mudança de humor da irmã. Certamente não haveria mais ataques à sua privacidade.

Preparando-se psicologicamente, Cassandra pegou a carta seguinte na pilha.

Teignmouth
10 de julho de 1802

Minha querida Eliza,

Você me pediu que a informasse sobre o próximo capítulo da saga, e é com peso no coração que obedeço. Pois a notícia é que — apesar do entusiasmo e do otimismo inicial —, aparentemente, nos decepcionamos mais uma vez.

Apresso-me em lhe dizer que o cavalheiro em si não foi o agente dessa decepção — na verdade, ao contrário. Durante nossa estada, ele provou ser o homem bom que nós, que a amamos, desejaríamos para ela; no nosso último dia, ele se declarou, exatamente como esperávamos. Era quase bom demais para ser verdade. Mas Cassy não aceitou o pedido! A mera loucura do fato deixa-me desorientada.

Como você bem sabe, não sou defensora do casamento em si, mas defendo um bom partido, e este é o caso — teria sido um esplêndido caso. Imagine, Eliza! Foi oferecido à minha irmã um futuro confortável — riqueza, estabilidade, amor e respeito —, e ela optou por mais insegurança. Preciso dizer que isso foge à minha compreensão. Noiva enlutada, filha dedicada, tia cuidadosa — esses são os papéis que ela abraça. Objeto da estima do coração de um cavalheiro? <u>Isso</u> ela prefere rejeitar.

Sei que nós — meus pais e eu — somos um peso para ela, que teme que não possamos viver sem ela, e, embora isso seja verdade — assumo a culpa da dependência, assim como nossa mãe —, irei me esforçar para convencê-la de que podemos. Mas ela também fala de outra razão — se minha irmã tem um defeito, este é o de apetite desenfreado por se anular —, e, por isso, escrevo agora.

Parece que ela se sente comprometida com Tom — algo semelhante a Uma Promessa, embora eu suspeite que seja alguma coisa relacionada à herança que ele deixou para ela — e com a sua família. Somos agradecidos por terem continuado a tratá-la como membro da família, e pelo exemplar acolhimento, generosidade e inclusão que demonstraram para com ela nesses momentos difíceis. Mas estou certa de que você ficaria feliz em vê-la construindo uma vida nova, como todos nós. Se houver oportunidade, seria possível achar uma forma de oferecer a ela a absolvição da família Fowle?

Se nós duas fizermos a nossa parte, então estou certa de que ele só irá precisar de um pouco de estímulo para fazer um novo pedido. É homem de certo orgulho, mas é também dotado de maleabilidade. Alguns dos melhores casamentos exigem pelo menos dois pedidos — não é mesmo? — para começarem com o pé direito.

E se isso não funcionar, então, bem: serei forçada a fazer algo drástico. Mais fácil sacrificar minha própria felicidade do que ver Cassy se martirizar dessa forma.

Receba minhas mais afetuosas recomendações,

J. Austen.

CAPÍTULO XIX

Manydown, dezembro de 1802

— O príncipe dos dias e rei dos condados! — exclamou Jane, de braços dados com a irmã. — Ah, a alegria de voltar ao solo de Hampshire.

Estavam hospedadas em Manydown, um dos poucos lugares favoritos de Jane, com as Srtas. Bigg, que integravam ambas a curta lista de suas pessoas favoritas. Um pouco de sorte somado a um considerável nível de conspiração foi o que as trouxe aqui para três abençoadas semanas. Deveriam estar com James e Mary em Steventon, esse era o plano, e haviam sobrevivido a quase dez dias sob o teto da Reitoria. Mas o efeito que a visita teve sobre Jane — a tristeza de revisitar a casa da infância, as irritações decorrentes de ela estar sob o domínio de sua nova dona — tinha sido de tal ordem que a irmã ficou preocupada.

Assim, Cassy tomara a decisão de conversar com Catherine e Alethea, aquelas mulheres encantadoras que vieram ao seu resgate. Essa casa graciosa, numa propriedade espaçosa, operou maravilhas com o tempo. Jane agora estava quase recuperada. Juntas, as quatro amigas caminhavam para o campo que o inverno seco tornara estaladiço, e Cassy respirava fundo com alívio diante da melhora de Jane.

— Vocês têm ideia de seu privilégio, meninas? Ter esta propriedade toda à sua disposição. Caminhar e pensar na maior paz. É difícil ter noção da maravilha que isso representa se você nunca conheceu outra coisa.

— Ah, mas nós temos essa noção, Jane. Eu lhe garanto. — Haviam chegado ao fosso. Havia uma ponte mais acima, mas elas nunca a usaram na juventude e evitavam usá-la agora. Alethea levantou as saias e saltou a vala. Pousou com graça e, enquanto esperava pelas outras, falava: — Sempre existe aquela ameaça pairando sobre nós, o que ajuda a manter a mente consciente e a valorizar as nossas bênçãos. — Estendeu a mão para ajudar Cassy. — Não podemos nos esquecer de que um dia nosso irmão irá querer trazer a futura esposa aqui e que, provavelmente, *ela* não vai querer estas irmãs espreitando por aí, envelhecendo e ficando mais rabugentas.

— Vocês são as mulheres menos rabugentas que eu conheço! Mas quem pode ficar rabugenta estando em Manydown? Até eu pareço ter esquecido como é ficar rabugenta. — Jane também pulou o fosso, sem ajuda. — E estou certa de que, se *eu* fosse a futura Sra. Harris Bigg-Wither, acharia um jeito de ter espaço para o maior número possível de irmãs e, depois, iria para as ruas pedir mais. — Com o passo firme e rápido, levou-as pelo pasto, com carneiros espalhados no caminho. — De toda sorte, seu irmão é jovem. Pode passar ainda alguns anos solteiro e, enquanto seu pai estiver vivo, vocês podem considerar aqui o seu lar. Temos uma nova e profunda compreensão dessa palavrinha, não é, Cass?

— Ah. — Cassy segurou o braço dela novamente, gesto que esperava que fosse afastar os demônios. — Nossa vida não é tão ruim, Jane. Bath, com certeza, tem seus atrativos.

— Tem mesmo! — Catherine juntou-se a elas. — Você esqueceu, Jane, como ficou entediada com a vida em sociedade em Hampshire. Os mesmos velhos rostos nos encontros sociais de Basingstoke... Atualmente, não tomamos nem conhecimento disso. Sem vocês duas para podermos rir juntas, as noites pareciam intermináveis. Lá, pelo menos, vocês encontram carne fresca.

— Eca. Nem vem. — Jane expressou sua repulsa olhando por sobre o ombro. — Não me atreveria, com medo de ser envenenada. — Subiram a colina, e ela parou para observar a vista que se descortinava diante delas. — Contemplem! Uma vista para sempre. A vida é isto. Este é o lugar da suprema felicidade.

— Você só precisa disso? — perguntou Cassy, sorrindo. — Alguns acres de terra?

Todas riram dela.

— Sou uma alma bem simples, Cass. — Jane riu com elas. — Modesta em minhas ambições. Algo como Manydown já me faria bem.

∽

O jantar naquela noite foi surpreendentemente alegre. Não formavam um grupo grande, o que era um alívio, pois Jane nem sempre gostava disso. Mas formavam um grupo feliz: apenas as Austen e as Bigg, seu pai, o Sr. Lovelace Bigg-Wither e seu único filho.

O destino havia sido bastante específico na distribuição dos dons da família Bigg-Wither: as filhas foram dotadas de inteligência, graça e charme em abundância; o filho foi abençoado com um sobrenome grandioso e a propriedade que um dia herdaria.

O Sr. Harris Bigg-Wither era o mais novo na família e, quando criança, havia sofrido a indignidade de uma terrível gagueira. Hoje, aos vinte e um anos, não era mais o lamentável espécime de quando as Austen o viram pela última vez. Crescera e se tornara um rapaz alto, e a estranha distorção da fala havia ficado menos aparente. A melhora era perceptível, e as Srtas. Austen aprovaram. Se sua mente também havia se desenvolvido, se suas opiniões eram interessantes ou se tinha bom senso — essas coisas ficariam no plano da imaginação. Pois, apesar de o Sr. Bigg-Wither ter aprendido a falar relativamente bem e de ser capaz de fazê-lo sem maiores constrangimentos para ele ou seus interlocutores, ainda falava muito pouco. Sua aflição juvenil o deixara tímido diante dos outros, e as visitas daquela noite não exigiram sua contribuição.

— Uma pena para a vizinhança que sua família tenha nos deixado — dizia o Sr. Lovelace Bigg-Wither. — Jamais entenderei a razão de seu querido pai ter pensado em se aposentar.

Cassy olhou para Jane do outro lado da mesa, e as duas compartilharam um sorriso. Como poderia um homem da terra compreender os prazeres da aposentadoria se jamais conheceu os desprazeres do trabalho?

— Acredito que ficou muito sobrecarregado — explicou Jane. — Não apenas as responsabilidades da igreja e dos paroquianos, mas a administração do terreno também dava muito trabalho.

— Está bem, se você me diz isso, minha querida, embora eu tenha sempre pensado no reitor de uma paróquia pequena como alguém dotado de uma existência invejável, livre das onerosas responsabilidades de quem tem sua própria terra. — Colocou um bocado de carne na boca e a ruminou por alguns instantes. — Mas, mesmo assim, por que seus pais não vieram aqui para Hampshire? Bath... Bath, que escolha! Isso não faz sentido.

— Ah, pensamos da mesma forma, senhor — disse Jane delicadamente. — Hoje eu sei, e aprendi a duras penas, que as cidades em geral não são muito favoráveis. O barulho, a fumaça e a pressão dos outros! Ótimas para uma visita curta, não mais que isso.

— Exatamente, madame. — O Sr. Bigg-Wither apontou o garfo para ela, expressando concordância, e, através da floresta da sobrancelha, expressou apoio. — Muitas vezes, minha querida, minha falecida esposa me arrastava para Londres, prometendo uma temporada espetacular. Eu me escondia no clube, durante um ou dois dias, e depois escapulia de volta para cá assim que podia. — Pegou uma batata. — Hoje não chego nem perto daquele lugar. *Londres*. Adoece qualquer um.

— Meus pais sentiam que o inverno em Bath seria uma agradável mudança, e estão desfrutando os verões no litoral — acrescentou Cassy.

— Litoral! *O litoral?* — O cavalheiro reclamou. — Então é como eu temia. Eles perderam o juízo. O que pode alguém querer com o litoral? Eis a beleza da nossa querida Hampshire. Daqui não vemos o litoral. Graças ao bom Deus, sequer sentimos o cheiro do mar. Podemos até fingir que não existe.

— Papai, o mar está muito em moda — disse Alethea. — E estão dizendo que traz muitos benefícios para a saúde.

— Rá! Ele vai matá-la assim que puser os olhos em você. — Gritando, proferiu sua advertência. — Só um tolo confiaria nele. — Afundou na cadeira e retornou ao jantar.

— Senhor, preciso dizer que simpatizo muito com sua posição. Depois que se conhece Manydown, não é preciso viajar para nenhum outro lugar. Depois de conhecer a perfeição, para que ir em busca da imperfeição? — As palavras de Jane, embora verdadeiras, eram cuidadosamente pensadas para restaurar o bom humor do anfitrião. — Sinto o mesmo com relação a Steventon. Se por um lado sou grata por meus pais terem me mostrado outros lugares diferentes, tudo que aprendi nas nossas viagens é isto: não há condado que rivalize com Hampshire, pelo menos não no meu coração.

As damas saíram da mesa para que os cavalheiros pudessem apreciar seu Porto em paz. Andaram pelo corredor, onde o mármore branco era amornado pela luz do fogo das velas, e a escadaria de pedra se esticava, como uma bailarina, numa curva elegante. Jane suspirou e apertou o braço de Cassy.

— Isto não é o paraíso?

— É encantador. — Cassy afagou-a, solidária. — E talvez você tenha exagerado no vinho.

Jane riu.

— Então, quem pode me condenar? Está tudo tão bom aqui e não se pode prever quando experimentaremos um vinho bom desses de novo. Pretendo estocá-lo tal qual um camelo, para conseguir sobreviver à seca futura.

Na sala de visitas, Cassy acomodou-se com as outras no sofá enquanto Jane foi até o piano e levantou o tampo.

— Que belo instrumento. — Os dedos acariciaram as teclas.

— E desperdiçado conosco, pobres criaturas — disse Alethea. — Vai tocar para nós, Jane?

Ela se sentou.

— Temo que não seja mais a pianista que já fui. Toda essa agitação significa falta de prática. É possível que se arrependam de terem me pedido para tocar. — Mas começou a dedilhar um prelúdio de Bach de que

Cassy gostava muito. A música remeteu-a ao cômodo em Steventon, ao seu pequeno e seguro mundo, dentro do quarto de vestir.

Jane ainda tocava quando o Sr. Bigg-Wither pai entrou e se aproximou.

— Srta. Jane. Com licença. Trago um recado. Para que a senhorita faça a gentileza de ir ao encontro do meu filho na biblioteca.

Cassy ficou tensa, olhou em volta e viu Catherine e Alethea se entreolhando. Foi tomada por um pressentimento.

Claramente sua irmã não sentiu o mesmo.

— À biblioteca? Que encanto. — Jane levantou-se e sorriu de novo. Realmente, havia exagerado no vinho. — Sempre gosto de entrar numa *biblioteca*. — E, cambaleando, saiu da sala.

— O que é isso? — Cassy perguntou aos anfitriões enquanto se certificava de parecer calma. — Que mistério é esse?

— Não fazemos ideia — respondeu Catherine com um sorriso maroto.

— Sem dúvida, tudo será revelado.

Não tiveram que esperar muito. O jovem Sr. Harris Bigg-Wither logo entrou na sala de estar trazendo uma ruborizada Jane pelo braço.

— Pai, irmãs, senhorita. É com muito prazer que anuncio — fez uma pausa, seja para efeito dramático ou para contornar a gagueira — que a Srta. Austen gentilmente concordou em ser minha esposa.

A família alvoroçou-se em torno do casal, em grande comemoração. Cassy ficou imóvel. Isso era loucura! Alguém sugeriu um brinde, encheram-se os copos, desejos de saúde foram compartilhados e ela continuava sentada observando. Será que ninguém mais via que isso era uma loucura absoluta? Estava tudo errado! Ah, mas no que diz respeito a pedidos de casamento tudo estava de acordo. A noite, a sala de estar, as velas, o casal — atordoado, porém radiante. Sim, o palco estava exatamente como deveria ser. Tudo como manda o figurino. Mas, aos olhos de Cassy, nada era o que devia ser.

~

Foi apenas algumas horas depois que conseguiram fechar a porta do quarto e conversar abertamente.

— Jane! Minha querida, que loucura foi essa?

— Bem, existe uma resposta. Você não vai me parabenizar pelo esplendor do meu matrimônio?

— Sim. Claro. Falarei da minha alegria e expressarei o que sinto, beijarei e abençoarei você. Depois que me garantir que está apaixonada pelo Sr. Bigg-Wither. — Cassy levantou a voz. — E que o admira acima de todos os outros cavalheiros. Que ele é o seu companheiro eleito para o resto de sua vida.

— Não posso fazer isso, obviamente. — Jane sentou-se na cama, um sorriso no rosto. — Nem ele poderia falar o mesmo com relação a mim, atrevo-me a dizer. De fato, não estou sequer convencida de que goste de mim em particular. Mas, quando o maná cai dos céus, o que singularmente não havia ocorrido *comigo* até a noite de hoje, então seria tolice desperdiçar.

— É claro que ele gosta de você. Por que você acha que ele...

— Ah, Cass. Um menino sem graça, crescendo com irmãs inteligentes, dificilmente pode ser dono da própria cabeça. Aconteceu de eu estar à mão, ele supôs que a ideia poderia alegrar a família e que eu serviria, assim como qualquer mulher civilizada que conheçam.

— Então, o que você está fazendo? — Cassy ajoelhou-se aos pés de Jane. — Isso contraria tudo que sente e em que acredita. Isso é zombar de tudo que já disse sobre o casamento e o amor; sobre o amor, em especial.

— E o que sabia eu? O que sabia eu sobre o amor ou qualquer outro assunto? — gritou Jane. — Na verdade, olho para trás, para a segurança que eu tinha, e estremeço. Antes de sairmos de Steventon, eu não sabia nada sobre o mundo e suas malícias. As coisas que um dia escrevi! — Cobriu o rosto com as mãos. — Que criança tola, *boba*, ingênua. — Pensou por instantes. — Isto, afinal de contas, não destoa dos meus tais princípios. Sempre sustentei a impossibilidade do amor sem dinheiro, mas é preciso ainda haver a esperança de que, com dinheiro, o amor possa talvez surgir com o tempo.

— E você realmente acredita que isso possa acontecer aqui, que você poderia um dia amar o Sr. Bigg-Wither?

Jane suspirou.

— Não posso prever semelhante coisa, evidentemente. Admito que seja improvável. Mas uma coisa posso afirmar, e já disse isso antes. — Ela segurou as mãos de Cassy. — Não podemos continuar assim. Uma de nós precisa fazer algo que possa nos livrar deste estado lamentável. Por que eu me importaria com o tipo de homem que acham que ele é ou seus hábitos? Isso não tem a menor importância. Ele vem de boa família. Não pode ser tão ruim assim. E pense bem, Cass: suas irmãs podem ficar aqui. Estaremos em segurança! E juntas. — Olhou para Cassy e acariciou seu rosto. — E você, minha linda menina, fica livre. Livre para se casar com o seu Sr. Hobday.

— Jane! — Era isso que estava por trás do plano? Afastou-se e parou. Será que Jane estava verdadeiramente disposta a assumir um casamento desastroso para que ela pudesse desfrutar de outro que poderia ser melhor? Cassy jamais conheceria a *liberdade* em um lugar estranho como Derbyshire sabendo que sua irmã estaria triste e distante...

Sentou-se novamente. Este era o primeiro pedido de casamento feito a Jane, o mais próximo que ela já havia estado de casar-se, e estava empolgada demais, naquele momento, para poder enxergar o pedido com seriedade. Cassy já havia passado por isso duas vezes, e teve a presença de espírito, o tempo, a experiência de espreitar e ver o suficiente para temer tudo que implicava. A imagem do pano de barba sujo de Tom veio à lembrança... Naturalmente havia a possibilidade de que pudesse dar tudo certo com o Sr. Bigg-Wither... mas as evidências indicavam o contrário. Se Jane estava certa e determinada, então Cassy não a impediria. Mas ser ela a razão do casamento, saber que era ela a verdadeira justificativa? Isso era impensável. Cassy não seria parte dessa história.

— Posso lhe dizer agora que, não importa o que você faça, não me casarei com o Sr. Hobday. Recusei o pedido. Acabou. Nem sequer penso nele.

Isso não era verdade. É claro que pensava nele. Com frequência. Nas suas cartas, ele havia se tornado menos daquele estranho irreconhecível e alguém mais próximo de um amigo. Mas, se fosse necessário, pelo bem da irmã, estava disposta a nunca mais pensar nele.

— E como eu poderia deixar nossos pais agora? — prosseguiu Cassy. — Papai está velho e doente. Mamãe não pode ficar só. É meu dever...

Isto, pelo menos, era verdade. Se Jane realmente fosse embora, então Cassy não poderia pensar em partir.

— Ah, Cass. Você e seu senso infernal de *dever*! Eu lhe imploro, deixe isso de lado e pense em você pelo menos uma vez.

— Mas eu não *seria* eu mesma se fizesse isso! Se agisse diferente, eu não seria nada, ou seria outra mulher a quem nunca respeitaria.

Jane se jogou no colchão e começou a chorar.

Cassy abriu os braços e afagou a irmã.

— Se pode ser feliz aqui, então eu ficarei feliz só de saber.

Deitaram-se juntas, cada uma com seus pensamentos. Em dado momento, Jane perguntou, tão baixo que Cassy, a princípio, não conseguiu ouvir:

— E serei feliz aqui, você acha?

— Bem. — Cassy sentou-se para analisar a pergunta. Esse era seu ponto forte em relação à irmã: analisar, avaliar; trazer o racional para as complexidades de um problema. — Você adora Manydown, e o lugar tem particular importância para você, para o seu bem-estar. Mas aí você seria a senhora da casa, com todos os probleminhas do cotidiano que a posição implica. *Isso* pode não combinar com você! — Ela sorriu. — Muito embora Catherine e Alethea, sem dúvida, iriam ajudar a carregar o fardo.

— Como você faz comigo?

— É possível que não do mesmo jeito, minha querida. O controle e todas as decisões do ambiente familiar devem cair sobre você, do contrário fracassaria no cumprimento de seus deveres de esposa.

Jane ficou pálida.

— E aí, naturalmente, virão os filhos. Suponho que o Sr. Bigg-Wither esperaria ter muitos. Os homens tendem a isso quando há uma propriedade a ser levada em consideração e tantos quartos a serem ocupados. — Fez uma oração pedindo que a irmã fosse forte o suficiente para sobreviver a isso.

— Serei uma porca parideira pelo resto da vida! — lamentou Jane.

— Sim, mas você adora crianças — contrapôs Cassy. — Tem o dom de lidar bem com elas.

— Com os filhos dos outros.

— Vai amar os seus mais ainda.

Jane sentou-se; encostou a cabeça no ombro de Cassy.

— O que mais? Que outros fatores devo considerar?

Cassy estava relutante em continuar. A conversa se encaminhava para águas turbulentas; seria bom lançar a âncora agora.

— Já é tarde para outras considerações, meu amor. Preciso lembrar que já aceitou o pedido? A família sabe. O martelo foi batido.

Mas a cabeça de Jane prosseguiu.

— Não terei tempo para mim, para pensar, para escrever. Nunca mais vou escrever uma só carta.

— Disso, nós não sabemos — retrucou Cassy, embora temesse que fosse verdade.

— Terei um marido. Um dono.

— Espere um pouco! Você fala como se estivesse entrando para o serviço militar, não em um casamento. O Sr. Bigg-Wither dificilmente pode ser considerado cruel e dominador.

— Dominado, isso sim.

— Hora de dormir — disse Cassy abruptamente. — Foi um dia de muitas surpresas. Acho que nós duas precisamos de uma boa noite de sono.

~

Uma hora antes do amanhecer, Jane sacudiu Cassy.

— Não posso fazer isso. Pensei a noite inteira e... Cass, não posso.

Cassy sentou-se imediatamente.

— Mas você já *aceitou*, Jane. Já está feito!

— Não. — Jane estava lívida e quase histérica. — Foi tudo um erro. O mais hediondo erro. Não sei em que estava pensando. Vou falar com ele pela manhã.

— Ah, minha querida. — Cassy caiu de volta no travesseiro. — Ah, mas isso é uma calamidade. As meninas. O pai. O próprio Sr. Bigg-Wither, coitado! Você tem certeza? Não pode levar adiante?

— Certeza. — Levantou-se e foi para o guarda-roupa. — Vamos embora logo cedo.

— E vamos para onde? De volta à vida que você tanto abomina, que não consegue tolerar? Pense agora nas razões que teve para aceitar o pedido.

Jane estava tirando a touca e prendendo o cabelo.

— Essas razões não bastam. Esta não é a solução. Ficarei com você. Juntas sobreviveremos de alguma forma. — Virou-se e sorriu para a irmã. — Citando uma filósofa que conheço: não vou morrer de fome.

Vestiram-se e foram procurar Alethea, prostrando-se diante dela. Naquele momento, Alethea provou seu valor como mulher de caráter e, mais ainda, amiga. Trouxeram o Sr. Harris Bigg-Wither e deixaram o casal conversando a sós. Cassy não pediu detalhes; não quis saber.

Então, logo em seguida, a carruagem chegou e as Srtas. Austen retornaram para Steventon. A Reitoria surpreendeu-se com a súbita chegada e o sofrimento em seus semblantes. Mary, em particular, ficou inquieta.

— *Qual* é o *novo* drama? Austen! O que fizeram *desta* vez?

Para sua irritação, as irmãs disseram apenas que deveriam partir para Bath e pediram a James para acompanhá-las.

— Num sábado? — exclamou ele. — Mas é claro que não posso. Estou terrivelmente ocupado.

Mas o transtorno era tamanho que Mary deu um passo adiante e sugeriu que James desse um jeito. E todos concordaram.

Uma vez de volta à casa dos pais, na tranquilidade de seus aposentos, Cassy sentou-se para escrever uma última carta endereçada ao Sr. Hobday. Depois de cuidadosa reflexão, e apesar das palavras anteriores sobre o assunto, ela insistiu para que deixassem de se corresponder. Agradeceu por sua atenção e, caso sua decepção fosse muito grande, ela sentia muito.

Nenhum dos dois poderia fingir que ela fosse sua única chance de felicidade. Desejou-lhe sorte no futuro, mandou lembranças à sua mãe. Esta foi sua decisão final. Não escreveria novamente.

CAPÍTULO XX

KINTBURY, ABRIL DE 1840

Sentada na poltrona, Cassandra pensava. Seu objetivo em vir a Kintbury tinha sido eliminar tudo o que pudesse se refletir negativamente na memória de Jane ou em seu legado: isso era o que pretendia. No entanto, as cartas que tratavam de Tom e Mr. Hobday não faziam isso, eram simplesmente muito invasivas à sua própria vida. Será que isso seria o bastante para justificar que também fossem destruídas?

Imaginava a cunhada, Mary, lendo-as, disseminando seu conteúdo, passando-as adiante. Imaginava a geração seguinte examinando seus vestígios, como se ela fosse um fóssil de South Dorset. Ririam da ideia de que a velha tia dissecada tivesse se envolvido em semelhante romance. Saberiam que ela, no fim das contas, não tinha sido tão fiel à memória do bom e querido Tom Fowle.

Pior ainda era o medo de que essas cartas, de alguma forma, caíssem nas mãos de um desconhecido. Cassandra não conseguia abandonar a esperança de que os romances de Jane, um dia, suscitariam maior interesse: sempre havia sido motivo de preocupação que isso pudesse despertar a curiosidade pela vida da autora. Agora, naquele momento, ela percebia que outro perigo pairava no ar. Pois não seria uma possibilidade — ainda que ridícula e remota — que até mesmo sua vida viesse a ser exposta? Afinal, a história de Jane e a sua própria não podiam ser separadas: estavam fortemente ligadas e formavam uma história completa. Cada vida girara na roda do destino da outra. Sentiu um arrepio na espinha.

Só havia uma saída: assim que estivesse de volta em casa, na privacidade de Chawton, sozinha e sem ser observada, queimaria todas. Ajoelhando-se, Cassandra tirou a arca de sua posição sob a cama, abriu-a e escondeu ali todas as cartas que achara problemáticas até aquele momento.

E, agora, o cerne da questão; o difícil segundo ato do drama; o assunto inominável. Seria doloroso ler, difícil de revisitar, mas o trabalho precisava ser feito. E, para que fosse realizado adequadamente, Cassandra agora precisava de suas próprias cartas para Eliza. Sabia muito bem o quanto havia compartilhado e sabia que precisava censurar tudo isso. Recuperar as cartas era imperativo. Em breve, deixaria a casa paroquial. Não podia esperar mais.

Determinada, desceu até a porta que levava às áreas de serviço da casa. Vozes animadas vinham de dentro. Eram de Dinah e de um homem que Cassandra não identificou de primeira. Ficou ali parada por alguns instantes, reunindo coragem para entrar. Então, a porta abriu.

— Posso ajudar, dona? — perguntou Dinah.

— Ah, Dinah.

Cassandra, de relance, viu um pedaço da mesa sobre a qual havia uma tábua com uma torta de porco e um ovo no meio.

— Queria lhe perguntar se poderíamos conversar. — Cassandra deslocou-se para o corredor, para que Dinah pudesse acompanhá-la.

Dinah saiu e colocou-se de frente para ela, com aquele ar de respeitosa insolência que era tão seu.

— Eu tinha, como acredito que você saiba, alguns papéis pessoais no meu quarto.

— É mesmo, dona?

— E, enquanto estive doente, de alguma forma, eles foram... se perderam.

— Sinto muito, dona. Alguém fuçando os assuntos de outra pessoa? Não concordo com isso, dona. Bisbilhotice, é assim que eu chamo. — Fez um ruído de reprovação. — Isso nunca pode acontecer.

Cassandra continuou pressionando, de qualquer forma.

— Fiquei me perguntando se você saberia dizer onde poderiam estar.

— Eu, Srta. Austen? Acha que *eu* sou bisbilhoteira?

Agora estava perfeitamente claro que Dinah era a culpada e que ela, Cassandra, estava sendo punida por alguma razão.

— Deus do céu, não! De jeito nenhum, Dinah. Mas talvez você tenha alguma ideia de *por que* meus papéis foram retirados de onde estavam.

— Não sei dizer, dona. — Dinah olhou-a firme nos olhos. — A não ser...

— Sim?

— Bem, a não ser que alguém tenha achado que a senhora estivesse se metendo... Ah, claro, isso nunca ia passar pela *minha* cabeça... Mas, a senhora sabe, tem gente... que tem pensamentos maldosos, tem gente.

A mulher era um ultraje. Não havia "gente", e Cassandra não estava se metendo onde não era chamada — as cartas eram assunto seu.

Decidiu, então, jogar seu trunfo.

— Naturalmente, eu gostaria muito de deixar todos vocês em paz na primeira oportunidade. Tenho consciência de que os tempos são difíceis. Mas vim para dizer que não posso nem pensar em partir até que as cartas me sejam devolvidas. — Deu as costas e saiu.

~

Naquela noite, o jantar, embora curto, foi agradável, pois sua sobrinha Caroline veio juntar-se a elas. Dinah estava ausente, e Fred serviu uma refeição rápida, sem qualquer pretensão além de manter unidos o corpo e a alma. Cassandra, desejando aquela torta de porco que estava na despensa, beliscava a comida no prato enquanto a discussão girava em torno das vidas dos vários parentes Fowle. Ela não participava da conversa; seu interesse era limitado. Esse era um de seus defeitos na velhice, mas não estava disposta a corrigi-lo. Os membros de sua própria família, todos, sem exceção, pareciam muito mais interessantes, as histórias mais cativantes, o caráter mais elevado e distinto. Aqueles outros mortais, cujas pobres veias pulsam sem nenhum sangue Austen, sempre lhe pareciam comparativamente esmaecidos.

Uma vez na sala de estar, pegou o bordado e ficou sentada em silêncio, enquanto as primas mais jovens conversavam no sofá, até Isabella cansar-se do assunto e refestelar-se.

— Seu *patchwork* é lindo, Cassandra. Quando você chegou, pensei que estivesse simplesmente costurando retalhos diversos. Mas vejo agora que é bem mais que isso, não é?

— Ah, um bom *patchwork* sempre *começa* com pequenos retalhos diversos. Aí está a maravilha do processo. — Cassandra costurava um broto de flor quadrado sobre outro azul. — Com visão aguçada e um pouco de imaginação, esses elementos aleatórios se transformam em outra coisa, com beleza própria e complexa. Este aqui terá cento e quarenta pontos de simetria quando eu terminar, isto é, se eu viver o suficiente.

— Meu Deus. Não consigo nem imaginar! Você segue um modelo?

— Não, de jeito nenhum. Não preciso disso. — Deu uma batidinha na cabeça com o dedo coberto pelo dedal. — Está tudo aqui. Na verdade, só vou ver como vai ficar quando terminar. Vai ficar muito largo para estender em Chawton. Não tenho espaço na casa. No verão, vou levar para o jardim, colocar sobre a grama e ver como ficou.

— Então você guarda toda essa complexidade na mente? Consegue olhar para esses pequenos retalhos e, de alguma forma, ver o todo?

— Bem, talvez não de início, mas, à medida que o trabalho avança, vejo o caminho a seguir.

— Ah, você é inteligente, Cassandra.

Estava velha demais para se acanhar e negar o elogio. *Era* inteligente e tinha tido a sorte de crescer em uma casa onde a inteligência das filhas era valorizada sem parcimônia.

— Sua tia não é inteligente, Caroline?

Caroline não se entusiasmou. Simplesmente respondeu:

— *Todos* os Austen são inteligentes.

Cassandra sorriu: aquela moça estava ficando igual à mãe.

— Meu querido pai tinha o mais formidável intelecto, assim como meu irmão James-Edward — falou Caroline, satisfeita consigo mesma.

— *E* minha irmã, claro. — Cassandra lambeu o polegar. Dado o incômodo do momento, a agulha escorregou. — E inteligência acompanhada de brilhantismo? Estamos todos à sombra daqueles que brilham mais. Como sempre estive, e muito alegremente, à sombra de sua querida tia Jane.

— Ah, sim — admitiu Caroline. — E tia Jane.

— Chegamos agora à metade de *Persuasão*, Caroline — acrescentou Isabella. — Preciso dizer que fico pensando na história. Não tinha ideia de que um romance pudesse me envolver tanto. É coisa do talento, ao que me parece. Agora me vejo desejando ter prestado mais atenção à sua tia enquanto ela ainda estava entre nós. Tenho vagas lembranças de suas visitas, mas nada muito claro. Diga-me, como ela era? Pois o talento vem sempre acompanhado de um temperamento difícil, ou não? — Deu de ombros. — Assim dizia meu pai.

Cassandra largou a costura e se ajeitou na poltrona, preparando-se para responder. Não havia assunto no mundo que lhe desse mais prazer, ou sobre o qual estivesse mais qualificada para falar, embora, naturalmente, tivesse que escolher as palavras com cuidado.

— Bem...

Mas foi interrompida por Caroline.

— Ah, tia Jane era a melhor das tias. Minha favorita, e posso dizer — agora estava corada — que eu era a sua favorita também. Tínhamos uma forte ligação, eu me lembro, desde que eu era bem pequena.

Cassandra ficou muda de espanto. Jane gostava de todas as sobrinhas e sobrinhos e certamente tinha os seus favoritos: Anna, é claro, e a filha de Edward, a querida Fanny. Mas ela temia que Caroline pudesse apresentar traços da mãe — e claramente sua percepção, como sempre, não falhou.

— Eu mandava minhas histórias para ela, e eram recebidas com tanta seriedade, como se eu fosse sua herdeira natural. — Caroline sorriu. — Preciso procurar. James-Edward pode se interessar por elas como documentos da família.

Eu não faria isso, Cassandra pensou. Pode ser que você veja o verdadeiro mérito desses escritos e suspeite que foram recebidos com nada além de uma certa benevolência paciente.

— E o temperamento dela? — perguntou Isabella.

— Ah, o temperamento! — Caroline bateu palmas. — Sobre isso, seu querido pai estava errado. Sim, ela era um gênio, e, no entanto, não sofria de mudança de humores, estava sempre de bom humor. Eu esperava tanto para ir a Chawton quando tia Jane ainda estava lá. Todos sabiam, com certeza, que haveria alegria e brincadeira. Não é mais a mesma coisa. Sinto saudade daquele tempo, confesso. Hoje, toda vez que me aproximo de Chawton, faço isso com tristeza, quase medo. Assim como meus primos. É difícil lembrar da alegria que aquela casa teve um dia.

Horrorizada, Isabella olhou para Cassandra. Cassandra, aquela que restava de Chawton e, aparentemente, sua habitante infeliz — objeto do pavor de toda uma geração —, tentava não rir.

A casa, é claro, tinha sido lugar de muita alegria quando moraram juntas lá. Mas que a alegria era a emoção natural e dominante de Jane estava longe de ser verdade. Ah, o poder da reputação, da fama e do sucesso derivados da morte prematura! Mesmo assim, decidiu, enquanto juntava suas coisas, que não contestaria a lenda, se era isso que haviam escolhido legar à posteridade. A Jane Austen estável. Que imagem esplêndida. Levantou-se da cadeira. Agora, tudo que restava era destruir todas as evidências do contrário. Esperava que aquelas cartas tivessem sido devolvidas ao seu quarto.

— Preciso deixá-las, minhas queridas. Confio que Caroline dará a você o retrato completo, Isabella. Seu interesse estará bem nas mãos dela. Vou me recolher.

— Ah, mas eu esperava que fôssemos ler mais um trecho de *Persuasão* — protestou Isabella. — Acabamos de chegar a Lyme.

— E você vai gostar muito — disse Cassandra com delicadeza. — Leia junto com sua prima. Conheço o romance em seus mínimos detalhes.

Abriu a porta, passou pelo corredor e esbarrou, numa colisão violenta, com um ser humano agachado.

— Ah! — Cassandra assustou-se. — É você! Que raios...?

Dinah levantou-se, sem se desculpar.

— *Ainda* tirando o pó? — Cassandra sorriu. — Não exagere, por favor. Boa noite.

~

Na longa e íngreme subida pela escada, Cassandra refletiu sobre o valor do dever. Dedicara anos de serviço a Caroline e sua família, assim como havia dedicado a todos os Austen. O pouco reconhecimento não foi surpresa e não provocou autopiedade ou rancor. Nunca agiu em busca da fama e do apreço, apenas no interesse de sua própria consciência. Cassandra era diligente, talvez tenha nascido assim, certamente só podia *ser* isso: não conhecia outra maneira de ser. Na sua própria virtude — na falta de palavra melhor —, encontrara uma recompensa infindável.

Não era a única mulher diligente. O mundo, ela bem sabia, estava cheio de boas mulheres como ela, que dedicavam seu tempo, seus corpos, pensamentos e corações a servir os outros. E, caso se tornassem invisíveis — elas e ela — então, bem, fazer o quê? Uma pena que os outros não tivessem olhos para ver.

De volta ao quarto, descansou a valise e olhou ao redor: nada havia mudado. Fechou a porta e, com uma confiança serena, levantou o canto do colchão. Que surpresa! As cartas estavam lá. Agora estava a serviço daqueles que amava acima de todas as outras pessoas, que a amaram também e nunca deixaram de manifestar seu apreço. Acomodou-se, determinada a trabalhar rápida e seriamente.

Não era um processo fácil. Haviam passado oito anos sem endereço fixo — ou, como dizia Jane, "lá no meio do mato" —, mas não viviam somente de infelicidade. Longe disso, na verdade. Cassandra folheou os papéis, capturou passagens detalhando curtas e felizes temporadas em Manydown e Kintbury, longas semanas de luxo em Kent com o querido Edward. Revisitou a grande notícia de abril de 1803, quando Jane vendeu o romance *Susan* por dez libras — ah, o entusiasmo da notícia! Tropeçou nas referências sobre o ânimo de Jane, recordou-se e sorriu. Que o ânimo ficasse, por vezes, muito elevado e que isso tendia a acontecer quando estavam no conforto da estabilidade, residências fixas da família e dos amigos não eram observações que Cassandra compartilhara com Eliza. Havia optado por guardá-las para si.

Mas o outro extremo do temperamento de Jane, os dias aparentemente infindáveis na escuridão: sobre esses havia escrito, pois tinha que contar para alguém. Cassandra lambeu um dedo e passou as páginas, buscando as cartas problemáticas. Pronto. Janeiro de 1805. Foi quando tudo começou. Tirou várias, deixou de lado o restante da pilha e começou.

∼

Green Park Buildings, Bath
24 de janeiro de 1805

Minha querida Eliza,

Sua expressão de sentimento e respeito foi tudo que podíamos desejar e nos trouxe muito conforto. Sim, perdemos um excelente pai e ainda estamos anestesiados pelo choque. Mas, apesar de a morte repentina dele ter sido um baque para os que o amavam tanto, foi pelo menos pacífica para ele. Não sofreu desnecessariamente, não padeceu com dores, não teve tempo de refletir sobre aqueles que deixava, e por essa graça louvamos a Deus.

Naturalmente, é com algum receio que agora todos nós devemos continuar na vida sem ele, sua sabedoria, seu carinho e seu humor. Você pergunta sobre minha mãe, e ela tem suportado bravamente, embora ainda seja cedo e o futuro possa ser duro. O enterro será domingo — uma triste simetria! —, na mesma igreja de Walcot em que eles fizeram seus votos há quarenta anos. Quarenta anos! Foram abençoados com tanta felicidade e uma união frutífera, como poucas se veem, e ela quase não passou um dia da vida de casada sem ele a seu lado.

Toda a minha energia, no momento, está voltada a apoiá-la, assim como às coisas práticas que a morte repentina implica — é muito desgastante. E há outro aspecto que preciso confidenciar, que também invade a minha mente quando tenho tempo para isso: minha irmã demonstra não estar lidando muito bem com a situação. Primeiramente, dei a ela a responsabilidade de escrever as cartas para dar a notícia, e a escrita pareceu dar-lhe algum conforto. Mas, agora que a tarefa está feita, parece que está fugindo de nós. Era muito devotada ao pai, como você sabe, e temo que a recente adversidade a esteja afetando. É inevitável e triste que haverá mudança nas nossas novas circunstâncias. Sim, teremos que nos mudar em breve, mas, então — apenas três mulheres —, não devemos esperar muito para nos acomodar. Jane sabe disso, compreende, mas não consegue ficar em paz... Não vou escrever muito por ora, esperando que o tempo seja o melhor remédio, mas lhe digo que, no momento, minha preocupação maior é a profundidade da tristeza de Jane.

*Sua sempre,
Cass Austen.*

CAPÍTULO XXI

Green Park Buildings, Bath
14 de fevereiro de 1805

Minha querida Eliza,
    Sua carta tão gentil deveu-se, suponho, a certa inteligência por parte de minha irmã. Não duvido que tenha lhe contado a respeito do meu desânimo e que tenha lhe pedido conselhos. Por favor, acredite quando digo que, no momento, não há nada a fazer por mim. Se houvesse uma forma de me livrar da melancolia, eu a descobriria. Estou consciente de ser um peso para a família. Minha pobre mãe e minha irmã já têm preocupações suficientes e não precisam dilacerar ainda mais o coração. Sou uma pobre miserável. Todas essas poções e receitas geram ainda mais trabalho para Cass e não fazem a menor diferença. Não podem me curar. Peço a você que não dê mais nenhuma sugestão, quero apenas ficar só.

    A sua,
    J. Austen.

— Queridíssima? — Cassy sentou-se na beirada da cama na casa de Bath e sacudiu levemente o ombro da irmã. — Temos notícias. Notícias dos nossos irmãos. Jane? — Era o fim da manhã, mas as cortinas estavam fechadas. — Você precisa tentar se levantar agora, minha querida. Precisamos conversar com mamãe e tomar decisões. Venha. Ninguém quer fazer nada sem você. Esses assuntos dizem respeito a todas nós.

Jane virou-se e olhou para cima. O rosto pálido parecia a lua no escuro.

— Vá você, Cass. Me desculpe. Não consigo. Simplesmente, não aguento... — A voz estava reduzida a um sussurro rouco. — Não consigo ver o que temos para discutir sobre a pobreza. Não há escolha. Se tivermos opções, então opto por não ser pobre. Qualquer coisa além disso, confio que você decidirá por mim.

— Mas são boas notícias! Isso é o que quero que você ouça. Por favor. É o nosso futuro e temos que enfrentar juntas. Não é necessário ter tanto medo.

Jane deu as costas novamente. Cassy, desistindo, desceu de volta à sala. A mãe, que sempre soube ser a mais falante, ativa e brilhante das mulheres, agora estava sentada desanimada em seu luto: em silêncio, desarrumada, derrotada, solitária. Fazia duas semanas do funeral, mas toda vez que observava a mudança na mãe esta filha amorosa sentia o coração apertar.

Cassy parou um instante para se compor. Guardava no coração um poço profundo e incomensurável de amor e ternura por essas duas mulheres. Também rezava para que tirassem forças de algum lugar e pudessem se levantar e seguir adiante nesse difícil período.

— Mamãe — disse ela baixinho. — Chegou a hora, penso, de conversarmos sobre nossos negócios, se você não se incomodar.

A Sra. Austen desligou-se dos seus pensamentos, piscou e olhou para cima.

— Perdoe-me, minha querida. Sim. Nossos negócios. — O queixo tremeu, e Cassy teve receio de uma outra explosão de tristeza. Mas ela engoliu o choro, controlou-se e se levantou para se sentar à mesa.

Cassy puxou uma cadeira e juntava as cartas recebidas pela manhã quando seus olhos foram capturados pela imagem de alguém junto à porta.

— Jane! — gritou aliviada. — Que bom ver você aqui.

A irmã ainda estava de camisola e roupão, com um xale cobrindo os ombros. O cabelo, que há dias não era penteado, caía sobre o rosto. Pálida, magra e descuidada, mais parecia um fantasma. Cassy acompanhou-a ao lugar mais próximo da lareira.

— Isso não vai levar muito tempo. — Cass voltou ao seu lugar, determinada a ser rápida. Nenhuma delas precisava se afligir sobre o assunto. — Agora, naturalmente, não podemos mais contar com a renda e a pensão do nosso pai. — Falava apressada. — Foram suspensas com sua morte e nos deixaram um pouco... é... deficitárias em nossas finanças. — A sutileza era uma ferramenta muito útil em momentos como esse. — Mas, mamãe, tenho a alegria de lhe dizer que seus filhos se movimentaram diante da situação, como todas nós que os amamos esperaríamos. Torço para que a proposta que acabei de receber na manhã de hoje seja bem-vinda.

Ninguém mais falou. Cassy se perguntava se alguém tinha ouvido.

— Primeiramente, Frank insistiu em nos oferecer cem libras por ano.

— Ah, filho querido! — A informação despertou a mãe. — Mas isso é muito da parte dele, mesmo com a promoção que recebeu. Cass, sinto muito, mas não posso aceitar. Ele vai querer se casar em breve, não pode gastar esse dinheiro *conosco* e não pode se comprometer com algo que, em breve, lhe fará falta. — Secou os olhos. — Diga a ele que a mim basta saber que ele fez a oferta. Que homem bom! O pai ficaria tão...

— Concordo, mamãe. Todas concordamos. Mas posso dizer agora que a generosidade de Frank foi compartilhada pelos irmãos. Combinaram que Frank, James e Henry irão, cada um, contribuir com cinquenta libras por ano para o seu... seu e nosso... bem-estar. E vamos receber mais cem libras de Edward por ano!

— Ah, alguém poderia pedir por filhos melhores? — A Sra. Austen exclamou.

— Exatamente. Todos juntos — prosseguiu Cassy, sentindo-se como um rei em sua sala de contabilidade, embora fosse um rei com recursos limitados —, e isso significa que...

— Perdão por interromper, Cass. — Parecia que Jane iria falar. — Mas devo entender que Frank, o marinheiro trabalhador que ainda não tem residência própria, ofereceu cem libras e Edward Austen de Godmersham, Kent, concordou com a mesma quantia e não mais?

Não ocorrera a Cassy fazer a comparação e preferia não examiná-la muito de perto. Poderia, no entanto, escolher o consolo da evidência da acuidade de Jane. Afinal, a irmã não estava louca. Havia algum fio de contato com a realidade.

— Não são generosos? — respondeu. — Temos sempre que ser gratas a eles pela disposição e pelo total apoio. — Retornou à página de números e contas. — Portanto, chegamos ao total de duzentos e cinquenta libras então... Podemos adicionar a isso um pouco do nosso próprio dinheiro. Da mamãe e do meu... Que nos deixam com quatrocentos e cinquenta ao ano!

— Para os quais não faço qualquer contribuição — resmungou Jane. — Nem um tostão furado. Que criatura miserável eu sou!

Cassy apressou-se em falar.

— Ficaremos suficientemente confortáveis com esse valor, não? Naturalmente, algumas mudanças serão necessárias. Não poderemos ficar aqui nos Green Park Buildings; de todo modo o espaço é bem maior do que aquilo que precisamos. Eu acho, mamãe, que você está determinada a passar os invernos em Bath, não é? Isso me parece bastante sensato. Podemos encontrar algum lugar mais barato e menor, e então poderemos visitar nossa família e amigos nos meses de verão, cortando despesas consideravelmente. Vamos ter somente que pensar no transporte e em coisas menores como...

Jane levantou-se e saiu da sala.

— Você fez tudo muito bem, minha querida. — A Sra. Austen pôs a mão sobre a de Cassy. — Você é fonte de muita força para mim, como seu pai sempre soube que você seria. Vamos viver bem, tenho certeza. — Voltou para a poltrona junto à janela. — Ah, sim, conseguiremos viver. Três mulheres sozinhas — engoliu — exigem pouco. — Cassandra ajeitou a manta em volta dos joelhos da mãe. — E brevemente Deus vai se lembrar de vir me buscar. Não pode ter a intenção de me deixar por aqui por muito mais tempo.

— Ah, mamãe. Por favor. — Cassy ficou um pouco mais para confortar uma enlutada antes de subir as escadas para lidar com a outra.

Jane estava deitada, o rosto enterrado no travesseiro, chorando. Cassy aninhou-se junto a ela e abraçou-a.

— Dói em mim, minha querida, ver você sofrendo tanto. Diga-me, o que posso fazer para ajudar?

— Nada. — Jane virou-se e pôs a cabeça no colo de Cassy. — Não há nada que se possa fazer para ajudar uma mulher que passou trinta anos nesta terra e ainda não tem nada para mostrar.

— Mas isso não é verdade! — gritou Cassy. — Veja as dez libras pagas pelo Sr. Crosby. Perdoe-me. Esqueci de mencionar. Foi cruel de minha parte. Essas dez libras foram *ganhas*, querida, não foram lucro de uma herança. Isso é excelente, de verdade.

— Não valeram a menção, pois gastei tudo. E agora enfrento esse fato: nada advirá desse dinheiro. — Assim, lágrimas rolaram pelo rosto de Jane.

Cassy acariciou o cabelo da irmã. Pela primeira vez, chegava ao cerne da crise de Jane. Não era apenas a morte do pai, mas algo relacionado à sua escrita — e talvez alguma conexão entre ambas.

Depois do fiasco com o Sr. Bigg-Wither, Jane não mergulhara no arrependimento ou na tristeza, como Cassy havia temido. Voltara a Bath sem olhar para trás, com uma energia renovada, quase enfurecida. Aprimorou o manuscrito mais recente, pediu a Henry Austen para vendê-lo em seu nome e — para alegria geral e sem falso orgulho — ele aquiesceu. Um tal Sr. Crosby de Londres, que nenhum deles conhecia, aceitou *Susan* e prometeu a "imediata publicação". Houve um anúncio na imprensa, sobre o qual todos se debruçaram. Agora Jane era oficialmente autora; adquiriu muita confiança e começou a escrever uma nova obra, que se chamaria *Os Watsons*. Seu ânimo estava bom e a criatividade, admirável: a paz reinava na família.

Mas aconteceu que o tal Sr. Crosby era um homem de má-fé. Cassy não aprovava o ódio de maneira geral, e não tinha experiência prévia desse tipo de sentimento, mas passou a odiar profundamente o Sr. Crosby de Londres. Embora Jane, atenta à publicação do seu romance, verificasse cada jornal e aviso da biblioteca, *Susan* não foi publicado. A família preferia não mencionar o fato, evitando jogar luzes sobre a humilhação. Preferiram observar, com tristeza e solidariedade, rezando.

Passados quase dois anos, Jane, agora vulnerável em seu luto e sensível à vulnerabilidade, parecia aceitar que tudo havia sido um falso alvorecer. Deitada nos braços de Cassy, frágil e ferida como um animal maltratado: agarrando-se à vida com relutância, ainda que sentisse uma dor mortal.

— Chega, agora — instou Cassy. — Muitos escritores tiveram que enfrentar a decepção em algum momento. — Na verdade, ela não sabia nada a respeito do destino de escritores, mas as palavras soaram plausíveis. — E como você certamente vendeu um livro, então tem toda a chance de vender outro. De qualquer forma, preciso lembrá-la do seguinte: você não escreve somente por dinheiro. Escreve também, com toda a certeza, para o seu prazer pessoal e da sua família. Para nós, isso é inestimável. Levante a cabeça e prossiga com seu novo romance. Estávamos todos desfrutando dele. Papai, que Deus guarde sua alma, em especial. E você não pode esquecer, agora que ele nos deixou, como sua avaliação era criteriosa sobre esses assuntos e como ele valorizava seu trabalho.

— Você não entende, Cass, ou está simplesmente se recusando a entender. Esta "mudança em nossas circunstâncias", a que você se refere, de maneira tão fortuita... Será que não enxerga? Essa janela de tempo que me permitiu buscar a escrita está fechada agora.

— Não vejo por que...

— Com a morte de nosso pai, nossa mãe perdeu seu verdadeiro companheiro. Cabe a nós, agora, substituí-lo.

— Claro.

— Portanto, perdemos a pouca independência de que desfrutávamos. Não podemos mais contar com a possibilidade de fazer visitas juntas. Você ainda será convidada para férias em Godmersham, e eu ficarei responsável por mamãe. Você, sem dúvida, assumirá os deveres de papai na família. Não vou permitir que, para além disso, assuma as tarefas domésticas. Aquelas tardes que eu passava sozinha com a minha pena ficaram para trás. Vou fazer visitas com nossa mãe e lidar com a cozinha. O restante do tempo será como *hóspedes* na casa dos outros, e nessas condições eu não consigo trabalhar. — Deu um suspiro fraco e trêmulo. — Você já me protege há tanto tempo, Cass. Você me permitiu ficar só com minha cabeça e — apertou a mão de Cassy — eu agradeço muito. Mas embarcamos em um novo período da vida, e preciso enfrentar minhas responsabilidades finalmente. Tive meus anos de oportunidade e os desperdicei. — Jane suspirou, voltou-se para Cassy e depois de volta para a parede. — Permita-me sofrer por isso e por nosso pai. Eu lhe imploro. Vou recuperar as forças. Por favor, só me dê um tempo.

～

As semanas seguintes foram desesperadoras. Se por um lado o imediatismo da morte gera muitas distrações, o luto bania todas elas. Cassy e a mãe ficavam em seus aposentos vendo a vida passar diante de seus olhos, mas sem de fato viver, qualquer que fosse o sentido do verbo. As quatro paredes as pressionavam. As refeições eram combinadas e comidas; as cartas, recebidas e respondidas. Eliza escrevia regularmente, com receitas de poções e remédios. Cassy subia as escadas seis vezes ao dia com caldos, mingaus e infusões de ervas; Jane aceitava, como criança doente e bem-comportada. No entanto, não descia.

A Sra. Austen foi a primeira a recobrar o ânimo. Cassy sempre soube que a mãe era dotada de muita força interior, mas, mesmo assim, ficou agradavelmente surpresa e impressionada com a maneira como aceitou o desafio da viuvez e se ergueu. Juntas escolheram as acomodações seguintes, inferiores, e, quando chegou a hora da mudança, Jane pareceu assumir o fato como um gancho. Saiu da cama e reassumiu seus deveres tanto com a mãe quanto com a irmã.

— Então, este é o nosso novo palácio — disse, passando os olhos pelo pequeno apartamento escuro. O olho flagrou um trecho de mofo, mas não fez qualquer observação. — Gay Street, número 25. Moramos agora na Rua Alegre. — Ainda estava fragilizada, pálida e magra, mas nos olhos havia um traço de luz. — Não vai servir apenas como endereço, mas como instrução. Prometo ser alegre enquanto aqui estiver.

Cassandra sentiu-se totalmente aliviada. Relaxou os pulmões e sentiu os ombros baixarem. A depressão acabara. Havia sido muito difícil, mas agora podiam deixar o passado para trás. Juntas sobreviveram ao pior golpe. Não havia razão para temer que voltasse a acontecer.

~

Southampton
15 de outubro de 1806

Querida Eliza,
 Chegamos a Southampton para começar nossa nova empreitada com uma nova estrutura familiar: nós três mulheres Austen, sua querida irmã, Martha, além de Frank e sua noiva. Nossas circunstâncias devem ser atribuídas às recentes condições mais apertadas, que trazem em seu bojo todo tipo de revelações inesperadas. Certamente estamos atentas! Parece que esse é o nosso futuro: unir forças com a miríade de outras pessoas que compartilham das mesmas limitações e tentam obter algum tipo de êxito. Esta é, sem dúvida, a primeira dessas combinações — que curiosa mistura de família sempre exibiremos aos nossos vizinhos! —, mas tenho esperança de que vai funcionar bem no devido tempo. É, sem dúvida, um grande conforto ter um homem em casa novamente — não podemos contar com esse privilégio com muita frequência, e nem sabemos se haverá outra oportunidade —, e, entre todos os meus irmãos, Frank é o mais prático e prestativo. A nova Sra. F. A. parece ser leve e de bom temperamento, e Martha, naturalmente, tem sido um prazer e apoio para todas nós. Sempre terá um lugar em nossa casa, não importa onde estejamos. Você nunca precisa se preocupar com <u>ela</u>, de verdade. Martha é uma de nós agora.
 Como lugar, Southampton parece bastante agradável, embora nossas instalações deixem a desejar. Estamos um pouco apertados, coisa que não me incomoda muito enquanto o tempo permanecer agradável e possamos sair e passear, e me acostumei tanto à imperfeição doméstica que quase não percebo. Minha única preocupação é com minha irmã, que, mais uma vez, está pelejando. Jane tem dificuldade em lidar com mudanças — o que é uma pena, pois mudanças nos

chegam com muita frequência e sem aviso prévio —, e temo que venha a sofrer outro acesso de melancolia. Tristemente, testemunhei o suficiente para identificar todos os sinais. Eu esperava, nesse meu jeito tolo, que Bath e seus invernos houvessem despertado essa triste condição, e que a saída de lá ajudaria a deixar tudo para trás. Começo a me desesperar com isso agora...

∽

— Vejam! — O rosto largo e esburacado estava iluminado de prazer e espalhava cores no vento de inverno. — Não somos abençoadas em ter isto à nossa porta? Penso que podemos sair e olhar o mar quando quisermos! Somos mulheres de sorte e, sobre isso, estamos de acordo.

As três mulheres saíram de braços dados ao longo da praia, com Jane no meio. Sem dúvida, Cassy pensou, pareciam amigas felizes, unidas na excursão da tarde. Na verdade, ela e Martha estavam apenas segurando Jane.

— Ah, Martha. — Jane suspirou, encostando-se nelas. — Seu contentamento, sua teimosa alegria, seu infindável bom humor, confesso que me desconcertam.

— Acho que é simplesmente a minha natureza. — Martha riu, decidida. Ultimamente, vinha sendo a melhor companheira para Cassy. — E assim continuarei sendo, não importa se compreende ou não, Jane. Você só precisa encontrar dentro desse seu coração cruel a graça do perdão. Consigo ficar contente e alegre em qualquer lugar.

Cassy sorriu satisfeita. Martha fora abençoada com muito menos do que as Austen. Na verdade, não tinha nada. A herança que tinha para viver era tão pouca, quase insignificante. Na condição de única filha solteira, passara anos cuidando da mãe com devoção e pouca gratidão. E quando a velha Sra. Lloyd livrou-se do sofrimento e foi chamada para um lugar melhor, esta Srta. Lloyd viu-se em estado precário. Estava, então, com quarenta anos — idade bastante perigosa — e, embora as irmãs fossem muito acolhedoras, sempre que ela precisara, nenhuma havia oferecido morada permanente.

Se as Austen não tivessem tomado a frente e trazido Martha para morar com elas — e quando chegou a ocasião fizeram isso com muita alegria —, não se sabe o que seria dela: um quarto escuro em algum lugar, acompanhante de alguma senhora idosa. Mesmo assim, Martha jamais demonstrou medo, nem tampouco reclamou.

— E estar com vocês duas, nesta cidade tão charmosa, me dá imenso prazer. Encanto-me verdadeiramente. Vamos nos divertir muito!

Apesar da recusa em admitir, havia, na realidade, uma imperfeição inerente no arranjo em Southampton. No passado, existia um esquema dos Austen para que Martha se casasse com Frank. Ela fazia muito gosto e se recusou a pensar em qualquer outro cavalheiro durante os anos em que era considerada para casamento. Ele, no entanto, não ficou tentado. Foi uma cruel decepção, a que se somava hoje outra indignidade final: aqui estavam agora ambos — Frank e a nova noiva, e Martha, obrigada a ajudar a cuidar da casa para eles. Em breve, aquela noiva iria engravidar, quando Martha, sem dúvida — o que a deteria? —, atuaria como babá. Mas, se estava sofrendo, ninguém percebia. E tinha grande prazer em cuidar da casa e da Sra. Austen, para além do que seria a sua parcela de contribuição.

— Por onde iremos? Não posso ficar muito tempo fora. Prometi à sua mãe que iríamos passear mais tarde. Ela quer, eu acho, observar e avaliar a vida social de Southampton.

— Aí está. Na lista de seus defeitos, esqueci de acrescentar falta de amor-próprio — disse Jane. — A vida social de Southampton? Sério? Só de pensar, tenho vontade de ir para a cama. Aquelas relações infindáveis com gente que jamais será amiga. Com que objetivo? Isto aqui é como reviver Bath.

— Deixe disso — apressou-se Cassy. — Nossa situação aqui é bem diferente. Temos Frank conosco, por exemplo.

— Sim — consentiu Jane. — Temos Frank, e ele é uma alegria. — Suspirou. — Embora apreciaríamos a companhia uns dos outros ainda mais em acomodações melhores. Não há tanto espaço para todos e as paredes são tão finas! Juro que ouvi cada virada dos bolinhos de ameixa sendo preparados pela minha mãe enquanto meu sono não vinha ontem à noite.

— Você dormiu muito bem. — Cassy foi firme. — E este lugar não é permanente. Encontraremos outro melhor.

— E quando chegar o verão — acrescentou Martha —, com certeza, vocês terão moradia fixa novamente, em grande estilo.

— Ah, sim. E aí serei feliz de novo.

Martha riu.

— Você é Lizzy Bennet todinha, basta um vislumbre de "belos campos" e tudo se transforma.

— Você me lisonjeia duplamente, minha querida. — Jane beijou o rosto de Martha. — Comparar-me a Lizzy *e* citar minhas palavras. Você sabe bem como chegar ao coração de uma romancista.

— Adoraria que você escrevesse algo novo para nós.

— Não consigo. Não aqui. — Jane fechou-se de novo. — Tudo isso ficou para trás.

— Então, retomemos *First Impressions* depois do jantar.

Ao longo de toda a sua jornada, enquanto Jane viajava de hospedagem em hospedagem e de uma residência temporária para outra, sua caixa de escrita viajava sempre em sua companhia, cada manuscrito um tesouro guardado a seu lado.

— *Mais uma vez?* Vocês duas conhecem essa história de cor!

— Mesmo assim, agrada-me como se nova fosse a cada vez — disse Cassy.

E fizeram planos para a noite: leitura, seguida talvez de um jogo ou dois. A atitude de Jane melhorou. Seguiram pelo rio, conversando e rindo, e tudo era paz e harmonia. Mas, mesmo assim, Cassy não conseguia afastar a sensação de medo. Era como se um monstro estivesse à espreita junto à porta. Estava sempre em alerta, o peso do corpo segurando a porta, os olhos vigilantes: desesperada para manter o monstro a distância.

CAPÍTULO XXII

Godmersham, Kent
12 de janeiro de 1807

Minha querida Eliza,

Aconteceu novamente! Claro, estou em Kent e Martha com você, portanto minha única fonte de informação é o tom de suas cartas, mas — tenho todas as razões para temer que Jane tenha sido acometida por mais um surto de melancolia. Este é o quarto do tipo e me entristece muito, pois me sinto responsável. Eu não deveria nunca ter me afastado e a deixado só.

Eu pensava que, se ela ficasse cercada pela família, tudo ficaria bem. James e Mary foram muito gentis em se oferecer para ficar com mamãe e minha irmã enquanto estão sozinhas depois do Natal, e tenho certeza de que ambos fizeram o que foi possível para levar alegria durante as Festas. Infelizmente — e não sei por quê, as razões me são desconhecidas — a visita parece ter levado Jane ao extremo. Fui muito otimista.

O pior da situação desta vez — ah, Eliza! Estou alucinada! — é que estou longe dela aqui e não consigo encontrar uma forma de voltar, e ninguém tem a intenção de fazer isso. Todos estão usufruindo imensamente do inverno e — ape-

sar de eu não ter me atrevido a perguntar — ficariam sentidos se tivessem que partir agora. Portanto, não posso fazer nada, a não ser ficar sentada aqui — neste esplendor, certamente, mas minha impotência é tanta que não consigo desfrutar.

Estive pensando — e me perdoe por pedir, você deve saber que não o faria a menos que estivesse desesperada — se você poderia dispensar Martha logo. Caso precise dela em Kintbury, compreenderei perfeitamente; caso contrário, se puder mandá-la de volta a Southampton, eu ficaria muito grata, Eliza. Ela é a única pessoa em quem posso confiar.

*Com carinho,
C. Austen.*

~

Cassy escreveu o endereço de Kinbury, lacrou o papel e baixou a pena. Não havia nada que pudesse fazer agora a não ser esperar. Aquela carta de Jane que chegou pela manhã — um grito angustiado vindo da escuridão — a havia deixado muito abatida. Daria tudo para estar ao lado dela agora! Escondeu a carta no decote do vestido e levantou-se da escrivaninha.

Elizabeth Austen ergueu os olhos de onde estava, junto à lareira.

— Está tudo bem, minha querida? — perguntou, gentil.

— Muito bem, obrigada — respondeu Cassy. — Embora eu ache que minha mãe e minha irmã estejam sentindo minha falta.

— Ah, não se preocupe com elas, Cass, de verdade. Você se preocupa muito em ajudar os outros. Ninguém pode se opor a você passar um tempo por aqui, se divertindo.

Elizabeth tinha, pouco antes do Natal, dado à luz seu décimo bebê. Com cada nova adição, seu apreço por Cassy crescia proporcionalmente: quanto mais o quarto das crianças ficava cheio, maior era o trabalho para a mãe, menos durava a governanta, mais bem-vinda era a cunhada. Era uma fórmula muito simples que Cassy entendia bem. Era também verdade, no entanto, que, ao longo desses anos épicos de heroica procriação, as duas mulheres haviam desenvolvido um genuíno apego mútuo e uma profunda afeição havia crescido entre elas. Uma correspondendo à devoção da outra às crianças, ambas pacientes e equilibradas: compartilhavam o mesmo temperamento.

— Como está tudo lá em cima? — Elizabeth se perguntava em voz alta, sem se mexer.

— Fique aí, Elizabeth, até ficar forte. Deixe que eu subo e vejo.

Cassy deixava para trás o aconchego da biblioteca, zunia rapidamente pelo belo corredor e subia a grandiosa escadaria. Não importava a tristeza do coração, seu olhar artístico nunca deixava de admirar a beleza desse entorno.

Edward e Elizabeth estavam agora em Godmersham, em um casarão elegante, construído setenta e cinco anos antes, e que se assomava sobre seu parque com a grandiosidade de quem tem certeza da sua importância. Cada janela emoldurava uma vista de encantos; cada parede interna era adornada com primoroso estuque. Cassandra tinha consciência tanto da sorte de poder ficar aqui quanto da ingratidão de desejar que não estivesse.

Que outra mulher com recursos tão limitados seria tão ingrata? Atravessou o patamar e o longo corredor. O Natal aqui havia sido esplêndido e alegre, as crianças tomadas pelo entusiasmo. Cassy havia comido em demasia — mais do que o necessário; jogaram, brincaram todas as noites; havia gargalhado à vontade.

Mesmo assim, o tempo todo sua cabeça estava em Southampton: como Jane estaria conseguindo administrar a casa na sua ausência? Havia contraído coqueluche recentemente e deveria estar convalescendo. Estaria dormindo o suficiente para recuperar as forças? Aqui no quarto confortável, sozinha e protegida, Cassy passava as noites acordada, preocupada. Se pelo menos Edward pudesse convidar Jane. Cassy trocaria de lugar, de bom grado, pois assim pelo menos teria paz de espírito. Mas ela própria era sempre a favorita em Godmersham, em especial quando havia um bebê por perto.

Subiu as escadas até o sótão, onde a governanta dava aula para as crianças mais velhas.

— *Bonjour, ma tante!* — gritou Fanny, quando a viu.
— *Et bonjour, chérie* — replicou Cassy. — *Tout va bien?*
— *Très bien, merci.*

A Sra. Morris claramente mantinha todos sob controle. Elizabeth levava muito a sério o aprendizado do francês pelas crianças; Cassandra não iria atrapalhar. Foi ao quarto dos bebês para verificar os pequenos — tudo estava bem — e, liberada, decidiu tomar ar fresco.

Era um dia bonito de inverno, depois de uma onda de seca, mas, qualquer que fosse o tempo, sempre havia bons passeios por aqui. A lama não era problema para o solo de Godmersham: isso era para outros lugares menos graciosos; a lama não se atrevia. Voltou ao quarto, pegou a capa e, do saguão, saiu para o jardim. O frio cortante atingiu seu rosto e baniu as nuvens de seu cérebro.

A solidão do dia claro aqui era uma rara e preciosa comodidade — havia sempre gente solicitando alguma coisa —, e Cassy estava determinada a usufruir. Por natureza, era uma mulher prática, que não gostava de perder o controle. Essa questão da melancolia de Jane desafiava todos os seus instintos. Tendia a afetá-la nos momentos menos convenientes e se recusava a ceder diante de argumentos racionais. Até aqui Cassy havia lidado com o assunto como qualquer outra doença — com tratamento, poções e cuidado. A verdade era que, depois de algumas semanas — até hoje —, Jane sempre se recuperava. Mas seria isso por causa dos remédios que Cassy lhe dava? Era ela quem a curava? Ou a doença durava um período determinado, como uma fase da lua, e simplesmente sumia com o tempo?

Caminhava, os olhos baixos, ignorando a paisagem, atravessando o jardim em direção ao rio. Com certeza, em vez de ficar parada esperando a cura, deveria se concentrar na prevenção: identificar quais eram os gatilhos que deflagravam a tristeza, lidar com eles e assim, então, poderiam não reaparecer.

Fez uma lista na cabeça. A causa primeira e mais óbvia era, evidentemente, a instabilidade. Tinham se mudado de casa quatro vezes desde a morte do pai, e cada uma dessas mudanças havia sido difícil. Cassy, agora no bosque e longe da luz do sol, tremia e suspirava. Não havia nada que ela ou qualquer outra pessoa pudesse fazer para prevenir mais mudanças no futuro. Não ficariam muito tempo em Southampton, tinha certeza. Em breve, sem dúvida, estariam saindo de lá, e quem seria capaz de dizer para onde?

Então acabou a paz. Jane estava certa. Tudo havia acontecido como ela temia. Cassy e Martha com frequência eram requisitadas para ajudar as famílias, e Jane ficava, como estava agora, responsável pela casa, jogada de lado entre a mãe, os trabalhos domésticos e a cozinha. Era verdade, também, que ela não tinha tempo — ou disposição, certamente — para escrever. Deixara *Os Watsons* de lado, em Bath, e nunca mais pôs os olhos no texto.

Saindo das árvores para a clareira, Cassy viu que havia apenas uma solução para todos esses problemas: uma casa própria permanente. Se, pelo menos, *pelo menos*, tivesse os meios necessários para adquirir uma. O rio brilhava diante de seus olhos, e ali, junto à margem, estava Edward.

— Cassy, minha querida! — O rosto estava corado pelas excursões da manhã; um cachorro de raça ao lado. — Que dia magnífico!

De braços dados, caminharam juntos.

— Não resisti — respondeu Cassy. — O que está fazendo nesta manhã, meu irmão?

— Saí para ver algumas das fazendas, ver como estão. Como são quinze, não faltam preocupações.

— Você tem tantas responsabilidades: não posso imaginar que tenha um minuto de sossego. A casa, a propriedade, sem falar em todas as crianças. Quantas são agora? Cem, duzentas?

— Ah! Perdi a conta há anos. Você acha graça, mas devemos chegar a cem, você sabe, se Elizabeth conseguir.

— Acho que vocês deviam. Nem todos os casais conseguem gerar filhos tão perfeitos. Vocês devem ao mundo a geração de todas as crianças possíveis.

— Bem, com certeza temos espaço e nisso temos sorte. De fato, em breve teremos mais. O contrato de aluguel da propriedade de Chawton venceu e eu decidi não alugá-la por um tempo. Devemos usá-la este ano, na alta temporada e nas férias; um pedaço de Hampshire vai ser o chamariz.

O cérebro de Cassy iluminou-se. Chawton. Propriedade. Casas — Edward era proprietário de inúmeras casas por lá, segundo lhe contaram. E todas no mesmo condado! Esta seria a solução para tudo. Aqui estava a resposta para as suas preces.

— Ah, como sentimos falta de Hampshire, sua irmã, sua mãe e eu.

— Mas vocês já estão por lá, não estão? Southampton fica no condado, não?

— Claro, mas não no *campo*, Edward. Sentimos falta dos vilarejos, lugares como Chawton, por exemplo, com cercas vivas e pastos...

— Então vai ser um pulo para vocês virem visitar de vez em quando. — Edward era expansivo. — Sempre serão bem-vindas como nossas hóspedes, você sabe.

Ambos silenciaram por instantes enquanto passavam pela curva do rio.

— E você tem notícias de Southampton? Como vão as coisas?

— Recebi uma carta hoje pela manhã e confesso que fiquei preocupada. Temo que nossa mãe esteja tendo dificuldade em viver por lá. — Na verdade, a Sra. Austen estava muito bem e tirava de letra cada efeito da velhice. Mas o caminho para o coração de um homem era mais fácil através da mãe dele...

— Nossa mãe! Você me surpreende. Ela suporta tudo. Talvez seja a calmaria pós-natalina. Espero que tenha gostado da visita de James, Mary e família. Deve ter sido muito agradável. E que prazer ela poder compartilhar a casa com o jovem Frank novamente, e a noiva e um bebê a caminho.

— Ah, Frank é uma bênção — assentiu Cassy. — Atualmente está empregado na colocação de franjas em cortinas! Mas não é por muito tempo. Vai voltar para o navio, e a esposa irá para a casa dos pais com o bebê. Depois teremos que nos mudar novamente, sem dúvida. — Fez uma pausa para escolher as palavras. Não valeria a pena pressionar Edward. Era um homem de negócios; gostava de tomar decisões. Este plano precisava ser ideia dele ou não se concretizaria. — Acho que ela mencionou Alton como nossa próxima parada.

— Alton! Mas é tão próximo de Chawton, tão conveniente, e há muitos sobrados por lá.

— Sim, de fato. — Cassy falava baixo, como se estivesse pensando alto: — Não que tenhamos condições de alugar um deles, naturalmente. Como a família de Frank está crescendo, não poderá mais nos auxiliar.

— Verdade. Olhe ali! Um martim-pescador. — O interesse de Edward pelas pobres senhoras minguava. — É a felicidade deste rio. Sempre alguma coisa para chamar atenção. — Jogou um graveto, e o cachorro saltou para buscar. — Estou ansioso por Chawton. A mudança significa descanso, não é?

O cachorro saiu da água elegantemente e sacudiu o corpo molhado.

— Veja bem! Tenho uma ideia. Por que não ficam numa das ninhas casas por lá?

~

Cassy estava sentada na biblioteca em um feliz devaneio. Satisfeita com o excelente jantar, agradavelmente exausta depois de uma tarde de passeio com Fanny e seu pônei, podia agora dispor de tempo para pensar na casa de Chawton. Seria grande ou pequena, pensava, e quantos quartos teria? Teria de haver espaço para Martha — ah, elas arrumariam um espaço para Martha, de alguma forma. Assim, quem seria tão feliz quanto elas? Mal conseguia esperar para escrever para Jane pela manhã. O alívio, com certeza, tiraria a irmã da cama e daria a ela alguma esperança no futuro.

— Meu amor — disse Edward então, sentado na poltrona. — Estive pensando no verão, quando formos para Chawton.

— Ah — suspirou Elizabeth. — Eu havia me esquecido de todo esse alvoroço que virá. Você não tem pena de mim, Cass, por ter que viver com este homem e seu gosto por revoluções permanentes?

Cassy poderia listar outros objetos merecedores de pena, mas sorriu de qualquer forma.

— Ocorreu-me dar uma das casas de campo às damas Austen.

— Às *damas*? Ah, Cass. Não são engraçados esses homens? Rá, rá! Tão divertidos. — Elizabeth voltou ao bordado e adotou um tom de voz paciente. — A última coisa que as damas querem é uma *casa de campo*, meu querido. A vida delas é invejável, ao meu ver. Podem escolher qualquer lugar que as agrade, aproveitar as infindáveis mudanças de paisagem. Não consigo acompanhar as diferentes mudanças de endereço. Uma casa de campo, sim. O que você imagina que fariam lá?

— Bem. — Edward, de repente, parecia inseguro. — Morar? Trabalhar no jardim? Qualquer coisa que queiram fazer.

— E morrer de tédio, o que não seria de estranhar. Com quem iriam conversar? Que amigas teriam por lá? Ah, pode ser bom para sua mãe, embora ela também goste muito de boas conversas. Mas suas irmãs precisam de gente, Edward. Diversão. Encontros. Precisam *conhecer* gente. — Olhou com carinho para a cunhada. — Nunca é tarde, minha querida.

— Na verdade, Elizabeth — disse Cassy delicadamente —, *é* muito tarde, e estamos perfeitamente em paz com isso. Devo confessar que estamos um pouco cansadas de bailes, visitas e coisas assim.

— Então vocês simplesmente têm que se recompor e seguir em frente — respondeu ela, de forma ríspida. — Acredite, Cassy, você não faz ideia das dificuldades de se manter uma casa própria. Por exemplo, o que vai colocar dentro dela? Vocês gostam dessa vida livre, indo de uma casa para outra. Não têm móveis! Não imaginam a responsabilidade!

— Poderíamos doar alguns móveis, meu amor — ofereceu Edward, mas Cassy percebia que a grande ideia já havia ruído em pedaços sobre o tapete da biblioteca.

— Elas não precisam de móveis, Edward, porque não querem uma casa de campo e basta. — Elizabeth pegou a tesoura e cortou a linha com força. — Veja, Cass, fiz um grande favor a você. Sua irmã irá gostar de saber, tenho certeza.

Desapontamento não era uma palavra estranha para Cassy. O termo — sem dúvida, masculino — era visitante habitual, e ela saudava sua mais recente aparição da maneira costumeira: censurando-se por deixá-lo entrar. Não havia mais ninguém a culpar.

Elizabeth falou com base em uma genuína preocupação pela família, e a opinião era baseada apenas na sua vida e experiência — como são todas. Na verdade, como era possível esperar que uma mulher na sua condição compreendesse algo diferente? Naturalmente, Edward, que havia sido tão generoso ao desenhar o plano, sempre aceitaria a opinião da querida esposa, o que atestava a excelência de sua natureza. Não, a culpa era sua, por ser tão egoísta, ambiciosa e exigente: inteiramente culpa sua. Pelo menos Jane não soube de nada e não criou expectativas. Cassy jurou jamais mencionar ou pensar no fato novamente.

Mesmo assim, apesar de toda aquela força e resolução, o desapontamento ficou com ela, assentado, pesado e imóvel como um rochedo na praia de Sidmouth. Repousava em algum lugar na região do estômago, logo abaixo da ansiedade que agitava o peito. As cartas para e de Southampton tinham muitas páginas e eram frequentes — mais frequentes, certamente, do que era possível —, revelando a tristeza de uma implorando a volta da outra. Cassy não podia fazer nada a respeito além de queimar a evidência na lareira do quarto todas as noites.

Entretanto, por mais que quisesse sair de Kent, não tinha o poder de fazê-lo. A viagem dependia da vontade do irmão em acompanhá-la, e isso seria inconveniente antes da primavera. Martha não voltou, nem Eliza respondeu ao pedido de deixá-la voltar. Assim, não havia nada que pudesse ser feito, a não ser se ocupar das crianças, jogar à noite, fazer e receber visitas. Viver bem, jantar bem e esperar o fim da pena à qual fora sentenciada: uma prisioneira infeliz no mais feliz dos lares.

Em fevereiro, finalmente, Jane recobrou o ânimo e o tom descontraído e feliz reapareceu em suas cartas. Haviam encontrado acomodações melhores, maiores, com jardim! Ela e a mãe estavam ocupadas com o planejamento. Em março, Cassy conseguiu voltar e cuidar delas. Cansara-se do futuro, de planejar e esquematizar. Em vez disso, de agora em diante, viveria o presente, fosse ele fácil ou difícil, e lidaria com um dia de cada vez.

CAPÍTULO XXIII

Kintbury, abril de 1840

A noite caíra e Cassandra ainda continuava sentada sozinha em seu quartinho estreito, observando papéis espalhados sobre a cama. Identificara dez cartas problemáticas comprovando o tormento de Jane e o desânimo de Cassy. Talvez não fossem, em si, incriminadoras quando postas no contexto de uma vida. Mas Cassandra compreendia bem os poderes das palavras escritas. Sabia também que os poderes da edição eram ainda maiores. Uma podia influenciar a outra, mutilar e distorcer: persuadir a outra a alterar sua forma e seu objetivo.

Isolados, esses documentos poderiam ser prova de um distúrbio mental. Até em conjunto com outras evidências, indicariam um caráter bastante complexo, frágil, estranho, cujas fraquezas e fragilidades lutavam contra suas forças. Separadas, porém, destruídas — aqui, Cassandra rapidamente verificou uma vez mais que havia dobrado todas elas —, não tinham quaisquer poderes, pois nenhum olho poderia vê-las e nenhum julgamento seria feito. Tudo que sobrava falaria, pela eternidade, sobre a doçura de seu temperamento. Qual era aquela frase sobre Jane que ela sempre usava quando falava com sobrinhas e sobrinhos? "Poucas mudanças e nenhuma grande crise jamais interromperam o fluxo da corrente suave do curso da vida." Ah, sim. Muito bom. Muito bem colocado. Levantou-se, esticou-se, escondeu as cartas no fundo da arca e suspirou de satisfação. De volta a Chawton, faria uma bela fogueira — ah, como gostava de uma fogueira. Ansiava por esse momento.

Faltava ainda uma última carta de Jane para Eliza — escrita de Winchester, em julho de 1817 —, mas Cassandra ainda não reunira forças suficientes para lê-la. Essa ela guardou na valise por segurança. Juntou e embalou o restante da correspondência — uma série de trivialidades felizes — e voltou para devolvê-las ao baú do banco de madeira.

Silenciosamente, Cassandra abriu a porta e saiu pelo corredor. Era muito tarde, tudo estava em silêncio. Caroline havia ido embora e Isabella certamente dormia. O quarto de Eliza estava escuro, mas conseguiu acertar o caminho, colocar o pacote de volta no lugar onde o havia encontrado e voltar ao seu quarto.

Ouviu uma fungada.

— Então, tudo feito, dona? — Mais uma vez Dinah mantinha sentinela na base da escada do sótão. Será que ficou espiando a noite inteira?, Cassandra perguntou-se. Será que chegou a ir para a cama?

— Boa noite, Dinah. Durma bem.

— A senhorita também. Em breve irá embora, então, né? Não sobrou nada pra fazer aqui? Que pena.

∽

Na manhã seguinte, Cassandra abriu as cortinas para um céu azul e ensolarado, o que sugeria que a manhã já ia alta. Sorriu, achando graça de sua indolência. Ela não era assim, de forma alguma. A Srta. Austen era famosa por se levantar com as cotovias. O repouso estranhamente prolongado poderia ser atribuído apenas à consciência limpa e ao profundo sentimento de dever cumprido, pois essas eram duas coisas que ela desconhecia fazia algum tempo. Bem, com certeza foi um sono bastante restaurador. Revestida com algo semelhante à energia, vestiu-se e saiu. Não havia necessidade de incomodar a família com seu café da manhã. Todo esse bem-estar poderia ser mais proveitoso se colocado a serviço dos outros. Precisava ver Mary-Jane, em nome de Isabella.

As árvores no pátio da igreja estavam floridas; a cor clara e o aroma suave faziam o coração dela cantar. Ela havia chegado aqui no inverno, exaurida e sobrecarregada com os problemas que tinha pela frente. Agora, veja a mudança no mundo! Veja, também, a mudança em si mesma. Perguntava-se como estaria o seu jardim. Que prazer seria voltar a ficar sentada lá.

A criada abriu a porta de Mary-Jane e indicou o caminho até o salão, sem nada dizer. Cassandra ficou parada na porta, também sem palavras.

No meio do cômodo, sob o olhar atento do retrato da mãe direcionado aos múltiplos artefatos exóticos, Mary-Jane flutuava em movimentos circulares, balançando os braços: dançando, embora não fosse uma dança que Cassandra reconhecesse de imediato. O corpo estava coberto por um longo e largo vestido vermelho; uma expressão de enlevo adornava o rosto quadrado.

— Não se incomode comigo, Cassandra. Estou rodopiando. — Não fixou o olhar. — Entre, sente-se. Em breve falo com você. — Continuou a rodar.

Cassandra empoleirou-se no couro de um tigre, não sem sentir certo desconforto, e esperou educadamente.

— Você já ouviu falar nos rodopiantes, Cassandra?

Cassandra não tinha ouvido. Mary-Jane rodou um pouco mais.

— Já ouviu falar nos dervixes?

— Os Dervixes? — Era provavelmente alguma família da região, mas ela não conseguia ligar o nome às pessoas. — Não creio que tenha tido o prazer de conhecê-los.

— São adeptos do sufismo. — Mary-Jane interrompeu a fala e sentou-se de pernas cruzadas no chão. — Pronto, por hoje, é só. — Pegou o cachimbo. — Eu os conheci e seus exercícios nas minhas viagens: os dervixes rodopiantes. Uma prática fascinante. Decidi experimentar e agora não consigo viver sem os exercícios. Acho muito espirituais. Você deveria experimentar. Vou lhe ensinar.

— Obrigada. Acho que prefiro não tentar. — Cassandra mexeu-se um pouco a contrapelo do couro do tigre. — Sempre achei a Igreja mais do que suficiente para atender às minhas necessidades espirituais.

Mary-Jane acendeu o tabaco e deu uma tragada.

— É apenas quando você sai pelo mundo que vê como a Inglaterra é pequena e limitada. Acredite, Cassandra, existem costumes, religiões e ideias lá fora que fazem...

Cassandra conteve a irritação. Esta visita ameaçava ser um desafio desnecessário quando tinha tão pouco tempo e — sentiu uma pontada — seu estômago estava tão vazio. Nunca conseguiu entender a razão de dizerem que viajar abria a mente: a companhia daqueles que se sentiam abençoados por suas viagens costumava ser tão esplendidamente enfadonha.

Mary-Jane agora falava bobagens sobre yogis, o que quer que fossem. Cassandra não queria saber. Precisava interromper.

— Sobre o assunto viagem, ou mudança, pelo menos, estive me perguntando se você teve contato com suas irmãs ultimamente?

— *Elas* vão viajar? Seria a melhor coisa para elas. Isabella adoraria. Há tanto...

Cassandra interrompeu e apresentou seu plano, disfarçando-o com a aparência de uma sugestão.

— O quê? Deixar *a minha casa*? — gritou Mary-Jane, baforando fumaça aos modos de um dragão furioso.

— Você me deu a entender que gosta de novas aventuras.

— Bem, sim. *No exterior*. Em que parte do vilarejo fica essa casa? Eu já lhe disse, pode ser perigoso por aqui.

— Talvez não tão perigoso quanto na Índia, ou na terra dos adeptos do sufismo — sugeriu Cassandra. Afinal, o que os levou a rodopiar, para início de conversa? — E você não ficaria tão sozinha. Quanto mais gente, melhor.

Mary-Jane mordeu o cachimbo.

— Eu poderia levar minhas coisas comigo?

Cassandra olhou em volta para os troféus e as espadas — a cobra venenosa — e permitiu-se uma pausa para pensar em Dinah, obrigada a espanar tudo isso todas as manhãs: pequena doce vingança.

— Claro. Tenho certeza. Vai haver muito espaço.

— Bem, então. Talvez a ideia tenha seus méritos. Aquelas meninas são vulneráveis. Posso protegê-las. Tenho uma arma.

O assunto estava resolvido. Cassandra aguentou uma pequena palestra sobre a comida do Oriente Médio e sua superioridade, prometeu — de boa-fé — que certamente experimentaria quando surgisse a oportunidade, e as duas se despediram cordialmente.

Quando a porta fechou e ela saiu, apertando os olhos sob a luz do sol, ocorreu a Cassandra que talvez nunca mais fosse ver Mary-Jane. Não sabia quantos anos, meses ou até mesmo semanas ainda teria de vida. Ainda assim, nem toda experiência deve ser tingida de arrependimento.

Voltou para casa pensando com certa alegria nesse novo arranjo das Fowle. Haveria três irmãs mais diferentes que elas? Haviam passado muito tempo separadas, cada uma largada à própria excentricidade. Mary-Jane, em particular, tinha enlouquecido. Faria bem a elas no longo prazo. Nenhum parto é fácil, nenhuma mudança vinha sem desconforto ou dificuldade, até quando — especialmente quando — era para melhor. Enquanto passava pelas lápides, cada narciso parecia saudá-la em concordância.

~

Foi no fim de setembro, no ano de 1808, que o décimo primeiro filho de Edward e Elizabeth chegou a Godmersham — poucas horas antes da chegada de sua mais prestativa tia. Tendo perdido o evento, Cassy ficou com pouco a fazer além de examinar o berço, identificar o bebê como um Austen tanto pelo vigor quanto pela resiliência, acomodar a orgulhosa mãe e assumir sua função.

Foi para o seu quarto, trocou de roupa e parou um instante para admirar o parque, tão belo no outono. Dessa vez, Cassy estava feliz em estar aqui e determinada a desfrutar do lugar. Tudo estava tranquilo em Southampton: a mãe gozava de saúde, o ânimo de Jane estava bom e Martha continuava com elas para evitar eventuais desastres. Nenhuma preocupação a pressionava; não havia razão para não aguardar ansiosamente os meses seguintes.

Na verdade, ela provavelmente era a mais afortunada dentre todas as solteiras. Pelo menos uma vez por ano podia vir aqui a Godmersham e fingir levar a vida de uma mulher privilegiada — um casarão agradável para administrar, uma turma de crianças para ensinar e entreter — e o prazer da companhia de um cavalheiro todas as noites. E tudo sem as provações do confinamento regular. Onze bebês — imagine! Elizabeth era a criatura mais notável, mas seus apuros não causavam inveja. Cassy era a mais agraciada das duas: podia encenar seu papel regularmente e então sair de cena, livre, de volta àquelas que amava acima de tudo.

— Tia Cass! — Fanny explodiu pela porta cheia de entusiasmo. — Você chegou! Já viu o novo bebê? Ele está bem?

— Minha criança querida. Chegue aqui. — Cassy deu um abraço apertado na sobrinha. — Ele é um amor, de verdade, mas você ainda é a mais bonita. Deixe-me olhar para você. — Ela se afastou. — Não, sinto muito. Você cresceu demais para o meu gosto. O que está pensando, ficando moça assim tão cedo?

Agora com quinze anos de idade, Fanny tinha uma beleza doce e pura: um lírio pronto para florescer. Mas, mesmo com todo o tamanho e refinamento, ela ainda ria e pulava na cama. Cassy sorria, escutando o relato das novidades enquanto arrumava as coisas e se sentia em casa. De todas as alegrias encontradas aqui, Fanny, com certeza, era a maior. Tinha charme, mente astuta e temperamento alegre — e como era possível esta Srta. Austen, em particular, não ser feliz? Seu quinhão era o mais invejável.

— Tia, estou lendo *Camilla*, da Sra. Burney. — Ela estava se tornando quase outra irmã.

— E gostando, espero? — Cassy fechou a última gaveta e olhou para a sobrinha com satisfação.

— Ah, com certeza. Mais tarde, depois que os pequenos dormirem, podemos ler juntas? Estou bem no início.

— É claro, vou gostar muito. Pronto. Tudo arrumado aqui. Vamos?

De mãos dadas, subiram para a sala de aula. Apreciava cada uma das tarefas, assim como a leitura, a costura e as questões de família.

Seria tudo muito agradável.

Durante onze dias, tudo esteve de fato bastante movimentado e alegre, como esperado. O desastre instalou-se no décimo segundo.

Era noite, e Cassy estava na biblioteca com Edward e a jovem Fanny. A filha deleitava-se com a leitura de *Camilla* em voz alta; o pai não.

— Preciso dizer que estou ansioso por ter sua mãe de volta conosco aqui neste cômodo — dizia Edward. — Sinto-me grato por ela e eu concordarmos sobre o que é uma noite agradável. Sozinho, com as duas senhoritas *dos livros*, sinto-me um estranho em minha própria casa.

— Não vai demorar muito, papai. — Fanny tranquilizou-o. — Mamãe está recuperando as forças rapidamente. Hoje comeu um bom jantar.

De repente, Cassandra sentou-se, alerta, orelha em pé.

— O que foi isso? — gritou, tensa.

Ruídos de pés correndo, vozes altas vindas do andar de cima. Imediatamente, levantou-se, subindo rapidamente as escadas. No meio do caminho, uma criada correu ao seu encontro.

— O médico! É para a senhora! Precisamos do médico!

Cassandra levantou as saias e correu ao quarto. Ali, com metade do corpo para fora da cama, estava Elizabeth em horríveis contorções. Estava pálida, os olhos arregalados: aquele rosto antes lindo, poluído com a imagem de puro e mortal terror.

— É uma convulsão! — gritou a enfermeira. — Do nada! Nunca vi nada assim! — Tagarelava, toda a competência profissional de repente desaparecida.

Cassy tomou o pulso da cunhada e sentiu: ritmo alterado.

— Há quanto tempo? — perguntou, aflita. — Faz quanto tempo que está assim? Quando começou?

— Não estou certa, senhora... Cinco minutos, pelo menos.

Cinco minutos? O que a mulher ficou *fazendo* durante esse tempo?

— Passe-me o láudano — pediu Cassy. — Agora, ajude-me a colocá-la de volta na cama. — Já com a voz mais calma: — Não há motivo para pânico, Elizabeth. Minha querida, acalme-se. Estou aqui com você. Escute. Vou abrir sua boca agora. — Mas a língua estava enorme, o pescoço terrivelmente inchado; Elizabeth contorcia-se. Cassy precisou lutar para pingar as gotas. Gastou toda a energia. Pronto! Imediatamente, Elizabeth se curvou, a cabeça pendeu. Será que deu certo? Será que a droga operou sua mágica? Desesperadamente, tentou sentir o pulso de novo.

Sua tentativa foi em vão.

∽

Godmersham mergulhou na escuridão. A esposa mais querida, a mãe mais devotada — o centro radiante desta imensa família feliz foi arrancado e substituído por um tormento de sofrimento.

Edward ficou atordoado com o luto, agitado na tristeza: as pobres crianças sem mãe, desnorteadas e perdidas. Cassy trabalhava incansavelmente para consolá-las e cuidar de cada uma. O período era de tanta dedicação que não tinha tempo para parar e pensar nos problemas futuros. Até que, depois do funeral, à noite, Fanny apareceu em seu quarto.

— Ah, tia Cass. — Fanny deitou-se na cama e abraçou a tia. — O que será de nós? Como vamos enfrentar isso? Não vou conseguir. Não sou igual à mamãe. — Chorou, então, convulsivamente.

— Minha querida, shh. — Cassy consolou, seu coração morrendo de pena.

Ah, como esse sentimento lhe era familiar. Ter a vida que conhece arrancada de você; ser forçada a assumir outra vida contra a sua vontade.

— Você é uma excelente filha, um imenso conforto para seu pobre e querido pai. E, como irmã mais velha, é maravilhosa. Entende aquelas crianças melhor que ninguém. Meu amor, você vai conseguir. Vai ser difícil, mas vai conseguir. O Senhor nos impõe esses desafios para que possamos crescer e ficar mais fortes e melhores. — Envolveu o rosto doce e molhado em suas mãos. — Isso é o que sua mãe esperaria de você.

— Mas não estou preparada.

— Está mais preparada do que imagina. Elizabeth era uma boa esposa e mãe e educou você dentro de padrões impecáveis para ser a mesma coisa.

— Sim, daqui a cinco ou dez anos... Mas não *agora*, *ainda* não. Fico com medo de fracassar. É muita coisa para mim. Por favor, tia Cass, eu imploro. Por favor, não vá embora.

— Vou ficar alguns meses aqui, até vocês estarem bem.

— Não. Fique para sempre. É você que deve ser a companheira de meu pai; é você que deve criar as crianças. Você precisa morar aqui conosco. Não vamos conseguir ficar sem você.

Fanny, então, adormeceu, o sono leve de uma alma em profunda turbulência. Cassy abraçou-a acordada e pensou. Há muito tempo via Kent como a única solução. Quando esteve aqui depois da morte de Tom Fowle — qual era o bebê? Número quatro, número cinco? —, e em busca de algum meio de sobrevivência, isso era o que ela esperava: viver como agregada em uma jovem família, um apêndice inestimável e invisível. Como estava tudo diferente hoje, quantas mudanças. Dez anos, ao que parecia, eram o suficiente para mudar cada poro e cada canto do coração de um ser humano.

∽

Na manhã seguinte, Edward chamou-a ao seu gabinete.

— Acho que Fanny foi procurá-la ontem à noite.

— Foi, sim, a pobrezinha. — Cassy sentou-se na poltrona de couro. — Estava um pouco desalentada com a situação, mas vai se recompor com o tempo, tenho certeza.

— Ela sugere... ela gostaria... bem, nós dois gostaríamos que... — Pobre Edward. Estava tão perdido quanto as crianças; toda a tranquilidade da segurança havia desaparecido. — Bem, se agradaria a você... vir morar conosco aqui.

— Ah, meu irmão querido. Sinto muito por vocês, profundamente, e farei qualquer coisa dentro das minhas possibilidades para ajudar.

— Sim? — Ele levantou os olhos azuis, circundados pelas olheiras escuras.

— E virei ficar com vocês sempre que quiserem. Com grande relutância, no entanto, preciso recusar a oferta de transformar esta casa em minha residência permanente. Meu verdadeiro lugar é junto à minha mãe e à minha irmã. — Não acrescentou que preferia este lugar a todos os outros. — Meu dever está lá. — Dever era a palavra correta; ninguém contestaria o dever.

— Ah, é claro. — Ele pigarreou, sem jeito. — Sim. Entendo.

— Nos próximos meses, teremos ainda outra reviravolta. Ah, por favor! — exclamou ela de repente. — Por favor, não pense que estou menosprezando sua situação! Naturalmente, seus problemas são maiores que os nossos, e nossos corações, mentes e sentimentos estão, verdadeiramente, com vocês. Mas...

Fez uma pausa. De repente, em toda aquela escuridão, seu olho captou a luz: o brilho de uma oportunidade de ouro. Brilhou como um sinal. Agarre-me, dizia a ela: agarre-me agora!

— Teremos que nos mudar em breve. — Deu um suspiro profundo. — Southampton está se tornando custosa demais para minha mãe. Está na hora de encontrar algum lugar para nos estabelecermos mais uma vez. Parece que será Alton. Tivemos notícia de um lugar não muito especial, dentro das nossas possibilidades. Espero que dê certo, mas não será sem dificuldades. Nossa mãe precisa do meu apoio.

— Certamente. — Edward recolheu-se à mesa de trabalho.

Cassy ficou em silêncio, esperando até que a mente imperturbável do irmão fizesse seu percurso. Teve que esperar um bom tempo. Finalmente, Edward falou.

— Talvez eu possa fazer alguma coisa para ajudar vocês e minha família ao mesmo tempo. Tenho uma casa pequena aqui na propriedade, em Godmersham, que vai vagar em breve. Assim você ficaria próxima e teria fácil acesso às crianças.

Ah, Edward, ela pensou com afeição, convenhamos, convenhamos. Sua situação é muito triste, mas não exatamente incontornável. Todos sabemos que poderia propor coisa melhor.

— Que ideia encantadora! Quanta generosidade. — Fingiu que iria considerar a proposta. — Mas não, nossa mãe está com ideia fixa em Hampshire, só fala em viver seus últimos anos no solo natal. Posso tentar, mas temo que não vá ser fácil convencê-la a mudar de ideia.

Edward ficou arrasado, forçado a pensar novamente.

— Então, quem sabe, vocês considerariam Chawton? — A voz começava a transparecer desespero. — Temos uma casa em frente a um lago, não muito grande, acho, e que não demanda muito trabalho. Mas é próxima do casarão e então, quando minha família estivesse lá, poderíamos, espero, nos ver mais. Caso nossa mãe não precise de você mais...

— Chawton? — Ela repetiu, em tom casual, meticuloso e ponderado. — Hmmmm... Vou pensar... Hmmmmm.... Esse *pode* ser um plano mais promissor... *Uma casa em Chawton*... Penso que *poderia* convencê-la a aceitar... Sim! — Deu um pulo, aproximou-se de Edward e beijou-o. — Que irmão inteligente e generoso é você. Pode ser que tenha encontrado a solução perfeita!

E, antes que ele tivesse tempo de pensar mais, atravessando a porta, ela avisou sobre os ombros:

— Vou escrever agora mesmo e apresentar a proposta.

∽

Finalmente, no outono de 1809, as mulheres Austen atingiram a felicidade máxima e se mudaram para uma casa própria. A casa tinha sido de um oficial de justiça e era ainda mais espaçosa do que Cassy imaginara. No andar térreo não havia apenas uma sala de estar, mas duas, além de seis quartos ao todo. Ademais, a localização era ideal: no meio do vilarejo, próxima da rua, de forma que a mãe podia apreciar todas as idas e vindas e fazer seus comentários a partir de uma confortável posição.

— Ah, isto é a perfeição! — exclamou Jane, indo de um quarto a outro.

— Se dermos este para mamãe — disse Cassy apontando para o melhor deles — e este aqui seria de Martha, então — levou a irmã ao pequeno e gracioso quarto no fim do corredor — podemos ficar confortáveis aqui, não é?

Jane entrou e olhou em volta muito satisfeita. Admirou a vista pela janela, o pátio e a promessa de um jardim mais adiante, bateu palmas, virou e abraçou Cassy. Por alguns instantes, ficaram sob a luz do sol, abraçadas.

— Acabou — sussurrou Jane. — O pior ficou para trás.

— E não precisamos mais pensar nisso. — Cassy afastou-se, segurou a mão de Jane e continuaram o tour. — Este pequeno aposento aqui fica então para nossos irmãos e seus filhos.

— Fico pensando em quantas vezes virão nos visitar. — Jane olhou pela porta. — Vai ser maravilhoso quando vierem. — Deu as costas e sorriu. — E maravilhoso quando não vierem.

Desceram as escadas, parando alguns minutos para olhar pela janela e admirar o exterior de novo. Ao pé da escada estava Martha, forte e sorridente.

— Tudo bem? — perguntou, ansiosa.

— Minha pobre Martha, estou achando que não vai lhe agradar — disse Jane.

— Não? — Como se o ar tivesse sido extraído de dentro dela. A experiência de Martha com decepções era ainda mais profunda que a delas, e sempre temia que acontecesse de novo a qualquer momento.

— Não chega nem aos pés da ilustre senhora. Pode ser que ache defeito na casa também, assim como em tudo que aqui está. Conhecemos suas exigências.

Martha iluminou-se, aliviada.

— Já entrei para avaliar a cozinha. Tem tudo que possamos necessitar. Tenho que ficar me beliscando e não vejo a hora de começar a viver aqui.

— Somos tão boazinhas com você, Martha. — Jane segurou seu braço, e ambas saíram pela sala —, que estamos dispostas a lhe dar o controle da cozinha. Você não é uma mulher de sorte? Não tem nada com o que se preocupar, exceto nossas papilas gustativas e a melhor forma de agradá-las.

— Não se preocupe, meu livro de receitas já está fora da mala e ao lado do fogão.

— E eu tomo conta da casa — anunciou Cassy, acomodando-se no sofá, junto da mãe.

— Isso é bom — disse a Sra. Austen —, pois terei o jardim como meu feudo particular. Aquela horta precisa de cuidado. Está em péssimo estado.

— E sobra o que para mim? — Jane protestou. — Vou ficar sem tarefas? Exijo igualdade.

— Você pode ser nossa fonte de entretenimento. — Foi a sugestão de Martha.

— A Boba da Casa! Algo para dar ânimo ao despertar cada manhã. "Como poderei diverti-las hoje?" E se não rirem das minhas piadas? Pode parecer ridículo, afinal sou excelente comediante, mas vocês compõem uma plateia exigente. Tenho medo de achar a pressão insuportável.

— Poderíamos deixá-la responsável pelo café da manhã?

— A-rá! Aí reside o poder. Adicione a isso a despensa de açúcar, e talvez de vinho, e aí fechamos o acordo. Serei quase um imperador.

— De acordo. Naturalmente, todas teremos coisas para fazer pela manhã e, sem dúvida, receberemos visitas. Mas, depois disso, ainda teremos muito tempo ao nosso dispor. — Cassy esperava por esse momento. — Aqueles manuscritos que tem carregado há tanto tempo, por toda parte, podem sair do esconderijo. A mesinha está aqui, chamando você. As tardes serão livres. E aí... — Ela interrompeu a fala e exclamou: — Você vai voltar a escrever! Afinal, o que pode detê-la?

— Esplêndido! — A Sra. Austen falou. — Você pode ler para nós todas as noites, Jane. Será exatamente como nos velhos tempos.

— E fazer fortuna!

— Martha! — gritou Jane. — Será que não consegue pensar em nada além de dinheiro? Tão indecoroso para uma dama. Sua leviandade a rebaixa.

Todas riram, e a Sra. Austen disse:

— Vocês, queridas meninas, serão muito felizes aqui, tenho certeza. Naturalmente, não posso esperar que vá ficar neste lugar por muito tempo. Já excedi o meu tempo neste mundo e meus problemas ficam cada vez piores. O que Deus está pensando ao me deixar por aqui para atrapalhar, realmente não compreendo. Mas talvez vocês, pelo menos, sejam abençoadas por longos anos para desfrutarem.

— Ah, *mamãe* — disseram Cassy e Jane em uníssono.

CAPÍTULO XXIV

KINTBURY, ABRIL DE 1840

—Salve, salve! — exclamou Isabella.
—Bom dia. — Cassandra entrou no saguão da casa paroquial e começou a tirar as luvas.
—Estávamos nos perguntando o que teria acontecido com você, não é, Dinah?

Dinah, que estava no patamar no alto da escada com um balde e um pano de chão, virou-se e olhou para ela.

—Estamos sempre perguntando sobre a senhorita. É quase uma regra, não é, dona?

—Sinto muito. Tento incomodar o mínimo possível. — Cassandra ouviu uma fungada carregada de sátira. — Fui visitar Mary-Jane e tenho boas notícias. Ela está disposta a deixar a casa...

E, de repente, fez-se um imenso alvoroço. Dinah despencou, rolou escada abaixo, com o balde e o pano, pelo restante dos degraus. Cassandra tomou um susto. Isabella gritou. Dinah caiu no chão, imóvel.

As duas correram até ela.

— O que aconteceu? — Isabella pegou e sentiu seu pulso. — Deve ter desmaiado. Você viu, Cassandra? Ela desmaiou?

Cassandra, de fato, havia testemunhado tudo, embora achasse difícil acreditar no que vira. Era como se Dinah tivesse se jogado escada abaixo de propósito — de uma altura segura, como acontece com aqueles que têm a certeza de que serão amparados. Mas não conseguiram ampará-la. Ela se arriscou e o fez de caso pensado. O que poderia ter provocado atitude tão estranha?

Pyramus latia, alto e aflito. Fred chegou à porta de pronto. Cassandra foi ao seu encontro e, baixinho, mandou que corresse — corresse rápido — para chamar o médico e depois ajudou Isabella a virar Dinah de lado. A criada estava inconsciente, imóvel, o rosto branco como de um cadáver.

— Ai, meu Deus!

— O pulso bate — disse Isabella. — Está viva, mas não tenho dúvidas de que se machucou seriamente. Ah, Dinah — sussurrou, acariciando sua testa. — Ah, Dinah. Não nos deixe. Não nos deixe, por favor.

— Não podemos movimentá-la até o médico chegar.

— Dr. Lidderdale? — Isabella levantou os olhos, arregalados.

— Mandei chamá-lo. Isto é sério. Precisamos dele aqui conosco.

Isabella olhou para Dinah.

— Você está certa, Cassandra. Ela não pode correr riscos em detrimento da minha... Enquanto esperamos, você poderia me trazer um pano úmido e frio e a hamamélis?

Cassandra fez o que foi pedido e passou pela porta de serviço. Com certeza já tinha visto copas mais organizadas na sua época — aqui o caos tomava conta de todos os cantos e superfícies —, mas com seus instintos de dona de casa logo se achou. Voltou à sala com o pano e a garrafa em mãos no exato instante em que o Dr. Lidderdale fez sua entrada.

— Bom dia às senhoras. O que temos aqui? — Este era o médico que ela havia conhecido no dia anterior. — Vamos ver isso, minha cara. Deixe-me dar uma olhada em você. — Tirou o sobretudo, manchado na frente, enrolou as mangas da camisa e começou a examiná-la. Com mãos fortes e certeiras, verificou se havia ossos quebrados, enquanto Cassandra observava, intrigada.

Agora, à luz do dia, havia alguma coisa familiar neste Dr. Lidderdale. Já o tinha visto em outra ocasião, mas não se lembrava onde. Estatura mediana ou abaixo da média, mas ombros largos que lhe davam a aparência de ser maior — seria este o cavalheiro que havia visto na ponte com Isabella nos primeiros dias da sua chegada? Naquela manhã quando Isabella parecia voltar angustiada? Talvez, mas não tinha certeza...

— Nenhuma fratura que eu possa ver.

— Apenas concussão?

— Exatamente. Precisamos colocá-la em um lugar mais confortável, Isa... Srta. Fowle. O quarto fica muito longe.

— O sofá — disse Isabella. — Na sala de visitas.

— Você pega um lado, eu o outro. Com cuidado.

Juntos, em parceria, manobraram o peso morto e o deitaram no sofá, com delicadeza.

— A hamamélis — pediu Isabella, levantando o braço para trás.

Cassandra deu um passo à frente e fez sua pequena contribuição.

— Isso. Muito bem — disse o médico em aprovação. — Um galo aparecendo aqui.

— Sais?

— Sais podem ajudar a recuperar a consciência.

Ficaram juntos, lado a lado e... o que foi aquilo? Será que Isabella encostou-se nele, por um instante, ou foi a imaginação de Cassandra? Havia, certamente, algum tipo de unidade, uma sensação de parceria entre os dois, sem dúvida causada por uma preocupação compartilhada pela pobre Dinah. Era de fato terrível. Suponhamos, apenas suponhamos, que ela não voltasse a si?

Uma criada de longa data, sofrendo graves ferimentos — talvez o mais grave deles — no exercício do dever era muito triste de ver. Cassandra não sabia nada sobre a família de Dinah, mas devia haver alguém a ser chamado, um parente provavelmente dependente de sua renda. Para alguém no vilarejo — para Dinah, certamente, e para a pobre Isabella —, este era um daqueles dias que não seriam esquecidos quando a vida mudou de forma e se desviou para outra dimensão. Sentindo-se impotente e inútil, Cassandra sentou-se na beira de uma poltrona, juntou as mãos no colo e, em silêncio, rezou para que o desfecho fosse menos grave do que ela temia.

— Obrigada por ter vindo — disse Isabella baixinho.

— Você sempre pode contar comigo. Sabe disso. — Pousou a mão em seu braço.

De repente, Cassandra sentiu-se uma intrusa. Achavam que estavam sozinhos e, em liberdade, falavam livremente. Ficou imóvel.

— Gentileza sua dizer isso. Mas depois... bem... depois de tudo que aconteceu entre nós, você poderia ser perdoado por recusar o atendimento.

— Em primeiro lugar, sou médico. Não darei as costas a nenhum paciente que precise de mim. — Sua mão segurou a de Isabella. — Mas também sou homem. E jamais... jamais, meu bem... lhe darei as costas.

— Ah, John. — Isabella virou-se para ele. No perfil, Cassandra captou o rosto doce da sobrinha. Não estava mais monocromática, e sim rosada, como se estivesse acesa por dentro.

Um murmúrio baixo veio do sofá.

— Os olhos estão abrindo! Ela voltou! — Isabella caiu de joelhos. — Por nos devolvê-la, Senhor, agradeço.

— Aaaaai, minha cabeça. — A voz de Dinah estava abafada e atipicamente suave. Cassandra não conseguia ouvi-la muito bem. As próximas palavras foram algo parecido com: — Você veio, então. Funcionou. Isso é bom. — Mas, naturalmente, não faziam sentido. Uma fala de alguém com concussão?

O Dr. Lidderdale fez alguns testes nos olhos de Dinah e na fala e constatou que não havia sofrido nenhuma lesão grave, e que o acidente havia deixado a paciente incólume.

— É preciso mais que um tombo pra me derrubar.

— Mesmo assim, seria melhor não fazer disso um hábito. — Fechou a valise de médico. — As quedas podem ser perigosas, Dinah. Você teve sorte.

Dinah pediu autorização para descansar, e todas as energias se voltaram para seu máximo conforto. Ficou deitada no sofá com ar orgulhoso, enquanto as outras se agitavam em torno dela. Trouxeram travesseiros e um cobertor, encontraram conhaque, serviram e desfrutaram. Dinah foi orientada, em termos muito sérios, a ficar ali pelo resto do dia, proibida de fazer qualquer trabalho. Estranhamente obediente, Dinah fez uma última exigência — que a Srta. Fowle levasse o bom doutor até a cozinha e desse a ele o que comer; encontraria a torta de porco na despensa — e depois se acomodou para um cochilo.

Cassandra ficou próxima para observar, caso houvesse alguma intercorrência, e sentou-se em silêncio. Pyramus veio ficar de guarda aos seus pés, esfregando o focinho nas pernas enquanto ela pensava. Será possível... hesitou, tentando bloquear o pensamento, mas a força era tanta que não conseguiu detê-lo. Será possível que tenha feito uma leitura errada da história de vida de Isabella?

De repente, sentiu um mal-estar, o pescoço esquentou, logo todo o rosto queimava. Pois, pensando bem, à luz dos acontecimentos da manhã, não podia negar um novo significado. Lembranças de conversas passadas inundaram-lhe a mente: dos últimos desejos de um pai, da persuasão da filha, de pais ameaçando revirar no túmulo. Esta não era, no fim das contas, a velha lenda da solteirona que precisava da família. Havia outro enredo escondido — de amor e impedimento.

E ela não havia percebido. Cassandra não havia percebido.

Como era grande sua arrogância! E como era grande, agora, a vergonha! Aprendera com a vida e impusera suas lições sobre a vida de outra pessoa. Interpretara sua própria felicidade e a havia promovido, incansavelmente, à condição de única verdadeira felicidade. Confundida pela fé de uma velha cega na "experiência" e na "sabedoria", desviara-se do caminho do amor. E então — o horror desta parte! — unira forças com aqueles que buscavam obstruí-lo e se interpôs no caminho do amor.

— Ah, Pyramus! — Os olhos castanhos do cachorro pareciam examinar sua alma. Enterrou o rosto no pelo castanho-avermelhado e espesso do pescoço do bicho e suplicou: — Ah, Pyramus, o que foi que eu fiz?

CAPÍTULO XXV

CHAWTON, 1813

Era uma tarde quase perfeita em Chawton, uma tarde típica do verão inglês, e a Sra. Austen estava a sós no jardim. Vestida excentricamente com roupas velhas — embora, nos últimos tempos, até suas melhores roupas fossem velhas, pois que diferença fazia? —, ajoelhada junto aos seus morangos, atacando ervas daninhas insurgentes com uma espátula. Dentro de casa estavam as três outras residentes, como de costume, na sala de estar.

Jane, junto à escrivaninha, demonstrava a mesma intensidade feroz na batalha intelectual que a mãe exercia fisicamente. Martha copiava receitas no caderno. Cassy, na poltrona junto à janela aberta, envolta pelo perfume das rosas, lia novamente a carta daquela manhã. Era a quarta missiva do gênero que recebia desde que chegaram a Chawton, e ainda não sabia por que haviam sido escritas. Qual o motivo dessa comunicação? Como poderia mudar as coisas? O que está feito, está feito. Seria a esperança de inspirar algum sentimento de arrependimento?

A paz foi perturbada.

— Cheguei ao meu limite e estou por um fio. — Mary Austen apareceu na soleira da porta. Anna, mais alta e mais bonita do que a madrasta, embora compartilhando o mesmo comportamento zangado, ficou parada junto dela.

— Boa tarde, Mary. — Jane enfiou a página sob o mata-borrão e levantou os olhos. — O que a traz aqui?

— Tenho razão para acreditar que *sua* sobrinha, *minha* enteada, está embarcando em *outro* noivado! E, desta vez, com Ben Lefroy, dentre todas as possibilidades.

As tias apresentaram cautelosas congratulações, e Anna retribuiu com um sorriso igualmente cauteloso. Era verdade que, como pretendente, o Sr. Lefroy era menos que o ideal, mas pelo menos era melhor que o anterior.

— Natural e obviamente, ninguém quer que ela termine seus dias como *solteirona*, mas é difícil ter fé nela depois do que nos fez passar. Honestamente, acho que faz isso apenas para nos irritar.

Cassy era de opinião que Anna estava simplesmente desesperada para sair de casa e faria qualquer coisa dentro de suas possibilidades para levar a cabo sua intenção. Pobre criança, tinha apenas um jeito de fugir.

Mary postou-se, agitada, no meio da sala e, como de costume — a cabeça zunindo como mosca-varejeira de um dissabor ao outro —, foi incendiada por um novo assunto.

— Cada vez que venho aqui sou tomada pelo mesmo pensamento: seu irmão Edward poderia ter feito algo muito melhor para vocês se quisesse. Não se sentem irritadas em viver aqui, quando ele tem propriedades bem melhores? Vocês têm uma índole muito boa, e ele se aproveitou disso. Minha vasta experiência me ensinou que uma mulher solteira e pouco exigente nunca recebe o que merece.

— E minha experiência — Jane levantou-se — é que a exigente acaba não ficando com nada. De verdade, Mary, não se preocupe conosco. Estamos muito confortáveis e infinitamente gratas. Posso lhe oferecer uma bebida gelada?

— Claro que não. Faz muito frio aqui. — Mary encenou um calafrio. — É muito frio e extremamente escuro.

— Estaria ficando doente, irmã? — perguntou Martha, preocupada.

— Nunca adoeço. Deve ser a corrente de ar. Será que há uma corrente de ar por aqui? Acho que sim. Vocês deveriam chamar o criado de Edward para ele dar uma olhada.

— Nunca o aborreceríamos com algo assim — respondeu Martha. — E quando for necessário algum reparo, então, bem: podemos pagar. Afinal de contas, Jane está rica!

A nova "riqueza" de Jane era muito comentada em Chawton naquele verão, e a querida Martha sempre trazia o assunto à baila. Desde a mudança, Jane tinha, assim como sua irmã esperara, retornado aos manuscritos. Primeiro revisou *Elinor e Marianne*, que se transformou em *Razão e Sensibilidade* — ah, alegria! —, encontrou uma editora e vendeu muito bem. Incitada pelas companheiras de casa, *First Impressions* foi o próximo a receber atenção. Com o novo título *Orgulho e Preconceito*, vendeu ainda mais. Era o romance da moda em 1813, e sua autora anônima estava na crista da onda. Estava determinada a ganhar mais do que a surpreendente quantia de cem maravilhosas libras. Todas apaixonadas pelas resenhas, quando chegavam, exclamavam diante das vendas anunciadas. Jane trabalhava, com enorme prazer e satisfação absoluta, em algo bastante novo: as aventuras de uma jovem heroína, rica de princípios, pobre de renda. Ninguém conseguia furar sua bolha de contentamento. No entanto, Mary tentava.

— *Rica?* Ah, Martha, você é tão meiga e tola. Jane recebeu uma breve lufada de ar este ano, e estamos todos satisfeitos. Mas, como eu dizia a Austen ontem à noite, popularidade não é medida de qualidade nem longevidade. Romances estão na moda, nada mais, nada menos. Austen diz isso, e quem sabe mais que ele? Quando penso em sua poesia... ah, bem, vou ficando por aqui, pois não quero ofender. Por favor, entendam, minhas queridas, que essa *riqueza* muito provavelmente não passa de uma ocorrência única, e, espalhada por uma vida de trinta e sete anos, o que significa? Mais ou menos nada.

Mais uma vez a mosca-varejeira voou, pousando em Anna de novo.

— Agora, então. Voltando a assuntos mais urgentes, trouxe Anna para visitar a avó, esperando que alguém inspire juízo nesta jovem cabeça tola. Vamos lá, criança. Confesse tudo.

Saíram para o jardim.

— Ignore — disse Cassandra com brandura, voltando à leitura da carta.

— Ah, eu faço exatamente isso. — Jane abanou a mão. — Mas não posso ignorar que o que ela diz é interessante. Sabe de uma coisa, ela real e genuinamente, do fundo do coração, tem pena de nós três. Aqui estou eu, a Mulher Mais Feliz da Inglaterra… autodeclarada, talvez, mas ainda assim oficial; a coroa está firme na minha cabeça… e lá vem Mary, avalia meu quinhão e consegue apenas enxergar tragédia.

— Ela aborda as coisas da vida segundo critérios bastante diferentes.

— Sim, mas será que só ela pensa dessa forma? — Jane queria saber. — Será que todos se sentem assim? Será que todos nos olham e veem três criaturas sem graça e austeras como — olhou em volta e se deteve na lareira — aquele atiçador, ali? O guarda-fogo? Uma lenha seca? Pegamos o limão que o destino nos ofereceu e fizemos uma limonada. E eu me pergunto *mesmo* isso, de verdade. Ainda assim, apesar de toda essa sorte, conivência e vitórias, ainda somos as velhas pobres e ridículas que temíamos nos tornar.

— Talvez. — Cassy lembrou-se de um incidente na semana anterior. Ela e Jane caminhavam pelo vilarejo juntas, com chapéus combinando. Os guarda-roupas das irmãs haviam se fundido ultimamente, e os trajes de meia-idade, com cada vez mais frequência, eram quase idênticos: como gêmeas estranhas e antiquadas. Eram claramente ridículas, pois um grupo de jovens trabalhadores rira ao passar por elas. Jane não havia notado, estava ocupada falando. Cassy, entretanto, ouviu e não deu importância. Pois não vivemos para outra coisa a não ser divertir nossos semelhantes e retribuir, rindo deles? — E o que importa?

— Não importa nada. Eu só fiquei curiosa. Nós, romancistas, somos criaturas curiosas. Nunca paramos de examinar caráter e situação.

— Ah, Martha. — Cassy riu. — Acho que temos que ter pena de nós, afinal, não?

— E já que estamos falando de minha curiosidade e sua natureza insaciável — Jane prosseguiu —, de quem é esta carta?, se me permite perguntar. E não diga "de ninguém", pois você já leu umas cem vezes esta tarde, e "ninguém" raramente justifica esse nível de análise.

— É da Sra. Hobday. Não sei se você se lembra: nós...

— *Hobday?* — exclamou Jane. — Claro: curiosamente, o nome me soa familiar. Ensurdece, na realidade. O que ela quer, depois de todos esses anos?

— Escreve para informar que o filho...

— O seu *Sr.* Hobday.

— O cavalheiro do litoral? — Martha ajeitou-se na poltrona.

Cassy olhou para Jane, que parecia uma ovelha.

— O Sr. Hobday — continuou ela — acaba de ser pai pela terceira vez. Notícias excelentes, estou certa de que você concorda.

— Estamos todas felizes por ele — disse Jane secamente. — E por que ela acha que você gostaria de saber disso?

Cassy suspirou.

— Concordo que seja um enigma, um que não estou conseguindo decifrar. Poderia, quem sabe, ter ajuda de uma romancista astuta para me iluminar sobre a questão. Se pelo menos eu conhecesse...

— Ao seu dispor. — Jane foi à janela, olhou o jardim e pensou. — Evidentemente, o orgulho de qualquer mãe amorosa, e *ela* era a mais amorosa, se bem me lembro, seria muito afetado pela ideia de outra mulher rejeitar seu querido. Talvez ainda sofra, mesmo depois de todos esses anos.

— Mas se aquele homem querido está hoje estabelecido e abençoado com uma família — acrescentou Martha —, isso seria extremamente grosseiro.

— Ah, você fala como se não soubesse o que é grosseria. Se pelo menos o mundo tivesse o seu talento para a resiliência e o perdão, minha querida amiga — comentou Jane.

A sala caiu em silêncio. Cassy estava pensando, sem duvidar de que as outras também estivessem pensando — pois as três agora tinham adquirido a capacidade de ler a mente das demais —, em Martha e Frank Austen. Ela o amara por tanto tempo e tão profundamente, e, ainda assim, nunca aquele amor havia recusado a permissão dela para se alegrar com a felicidade dele ao encontrar o amor com outra pessoa. Ela possuía a mais pura das almas.

— Também é possível — continuou Jane — que a *velha* Sra. Hobday seja menos grosseira e mais calculista. Talvez ela tenha medo que a *jovem*

Sra. Hobday não consiga sobreviver a todos esses partos. Quer se assegurar de que a *próxima* Sra. Hobday esteja aguardando, preparando-se para entrar no centro do palco.

— Oh, céus! — exclamou Cassy. — Que lugar mais obscuro e estranho é a sua mente, minha irmã. — Dobrou a carta e guardou-a. — Não posso aceitar essa teoria. É muito sinistra para ser traduzida em palavras. E, se você estiver certa, ela irá apenas se decepcionar mais uma vez.

— Verdade? — Jane ficou de lado e colocou a mão no ombro de Cassy. — Você não se arrepende? Jamais voltaria para ele? Mesmo agora, quando não precisa se preocupar comigo e com a nossa mãe? Fico pensando nisso, às vezes. Vocês duas foram feitas, com certeza, para o casamento. Eu nunca fui. Mas vocês teriam sido excelentes esposas. Será que não existe, lá dentro de vocês, algum cômodo pequeno, fechado e secreto de decepção?

Martha sorriu.

— Eu, de minha parte, nunca tive escolha.

— E eu — Cassy apertou a mão que agora segurava a sua — não me arrependo de nada. Olhe bem para nós. Encontramos nossa Utopia! Não posso imaginar vida melhor do que a que temos aqui.

CAPÍTULO XXVI

KINTBURY, 1840

— Dinah? — Uma Cassandra humilde falava com delicadeza, sentada na poltrona. — Você está acordada. Graças a Deus! Está se sentindo melhor?

— Um pouco dolorida, dona. — Dinah se contorceu e se mexeu, procurando ver onde doía. Encolheu-se quando a mão tocou na testa. — Ai. Mesmo assim, não está mais tão ruim. Acho que me livrei, dona.

— Você teve sorte, acho. Posso fazer alguma coisa para ajudar?

— Eu não vou negar uma xícara de chá, Srta. Austen. Mas, é claro, só se estiver indo para aquele lado.

Cassandra levantou-se diante do pedido.

— Vou fazer um chá imediatamente.

Saiu para a cozinha e voltou, esforçando-se para carregar a bandeja pesada.

— Ah, a porcelana fina, olhe só. — Dinah sentou-se. Cassandra ajeitou os travesseiros. — A enferma merece o melhor.

— Pareceu-me uma pena não usar. Você ainda não tinha encaixotado.

— Não tive coragem, dona. A Srta. Isabella gosta tanto dessa louça. — Tomou um gole do chá e suspirou, contente.

— Dinah, enquanto estamos aqui sozinhas — Cassandra sentou-se —, tenho algumas perguntas para lhe fazer. A primeira de todas, e isso é simplesmente para satisfazer minha curiosidade, será que eu estaria certa em pensar que você ficava ouvindo a leitura do romance de minha irmã, *Persuasão*, na sala de estar?

— E se eu tiver ficado? — Dinah apertou os olhos. — Existe alguma lei proibindo, existe? Proibindo os criados de ouvir coisa que o povo acha boa demais para eles?

— De forma alguma — protestou Cassandra. — Pelo contrário. Nada poderia me dar mais satisfação! É apenas porque me ocorre que sua queda na escada não foi diferente da cena na história. Você se lembra, é em Lyme?

— Não estou entendendo aonde está querendo chegar, dona — refutou Dinah. — Vou tomar outra xícara desse chá, se não se incomoda.

Cassandra segurou a xícara de porcelana e encheu.

— Seja o que for, gostaria de aproveitar o ensejo para aplaudi-la pela inteligência e pela devoção à sua patroa. Arriscou-se muito ali, mas parece que funcionou.

Com o semblante presunçoso, Dinah tomou outro gole do chá, fazendo barulho ao sorvê-lo.

Baixando o tom da voz, Cassandra inclinou-se.

— E agora, bem, vamos a um assunto delicado. Espero que não me ache intrusa, sobre a Srta. Isabella e o Dr. Lidderdale.

— Então, finalmente, chegamos lá, não é? — Dinah deu uma de suas fungadas, significando profundo desdém, se Cassandra fez a leitura correta, e, em seguida, acalmou-se. — Ele ama ela. Ela ama ele. Faz anos.

— Sim. Agora, entendo isso. Mas por que...?

— O patrão não aceitava. A senhora sabe como ele ficava, às vezes. Teimoso como uma mula. Não estou acusando ninguém. Não tem nada de errado com o Dr. Lidderdale, só que ele não tem um centavo furado. O vilarejo todo é apaixonado por ele, mas ele não tem berço, a senhora me entende. Não nasceu cavalheiro, e o Reverendo não tolerava isso. Não prestava para a Srta. Isabella e pronto. Não era nem melhor do que nada, e foi por isso que a pobre criatura acabou com tudo.

— Estou chocada em ouvir isso. — Cassandra jamais ouvira sequer um sussurro sobre o drama! — Estou também muito triste pelo pobre casal.

— Então, quando o Sr. Fowle morreu, eu tive esperança. Pronto! Pensei comigo, agora eles estão livres. Não tem ninguém pra atrapalhar. E fiquei o tempo todo dizendo isso para a Srta. Isabella, enchendo o ouvido dela. Aí, a *senhora* apareceu no pedaço com sua chave inglesa.

— Sim, me desculpe. E se eu soubesse... — Cassandra sujeitou-se. — E a Sra. Fowle e sua percepção sobre o par? Com certeza deve ter ficado dividida.

— Se ficou, nunca deu a entender. — Dinah engoliu o chá. — Era uma mulher perfeita, minha patroa... perfeita demais, é minha opinião. A perfeição! — Fungou e sacudiu a cabeça com repulsa. — A perfeição não acaba com os problemas. A Sra. Fowle guardava os pensamentos pra ela, o que acho uma bobagem, se alguém quiser saber minha opinião. Nunca discutia com ninguém, especialmente com ele, e nem sempre ele estava certo sobre as coisas, não mesmo. E nem ela tinha disposição pra se intrometer. Era muito dura, mesmo que precisasse se intrometer. A casa podia estar pegando fogo e ela não se intrometia.

— Muito diferente de nós, então: você, Dinah, e eu. — Teria ido longe demais? Cassandra disfarçou sua apreensão com um sorriso hesitante, agarrando-se a Pyramus em busca de apoio emocional.

— A diferença entre nós duas, madame — disse Dinah, maliciosa, acima da melhor xícara e do melhor pires —, é que *eu* me intrometo pelo bem.

∽

Cassandra encontrou Isabella no jardim, junto ao rio.

— Parece estar mergulhada em contemplação, minha querida.

Ficaram juntas ao lado de um salgueiro-chorão que exibia as primeiras folhas verdes. Dois cisnes passavam ao largo, pescoço e cauda elevados, arrogantes em sua felicidade conjugal. A íris alta anunciava, como se fosse uma bandeira, a satisfação do retorno das cores.

— O dia de hoje me fez pensar em muita coisa. — Isabella parecia atordoada.

Cassandra percebeu pela primeira vez que a sobrinha estava muito bonita, como raramente havia visto. O traje de luto havia sido substituído por um rosa claro, que emprestava uma doçura a seu rosto e revelava sua forma delicada e fina. O sol pintava listras douradas no cabelo. Parecia uma mulher com metade da idade. Todas as marcas e feridas daqueles anos difíceis, longos e perdidos — como ela deve ter sofrido! — desapareceram no milagre de uma manhã.

— Acabei de estar com Dinah e posso lhe assegurar que não precisa se preocupar com ela.

— Dinah? — perguntou Isabella, como se o acidente fosse a última coisa a lhe passar pela cabeça. — Ah, sim. Boas notícias, com certeza.

— Aparentemente, a queda não foi tão ruim quanto pareceu, embora não se possa nunca presumir que seria esse o caso. Espero que não tenha se aborrecido por eu ter chamado o médico.

— Aborrecido? — Isabella riu. — Longe disso, Cassandra. — Segurou o braço da tia e começaram a andar de volta para a casa. — Quem sabe o que mais Dinah poderia ter feito a si mesma, caso o Dr. Lidderdale não tivesse aparecido? Cortado a própria cabeça, muito provavelmente. Você fez a coisa certa, eu lhe asseguro.

Naquela altura, atravessando o gramado em direção a elas de uma maneira muito urgente, surgiu a visão nada bonita da estranha Mary-Jane.

— Vim assim que soube. — Sua agitação abalou a tranquilidade. — O que aconteceu? Morta, suponho. Que coisa terrível. Escadas podem ser muito perigosas... coisas estranhas... sempre ouvi dizer. Um risco. Por isso durmo no andar térreo.

— Boa tarde, mana. — Isabella beijou-a sem nenhuma afeição. — Dinah está bem, obrigada, e se recupera dentro de casa. Tivemos muita sorte. Não há nada com que se preocupar.

— Bem, você pode dizer isso, mas qual é a extensão do dano? Está em condição de nos ajudar na mudança para essa outra casa ou não? Se isso vai ser logo, não podemos dispensar a criada.

— Sobre esse assunto — falou Cassandra com calma —, posso dar uma sugestão? Desculpo-me, no entanto, por interferir.

As duas irmãs Fowle, tão diferentes, voltaram os olhos para ela com cautela, e Cassandra não poderia recriminá-las. Já não interferira o bastante?

— Ao contrário da sugestão que dei anteriormente, fico pensando se não seria melhor esperar um pouco, antes de vocês se comprometerem com o aluguel de uma nova propriedade. Afinal, pode ser tolice apressar um plano como esse em época de grande crise. Não seria o caso de Isabella encontrar um espaço temporário, esperar e passar um mês ou algo assim, para pensar sobre as coisas com mais vagar?

A nova solução, como era de esperar, contou com a concordância de ambas, uma vez que nenhuma das duas tinha gostado muito da ideia. E, quando a ameaça se dissipou, o clima melhorou. Felizes, sabendo que não teriam que partilhar a intimidade doméstica; alegres, pois seus futuros possivelmente não iriam se emaranhar; exultantes, de fato, pois não precisariam se encontrar novamente se assim o quisessem; juntas decidiram caminhar pela propriedade.

— Estranho pensar que tudo isso está prestes a deixar a família — disse Mary-Jane enquanto andavam em direção ao estábulo, outrora tão movimentado e perfumado, agora tristemente deserto.

Isabella riu.

— Você quase nunca veio aqui, durante anos!

— Talvez não. Não é um passeio frugal, com o cemitério no terreno da igreja e tudo mais. Mas sempre tive o consolo de saber que estava aqui.

— É o jardim mais bonito da Inglaterra, na minha opinião — disse Cassandra de maneira afetuosa. — Quando o vi pela primeira vez, há muitos anos, parecia que eu estava pisando em um livro de histórias onde eu era a heroína.

Isabella virou-se e olhou para ela — surpresa, talvez, em ouvir uma fala tão romântica de alguém que ela, sem dúvida, considerava uma velha senhora seca e fria.

— E então sua história se transformou em tragédia. Sinto muito, Cassandra.

— Ah, não, não foi bem assim, minha querida — respondeu Cassandra. — Na verdade, foi um golpe terrível perder seu querido tio Tom. A morte dele nos trouxe imensa tristeza. Sua pobre avó jamais se recuperou. Mas eu... por favor, não pense que tive uma vida triste, Isabella. Afinal, existem tantas formas de amor quanto instantes no tempo. — Segurou seu braço novamente e sorriu. — Ou, como diria nossa sábia Dinah: "Cada um com seu cada qual."

Margearam o bosque, desceram a colina e voltaram à beira-rio.

— Sua irmã — disse Mary-Jane com ar pensativo. — Lembro dela chegando aqui para a última visita... bastante doente; todos percebemos. Passeava, também, assim como estamos fazendo, com o semblante de quem não esperava voltar. Que ano era... 1817?

— Foi no verão anterior — respondeu Cassandra com doçura. — Grande percepção a sua, Mary-Jane, ler as atitudes de Jane dessa forma. Você era tão jovem, e eu, tão mais velha e sábia, refutava as evidências. Veja, tudo que eu podia ter era esperança. Embora a minha própria irmã, acredito, soubesse, na época, que não havia esperança.

CAPÍTULO XXVII

Cheltenham
1º de junho de 1816

Minha querida Eliza,

Obrigada por seu bilhete e fico muito feliz em saber que tenha gostado tanto de "Emma". De maneira geral, sua passagem pelo mundo foi tão leve quanto desejei. Embora tenha havido <u>algumas</u> críticas negativas — cada palavra uma adaga perfurando o coração —, elas foram equilibradas pelo apreço, que me permitiu moderada alegria. Naturalmente, ficaria mais alegre ainda caso as <u>vendas</u> melhorassem, mas, pronto: nunca serei tão rica quanto gostaria.

Tampouco tão sortuda. A sorte é dada a mim com uma das mãos e tirada com a outra. E, em confiança, Eliza — eu seria capaz de trocar toda a esperança de enriquecimento e sucesso hoje apenas para me sentir bem novamente. Gostaria de poder dizer que as águas de Cheltenham estão operando milagres, mas — ai de mim! — não seria verdade. E em meio a todos os médicos que se movimentam por aqui — todos são médicos, ou pelo menos <u>afirmam</u> ser —, não há um só capaz de dar nome à minha doença. Você não deve se surpreender com isso, é claro. Como sabe, ao longo da vida sempre fui conhecida como uma Mulher Misteriosa.

• 273 •

Nada disso basta para desestimular minha querida Cassy. Ela me leva todas as manhãs ao balneário, certa de que cada sessão irá operar um milagre. E, embora eu me esforce e finja, por amor a ela, que meus sintomas estão melhorando, sinto-me mais fraca agora do que quando chegamos. Não é apenas o desconforto — minhas costas doem, minha pele está estranha —, mas é a <u>fadiga</u> que mais me atormenta. Hoje está melhor, mas, em algumas manhãs, fica muito difícil levantar a cabeça do travesseiro. E pior ainda é a ideia de ser um peso para minha adorada irmã. Ah, ela não reclama e está sempre de bom humor, mesmo como escrava dos meus interesses. Mas está <u>determinada</u> a achar a cura para mim, e eu duvido cada vez mais do seu sucesso. Este meu pobre e teimoso corpo parece decidido a declinar. Que pessoa miserável eu me tornei.

Meu ânimo, no entanto, se alegra ante a perspectiva de visitar Kintbury na nossa volta a Chawton. Pretendemos estar com você na quinta-feira, e esse pensamento, por si, basta para trazer cor à minha face e devolver vida às minhas pernas. Por meio desta, informo sobre a melhora de minhas condições durante alguns dias — elas tirarão umas férias. <u>Não</u> irei interferir no prazer da nossa visita. Não vou permitir que isso aconteça.

Sua,
J. A.

~

Cassy ficou com Eliza na janela, olhando o jardim. A sala de Kintbury estava amarelada sob o sol da tarde, as sombras aumentavam no jardim adiante.

— Como você acha que ela está agora? — perguntou Eliza enquanto ambas observavam Jane perambulando ao pé do junco.

Cassy respondeu com muita confiança:

— Ah, é possível notar uma melhora definitiva. Estou otimista. As dores nas costas estão melhores, e tenho certeza de que a pele estabilizou. E você, o que acha?

— Eu? Estou confiante de que você está certa. Fiquei um pouco alarmada por causa das manchas estranhas no braço dela, mas naturalmente não iriam desaparecer de imediato, e seria tolice esperar isso. É que fazia tempo que eu não a via...

— Está muito magra. — Cassy mordeu o lábio. — E aquelas manchas escuras são alarmantes, concordo.

— Nós alimentamos vocês duas — suavizou Eliza. — E de fato as marcas não são nada. Não sei por que fiz menção a elas. Que marcas? Fico agora me perguntando. E, na verdade, isso foi há alguns dias. Pensando bem, não deixaram rastro. — Voltou à cadeira e pegou o bordado. — Vamos devolver vocês a Chawton tinindo de saúde.

— Minha querida. — Fulwar entrou. — Espero que se lembre de que vou sair hoje à noite. É o Jantar do Partido Conservador, em Newbury. Perdoem-me — fez uma reverência para Cassy — por deixá-las sozinhas na sua última noite à nossa mesa. Difícil resistir.

— Por favor, não se preocupe conosco, Fulwar. — Cassy baixou a cabeça em deferência. — Ficaremos, é claro, mais silenciosas sem você, mas estou certa de que pelo menos uma de nós vai encontrar assunto.

— Exatamente. — Ele foi à janela. — Como está sua irmã? Preciso dizer que a aparência dela não está boa. Você vai terminar ficando louca de preocupação com tudo.

Eliza costurava em silêncio.

— Nós duas estávamos justamente dizendo, na verdade, que Jane parece estar bem melhor — disse Cassy com bastante firmeza. — No caminho da recuperação.

— Hummm. Tem a melancolia que quase sempre vejo em meu trabalho... o ar dos doentes terminais. Mas, entendo que vocês tiveram uma onda de azar ultimamente. Talvez seja essa a causa. Não deve ser fácil. — Ele foi à lareira, levantou a casaca e balançou-se sobre os calcanhares, embora o fogo não estivesse aceso para aquecê-lo.

Cassy suspirou.

— Um ou dois dos meus irmãos passaram por dificuldades financeiras, é verdade. Mas você conhece muito bem os Austen: temos mais do que merecemos em termos de bênçãos em geral, mas, ai de mim!, o dinheiro sempre se esquiva de nós. Sem dúvida, iremos sobreviver.

— E aqueles livros dela não deram em nada, ouvi dizer. Parece que ela se esvaiu depois daquele que era bom, não foi? Que vexame. Ainda não há muito sobre o que escrever, imagino.

— Jane teve quatro romances publicados e todos aclamados.

— Mas não ganhou nada, assim me diz Mary. Ela me conta que, enquanto vocês trabalham nas suas tarefas, sua irmã não faz nada a não ser escrever, e para nada. *Tentamos* ler aquele mais recente, aquele...

— *Emma?*

— Tem nome de mulher. Não achei nada de mais nele, achamos, minha querida? Lemos o primeiro capítulo, pulamos para o último. Deu para ter uma ideia.

— E a ideia foi qual, na sua opinião? — perguntou Cassy, com um esboço de sorriso.

— A de que nada de muito relevante aconteceu. Quem vai gastar dinheiro com esse tipo de publicação? Melhor não se incomodar. Já *Waverley*...

— Na realidade, Jane anda ocupada com um novo romance que deverá ser seu melhor. — Cassy saiu da janela para se sentar no sofá e se preparou para expor. — É...

— Conte tudo para Eliza. Ela é boa ouvinte, não é, meu amor? Tenho que ir me vestir. Não posso me atrasar. Aqueles Conservadores de Newbury são a melhor companhia que conheço. Alto nível de conversas, brilhantes.

CAPÍTULO XXVIII

Winchester, 1817

—Queridíssima? — Cassy tocou com cuidado o rosto de Jane. — Está me ouvindo, meu amor? Está aí?

Não houve resposta. Não havia sinal de movimento. Pousou suavemente os dedos sobre um fino punho branco e sentiu o pulso trêmulo e fraco. Ainda não, graças a Deus: um pouco mais. Foi dado a elas pelo menos mais um dia.

Cassy puxou os ombros para trás, alongou-se e lamentou a própria fraqueza. Como poderia ter adormecido na cama ao lado? Como não dormia há dias, a fadiga tomou conta dela: e daí? De agora em diante, faria tudo que estivesse em seu poder — prender os olhos para não fecharem — para que ficasse acordada até o fim, que, ela sabia, viria.

Foi à janela, abriu as cortinas e observou o amanhecer de verão tomar conta da College Street, em Winchester: o último endereço que compartilhariam. Que estranho era que se encontrassem aqui sozinhas nesses cômodos insignificantes e desconhecidos. Que comovente que uma fiel servidora tão querida fosse chamada ao seu Criador quando estava longe de casa. Talvez Jane não mais percebesse; talvez estivesse muito doente para se importar com o lugar ou seu significado. Mas Cassy se importava. Profundamente. Durante quarenta e um anos, agira como firme defensora dos interesses de sua irmã. E no quadragésimo segundo ano, havia fracassado.

Doze meses inteiros haviam transcorrido desde que recorreram aos banhos em Cheltenham pela primeira vez e apreciaram a breve temporada com Eliza. Era agora julho de 1817; estavam em Winchester, e a esperança as havia trazido ali. Cassy encontrara um novo médico, que havia prometido, se não a cura, pelo menos melhora. Era, com certeza, algo a se perseguir: algo que precisava ser tentado? Mas, então, a esperança as havia abandonado logo depois que chegaram. E, de repente, era muito tarde para voltarem a Chawton. Cassy suspirou profundamente, enterrando a cabeça nas mãos. Precisava exercitar a aceitação. Esta era a última peça que a vida pregava nelas, nesses últimos instantes do seu jogo travesso. Não havia nada a fazer agora, a não ser aceitar a derrota. E esperar que o Bom Senhor chegasse.

— Você passou a noite inteira aqui? — sussurrou Jane das profundezas do travesseiro.

Cassy correu para junto dela.

— Cass, você parece exausta. Tenho consciência de que a minha própria beleza não está grande coisa, mas você, meu amor... — Tentou esboçar um frágil sorriso, os pequenos dentes parecendo enormes, quase bestiais, por causa do rosto emagrecido. — Por que não deixou a enfermeira ficar com a parte pior? Prometi não partir sem ter você ao meu lado.

Cassy apalpou a mão de Jane.

— Dispensei a enfermeira. Não, não desperdice o fôlego! Ela não era muito boa. Não me inspirava confiança. Mas temos ajuda a caminho.

— Martha? Ela está vindo? — Jane demonstrou um laivo de prazer. — Então ficaremos as três juntas.

— Chamei Martha — disse Cassy, delicada. — Mas, aparentemente, decidiram, e não sei o que está acontecendo lá em Chawton, que Martha deveria ficar com nossa mãe. Então Mary está a caminho agora.

— *Ela* vai cuidar de *mim*? Ah, Cass. Mamãe está muito *bem*, tenho certeza. Eu não disse que ela sobreviveria a todas nós? Temo que eu seja agora o espetáculo principal, e aqui está a prova. Posso admitir que tenho pouca esperança de me recuperar. Mas, se Mary está vindo, devo enfrentar: a Morte não pode estar tão longe. — Ela se virou e se contraiu quando as costas tocaram o colchão.

— Shh, agora. Fique calma. Tente beber um pouco de água. — Cassy ajoelhou-se na cama, abraçou a irmã, nada mais que um esqueleto, e segurou uma xícara junto à boca enquanto ela sorvia. — Pronto. Durma por mais algumas horas. O médico virá por volta do meio-dia. Vamos ficar quietinhas até lá.

~

— Vim, assim que pude. — Mary desamarrou o chapéu. — Como está ela agora? O que posso fazer?

— Obrigada, Mary. — Cassandra beijou-a. Foi um alívio tão grande ver alguém da família, alívio tão grande receber uma enviada do mundo dos saudáveis, ainda que fosse Mary. — O ânimo está bom. O corpo, menos. O médico esteve conosco hoje pela manhã. Agora, temo... bem... ele sugeriu... que não falta muito tempo.

Mary preparou-se para a função e assumiu o posto ao lado de Jane. Liberada, Cassy foi ao quarto e deitou-se para descansar. Não conseguia dormir, não se permitia... Apenas um cochilo, talvez...

No fim da tarde, correu de volta ao quarto da enferma, o coração na boca, desgrenhada. Perdera o momento? Não era possível que tivesse. Ouviu uma conversa baixa e alguns risos frágeis. Mary e Jane estavam desfrutando, mutuamente, da companhia uma da outra.

— Que cena bonita — disse Cass, satisfeita.

— Estávamos nos lembrando de quando éramos jovens — respondeu Mary. — Quando você estava em Steventon e fomos ao Ibthorpe. Ah, como nos divertimos. Antes de eu me casar.

Jane concordou.

— Tive tanta sorte com minha família e meus amigos. Se morresse agora, morreria feliz: abençoada nessa ternura e grata por não sobreviver a vocês ou a seus afetos. — Segurou a mão de Mary. — Você sempre foi uma irmã generosa para mim, Mary. Por que não vai descansar agora e deixa Cass assumir o posto?

Cassy esperou até que estivessem sozinhas, antes de falar.

— Fiquei comovida em ver vocês duas se divertindo juntas.

— Ela foi muito agradável, de verdade — admitiu Jane.

— Mary é uma boa enfermeira, como suas irmãs. — Cassy ajeitou os cobertores e deixou a cama mais arrumada.

— Não é tanto isso, e ela não é igual a você ou à queridíssima Martha. — Jane foi um pouco mais fundo, o rosto pálido como o travesseiro. — A tragédia sempre desperta o melhor dentro dela. O sucesso é que incomoda sua boa índole.

∼

Das quarenta e oito horas seguintes, Jane passou mais tempo dormindo do que acordada. A aparência estava diferente, e, aos poucos, ela iniciava o processo de distanciamento. Na noite de quinta-feira, 17 de julho, houve uma espécie de ataque: um desmaio, uma depressão; o sinal do fim.

— Diga-me o que está sentindo. O que está acontecendo, meu amor? — Cassy levou uma esponja fria ao rosto de Jane, enxugou a pele fina como papel. — O que posso fazer por você? *Qualquer coisa.* Quer alguma coisa?

— Nada, a não ser a Morte. — Os olhos de Jane estavam fechados, seu sofrimento era imenso, mas suas palavras eram ainda inteligíveis. — Deus me dê paciência. Reze por mim, Cass. Ah, reze por mim, minha querida. Reze por mim, por favor.

Ao longo da noite seguinte — a última que passaram juntas —, Cassy sentou-se com a cabeça da irmã no colo, acariciando-a, sussurrando conforto. Até um pouco antes do amanhecer, quando a perdeu.

E, agradecida por estarem sozinhas, agradecida por não haver ninguém mais para compartilhar os momentos mais íntimos, Cassy cuidou da última de suas tarefas. Colocou o corpo querido de volta na cama, fechou e beijou cada olho e depois colocou-se de pé, em profunda contemplação da dimensão do que havia testemunhado. Jane havia sido o sol de sua vida, o coroamento de todo prazer, o bálsamo de cada dor. Jamais ocultaram um pensamento uma da outra. Cassy ajoelhou e rezou fervorosamente pelo acolhimento desta preciosa alma. Grande irmã, grande amiga, jamais poderia haver outra igual.

Era como se tivesse perdido um pedaço de si.

CAPÍTULO XXIX

Kintbury, abril de 1840

— Minha cabeça ainda está doendo — resmungou Dinah do conforto do sofá na sala de estar.
— Posso acreditar. — Isabella riu. — A minha também está latejando muito. Não tem nada a ver com a pancada de ontem, posso lhe garantir. É só porque bebemos muito vinho. — Fez um muxoxo cômico e pôs a mão na testa. — Grande ideia essa sua, Cassandra, livrar-se daquelas poucas garrafas da adega de papai, mas acho que agora nós é que não prestamos para mais nada.

— A manhã seguinte nunca é fácil, minha querida. — Cassandra sorriu. — Temos apenas que nos lembrar do quanto nos divertimos ontem à noite.

As três mulheres haviam passado a noite juntas em uma alegre comemoração dos acontecimentos importantes do dia. Terminaram *Persuasão*, beberam um pouco demais do vinho de Fulwar e conversaram até bem tarde sobre o futuro.

Tudo estava bem. Isabella convencida de que o amor deveria prevalecer e que os inimigos do amor deveriam se acostumar com isso. Não havia homem melhor que o seu querido John, e a prova do seu valor era ter esperado por ela, ao longo de todo esse tempo. Seria uma excelente esposa de médico — sobre isso não restava dúvida. E Dinah expressou o desejo de ser uma excelente criada para a esposa do médico — embora, sobre esse assunto, Cassandra tenha preferido reservar-se. No entanto, esperava que pudesse se tornar realidade, assim como sabia que isso não lhe dizia respeito.

E chegava a hora de partir.

Sentou-se na velha poltrona de Eliza — já vestida com a capa, o chapéu amarrado no queixo, a preciosa valise aos pés —, aguardando ouvir o barulho do cocheiro. Havia, na boca do estômago, aquele conhecido nó de ansiedade que antecedia uma viagem. O condutor prometera que chegaria apenas por volta da metade da manhã. Como de costume, Cassandra já estava pronta muito antes. Estavam agora vivenciando aquele momento estranho, quando as despedidas precisam ser feitas, sem que soubessem quanto tempo teriam para isso. Havia tanto a ser dito, mas não poderia ser dito muito antes.

— Vou sentir saudade — disse ela a Pyramus, quando ele cheirou seu joelho. — Você foi um bom companheiro enquanto estive aqui e conseguiu me converter à sua espécie. — Levantou os olhos, com uma ideia. — Acho que vou arranjar um cachorrinho quando estiver em casa.

— Excelente ideia, Cassandra! — gritou Isabella. — Não gostaria de imaginar você vivendo sozinha.

— Ah, não se preocupe. Não se preocupe comigo. Aqueles com quem gostaria de viver não estão mais por aqui, mas a lembrança é uma excelente companhia. Não, Deus tem sido generoso, de verdade. Poupou minha querida mãe até uma idade bastante avançada e rara... oitenta e sete anos foi um milagre para uma pessoa tão obstinada com problemas de saúde. E sua tia Martha não está muito longe. Posso visitar Frank e ela quando quiser.

— Vivem uma vida familiar muito movimentada. Não creio que vá querer passar muito tempo por lá. Não sei como ela consegue ter energia para todas aquelas crianças nesta altura da vida! Quase impossível.

— É uma criatura estoica e a melhor madrasta que poderiam desejar. Nunca é fácil quando a mãe tão querida é levada tão cedo, mas estamos muito satisfeitos em, finalmente, vê-los casados. No entanto, você está certa... minhas visitas tendem a ser curtas.

— A querida tia Martha. — Isabella sorriu, afetuosa. — Jamais me acostumei com o fato de que agora ela é *Lady Austen*.

— Mary também não — advertiu Cassandra. — Acha a ascensão muito penosa. É melhor não usar o título quando ela estiver por perto.

Foram interrompidas pelo som das rodas no cascalho.

— Ah, aí está o meu homem. — Cassandra levantou-se e abraçou Isabella.

Durante a visita, a relação entre elas crescera da desconfiança familiar à riqueza da amizade. Ficaram juntas, em silenciosa comunicação, cada uma celebrando o valor da outra.

— Isabella. — Cassandra retraiu-se, tomou a mão da sobrinha e começou. — Não posso lhe dizer...

— Sra. Austen, madame — anunciou Fred da porta, quando a Sra. Austen irrompeu agitada à sua frente.

— Mary! — exclamou Cassandra. — Você chegou a tempo. Meu cocheiro está chegando a qualquer minuto.

— E, mais uma vez, você viaja sem a delicadeza de informar a sua irmã — respondeu Mary acidamente.

— Me perdoe. Estava com vontade de chegar em casa e deixar a família em paz.

— Já não era sem tempo. E o que você está fazendo deitada aí, Dinah? Levante-se. Levante-se imediatamente! Chega de fingir doença.

Dinah levantou-se e fungou, descontente.

— Ouvi dizer — Mary agora olhava para Isabella — que aquele Dundas miserável está pondo você para fora prematuramente. Comportamento indescritível, se quiser saber minha opinião, mas não me surpreendo. Ah, querida, não. Já vi de tudo nesta vida e o suficiente para saber o seguinte: não há ameaça maior *neste mundo* do que clérigos recém-nomeados. Agora, então. Por onde começamos? Sei que ainda não comentei sobre as cartas, e tenho pensado no assunto. A não ser que existam coisas que vocês crianças queiram, Isabella, sugiro que leve tudo. Fred! Vá ao quarto da patroa, tire toda a correspondência e traga aqui para mim. Pode ser que haja alguma coisa de interesse.

Então ela teve razão em ter vindo aqui! Cassandra deu um suspiro de alívio.

— Adeus, minha querida. — Deu um passo adiante e segurou a mão de Isabella. Parecia, afinal, que não teriam espaço para uma despedida adequada. — Resta apenas agradecer a vocês por terem me hospedado aqui. Significou muito para mim, de muitas maneiras. — Inclinou-se para a frente e sussurrou no ouvido de Isabella. — A propósito, a melhor porcelana de que você gosta tanto. Guarde para você. Ninguém vai perceber. O suficiente para dois jogos, pelo menos.

Isabella sorriu e deu um beijo afetuoso no rosto de Cassandra.

— Pronto. — Mary intrometeu-se entre as duas. — Melhor não fazer isso tudo render demais. Você pode ficar esperando aqui sozinha, Cassandra, não pode? Estamos ocupadas e temos que continuar.

Empurrou Isabella, mas então parou e abrandou.

— Então esta é a última vez que iremos nos encontrar nesta casa. É um momento profundo. Vivemos tantas histórias aqui, não é? E agora tudo se perde. — De repente, parecia digna de pena. — Nem um rastro permanecerá.

— Querida Mary. — Cassandra inclinou-se para beijá-la. — Com certeza nossa história está em nossas mentes, em nossas lembranças. Iremos reproduzir tudo para a próxima geração, com a maior honestidade que nos for possível. — Sorriu. — E espero apenas que o que permanecer seja verdadeiro.

— Como se alguém vá ter interesse! Ah, as histórias de homens permanecerão, tenho certeza: Fulwar, claro. Meu bom marido; meu bom filho, por sua vez. Mas a nossa? Nem mesmo um pedaço. Ninguém nos dará importância.

~

Cassandra partiu como chegou: sozinha e sem ser notada. Ajeitou-se na carruagem, protegida das dificuldades da viagem adiante, e olhou em volta pela última vez. Lá, no plano de fundo, havia leves ondulações; ao lado estavam as casas de campo de tijolo e lascas de pedra. Atrás dela agora, para nunca mais ser vista, a casa paroquial: sólida e sóbria.

O cocheiro pegou a rua, em direção à Avenida, e, antes de atingir velocidade, Cassandra avistou uma silhueta baixa e larga descendo a trilha à margem do rio. Ela se debruçou e pediu que o cocheiro parasse.

— Dr. Lidderdale — gritou. — Bom dia. Está a caminho da casa paroquial?

O médico tirou o chapéu e observou a delicadeza.

— Não estou certo, madame, se me querem lá. Como está Dinah hoje? Naturalmente, irei caso seja necessário.

— Não, o senhor não é necessário. Dinah passa muito bem. Mas tenho minhas razões para crer que, se tiver tempo para visitar a Srta. Fowle, será muito bem recebido.

— Obrigado. — Seu rosto largo iluminou-se com um sorriso aberto. — Obrigado, Srta. Austen. — Ajeitou o casaco velho. — Nada como o tempo presente, não é? Irei para lá imediatamente.

O cocheiro deu uma guinada, avançou com dificuldade e balançou rua acima, sacudindo os velhos ossos de Cassandra. Ah, como queria voltar à sua casa em Chawton! Faria uma fogueira, assim que possível: alimentaria as chamas com aquelas cartas problemáticas; aguardaria e ficaria olhando até que as cinzas esfriassem. E depois, somente depois, sua tarefa aqui estaria cumprida; nada mais a fazer. Finalmente, estaria livre para definhar, preocupando-se apenas com as rosas, as galinhas e a igreja.

Mas a viagem ainda levaria horas. Que forma melhor para se distrair do desconforto e do tédio? Foi então que se lembrou da carta de Jane que ainda não lera. Abrindo a valise, passando os dedos entre os retalhos de *patchwork*, encontrou-a, pegou-a e leu.

∽

College Street, Winchester
10 de julho de 1817

Minha querida Eliza,
Para minha tristeza, estou doente novamente — a pior crise que já tive — e me abateu tanto que, agora, penso que a recuperação parece improvável. Não tenha pena de mim — nem me venha com essa. Se morrer agora, estou convencida de que morro como uma das mulheres de mais sorte. Pois jamais conseguirei retribuir a generosidade de minha família durante esta doença! E Cassandra! Faltam-me palavras para descrever que enfermeira ela tem sido para mim, que irmã mais querida, doce, cuidadosa tem sido ao longo de minha vida. Com relação à dívida que tenho com ela, posso apenas reconhecer e rezar para que Deus a abençoe ainda mais.
Não posso esperar que tenha forças para lhe escrever novamente, mas agradeço pela amizade e desejo a você e sua família saúde e felicidade. Peço que, por favor, cuide de minha querida Cass. Os próximos meses e anos serão difíceis. Nunca lidamos bem com a separação, nem ela, nem eu. E, ao me aproximar da partida final, sou grata, de forma egoísta, que não seja meu destino ser a que sobreviveu. Como conseguiria? Que tipo de vida seria, se eu não a tivesse mais ao meu lado?

Com profunda afeição,
J. A.

~

Cassandra levou o papel aos lábios, fechou os olhos e, tal qual a peregrina faz com sua relíquia, beijou-o.

As rodas giravam firmes: os cavalos puxavam e arfavam. Em meio às lágrimas, olhou pela janela. Berkshire começava a se afastar dela agora, Hampshire se revelava: os contornos suaves do campo que um dia havia considerado seu destino certo cedendo ao belo formato de lar.

NOTA DA AUTORA

Consta nos registros da família que, nos últimos anos de vida, Cassandra Austen teve acesso às cartas que trocou com a irmã. Todas que encontrou abertas e confidenciais — a maior parte — ela queimou. Não podemos ter dúvida de que teria havido também troca de correspondência entre Cassandra e Jane, e a família Fowle, em Kintbury. Nenhuma, até hoje, veio à luz. As cartas neste romance são fruto da imaginação. A poesia é de James Austen.

Entre as sobrinhas favoritas: Anne casou-se com Ben Lefroy, em 1814, mas enviuvou quinze anos mais tarde, com sete filhos, baixa renda e saúde debilitada. Fanny, no entanto, gozou de vida de muito conforto, tornando-se a segunda esposa do rico Sir Edward Knatchbull. Assumiu muitos enteados e teve ainda mais nove filhos. No fim da vida, escreveu desdenhosamente sobre a tia Jane, descrevendo-a como "não tão *refinada* quanto deveria ter sido". Entretanto, seu filho mais velho, Lorde Brabourne, foi o primeiro a compilar e publicar as cartas de Jane Austen.

Nos últimos anos de vida, Cassandra desfrutou da companhia de um cachorro, Link, que a acompanhava com o criado ao casarão, para buscar o leite e levá-lo no balde pendurado na boca, até em casa. Cassandra morreu vitimada por derrame, em março de 1845, quando estava hospedada na casa do irmão Frank, em Portsmouth. Foi enterrada no cemitério da igreja em Chawton, ao lado da mãe. Entre os herdeiros constantes no testamento estavam as irmãs Fowle. Para Isabella, então a Sra. John Lidderdale, deixou quarenta e cinco libras. E para Elizabeth, a única que não se casou, deixou a extraordinária soma de mil libras — provavelmente como reparação da herança que havia recebido tantos anos antes.

Gill Hornby

AGRADECIMENTOS

Em vida, Jane Austen pode não ter gozado de muita sorte, mas foi agraciada pela qualidade da pesquisa de acadêmicos e historiadores que a estudaram desde então. Este romance não teria sido possível sem o brilhante trabalho de David Cecil, Kathryn Sutherland, Claire Tomalin e todos que contribuem para a Jane Austen Society. A extraordinária obra de Deirdre Le Faye, *A Chronology of Jane Austen and her Family*, foi minha bíblia, e quem quiser saber mais sobre os Austen, os Fowle e os Lloyd deve consultar *A Family Record*, de Le Faye, imediatamente.

Os fãs de Jane, descobri, são muito generosos. Gostaria de agradecer a Deirdre Le Faye, Helena Kelly, Maggie Lane e Hazel Jones, que gentilmente aceitaram ler o manuscrito de *Srta. Austen*, indicando os muitos erros históricos. Os que permaneceram no livro publicado são de minha inteira responsabilidade.

Ao escrever sobre Kintbury, tive a sorte de contar com muitos trabalhos escritos por excelentes e dedicados historiadores locais: as falecidas Thora Marrish, Penny Fletcher e Margaret Yates. Penny Stokes partilhou comigo seu precioso volume de *Four Manly Boys*, excelente história da família Fowle, escrita por G. Sawtell, Jacqueline Cooper e Judith Turner, do acervo da Biblioteca de Newbury, que ajudou muito quando precisei rastrear vários documentos e desencavar pequenos, porém interessantes, detalhes.

Minha agente, Caroline Wood, foi inabalável, paciente, motivadora e sábia desde o início. Sem ela, *Srta. Austen* ainda seria apenas uma ideia e uma ambição. Selina Walker, com sua experiência de investigação forense, visão clara e paixão, transformou um manuscrito imperfeito em livro concluído. Caroline Bleeke embarcou com sua inteligência, conhecimento, imensa energia e contagiante confiança. Obrigada a todas da Cornerstone — em particular a Susan Sandon, Jess Balance, Emma Grey e Laura Brooke — à Flatiron Books. Foi um grande prazer trabalhar com todas.

Por serem os primeiros leitores e pela animação, sou muito grata a Nick Hornby, Amanda Posey, Catherine Bennett, Sabine Durrant, Joanna Kaye e Julia Kreitman. Finalmente, é claro, agradeço à minha família — Holly, Charlie, Matilda, Sam e, muito especialmente, a Robert Harris — obrigada simplesmente por tudo.

Este livro foi composto na tipografia Adobe Caslon Pro,
em corpo 11/15,5, e impresso em papel off-white
no Sistema Cameron da Divisão Gráfica
da Distribuidora Record.